Piper Sozialwissenschaft   Band 1

646 - 1B - 293   ①

03 Krauge

Maur.

Texte und Studien zur Politologie
herausgegeben von Professor Klaus von Beyme
und Professor Kurt Sontheimer

Klaus von Beyme

Die politische Elite in der Bundesrepublik Deutschland

R. Piper & Co. Verlag, München

Redaktion Hans-Helmut Röhring

Den Heidelberger Freunden
Adrian von Braunbehrens und
Arnd Morkel gewidmet.

ISBN 3-492-01876-9
2.,überarbeitete Auflage, 6.–8. Tausend 1974
© R. Piper & Co. Verlag, München 1971
Gesetzt aus der Linotype-Aldus
Gesamtherstellung Clausen & Bosse, Leck/Schleswig
Umschlagentwurf Gerhard M. Hotop
Printed in Germany

Inhalt

Vorwort

Die Unentwickeltheit der Elitenforschung in der Politikwissenschaft wird vor allem bei Anhängern der Establishment- oder Power-Elite-Hypothesen häufig in direktem Zusammenhang mit der mangelnden Unterstützung durch den Staat und die Stiftungen gesehen. Richard H. Rovere (1962, S. 9) formulierte bissig: »It is absolutely unrivaled in the great new world created by the philanthropic foundations – a fact which goes most of the way toward explaining why so little is known about the Establishment and its workings. Not a thin dime of Rockefeller, Carnegie, or Ford money has been spent to further Establishment studies.« Seit dem umfangreichen RADIR-Projekt unter Lasswell und Lerner von 1952 ist dies selbst für Amerika nicht ganz richtig, und seit der Unterstützung der Forschungsgruppen Stammers, Ludz' und Wildenmanns trifft es auch für die Bundesrepublik nicht völlig zu – was aber nicht darüber hinwegtrösten kann, daß auf diesem Gebiet noch viel zu wenig zum Nutzen der Demokratie getan wurde.

Vorliegende Studie ging aus einer Untersuchung hervor, die der Autor und seine Mitarbeiter mit Unterstützung des Planungsstabes im Bundeskanzleramt – im Rahmen der Untersuchung von Möglichkeiten zur Reform der Regierungs- und Verwaltungsstruktur in der Bundesrepublik – unternahmen. Herrn Ministerialdirektor a. D. Krüger und Herrn Dr. Heribert Schatz fühlt sich der Verfasser verpflichtet.

Ohne die Hilfe von Dr. Peter Pawelka, Annemarie Bopp-Schmehl, Rudolf Steiert und Jörg Ueltzhöffer, die mir bei der Erhebung der Daten große Hilfe leisteten, hätte der Autor vorliegende Untersuchung nicht durchführen können. Mein größter Dank gilt daher diesen Mitarbeitern am Politikwissenschaftlichen Seminar in Tübingen.

Erwin Scheuch und Rudolf Wildenmann verdanke ich die Einsicht in bisher unveröffentlichte Studien. Arnd Morkel habe ich für Kritik und Anregung zu danken. Die Kritik an der positionellen Methode und der Verwertung von

Background-Daten hat in einer internationalen Studiengruppe zu neuen Fragestellungen geführt. Diese internationale Zusammenarbeit wird es hoffentlich möglich machen, daß der Autor zu einem späteren Zeitpunkt eine stärkere Verknüpfung zwischen dem Wandel der Elitenrekrutierung und dem »governmental output« in Deutschland in den letzten hundert Jahren vornimmt. Für manche methodische Anregung fühlt sich der Autor den Organisatoren dieser Forschungsgruppe unter Leitung von Mattei Dogan, Lewis Edinger und Juan Linz zu Dank verpflichtet.

Tübingen, September 1970   K. v. B.

Vorwort zur zweiten Auflage

Die Daten der ersten Auflage, die den Zeitraum 1949–1969 umfaßten, wurden für die zweite Auflage (einschließlich der Regierung Schmidt) ergänzt, soweit dies möglich war. In einigen Kapiteln war eine solche Ergänzung nicht sinnvoll, wie zum Beispiel bei der Untersuchung regionaler Herkunft, Religionszugehörigkeit oder NS-Vergangenheit, weil diese Faktoren abnehmende Bedeutung zeigen durch die ganz anderen Karrieremuster, die in den SPD-Regierungen überwiegen. Angesichts dieser Ungleichbehandlung einzelner Kapitel mußte jeweils deutlicher als in der ersten Auflage angegeben werden, auf welchen Zeitraum sich eine Aussage bezieht. In einigen Punkten mußten allzu optimistische Äußerungen über Trends der Änderung von Karrieremustern der politischen Elite in der Bundesrepublik im Lichte der Regierungsbildungen von 1972 und 1974 bedauerlicherweise modifiziert werden.

Heidelberg, Juni 1974   Klaus v. Beyme

Einleitung

Rekrutierung ist eine der wichtigsten Funktionen jedes politischen Systems. G. Almond und J. S. Coleman (The Politics of Developing Areas. Princeton 1960, S. 17) rechnen die Rekrutierung zusammen mit der politischen Sozialisation zu einer der vier »input«-Funktionen des politischen Systems.

Das Produkt dieser Rekrutierungsfunktion eines politischen Systems wird in der westlichen Forschung überwiegend als »politische Elite« bezeichnet. Vor allem die angelsächsischen Sozialwissenschaftler zeigen beim Gebrauch des Wortes »Elite« ein weniger schlechtes Gewissen, als es die meisten Wissenschaftler in Deutschland haben, wo der Elitenbegriff durch autoritäre und faschistische Ideologien stark kompromittiert wurde. Marxistische Forscher lehnen den Begriff Elite hingegen ab, weil die bürgerliche Soziologie ihn an Stelle der sozialökonomisch determinierten Klassen, Schichten und Gruppen in einer auf »subjektiven Kriterien« beruhenden Gegenüberstellung von Elite und Masse anwende (Wörterbuch der marxistisch-leninistischen Soziologie. Köln/Opladen 1969, S. 99). Die marxistische Soziologie hat jedoch in der »Leitungswissenschaft« durchaus ein Pendant zur Elitenforschung. Zwar wird in einigen Elitentheorien von Pareto bis Dahrendorf ein Primat des Politischen gegenüber den ökonomischen und sozialen Determinanten des sozialen Wandels behauptet, aber Elitenforschung und die Untersuchung ökonomischer Determinanten und wirtschaftlicher Klassen schließen einander nicht notwendigerweise aus.

Im Gegensatz zu älteren Elitentheorien von Plato bis Carlyle, die den Begriff Elite häufig mit dem Postulat nach »Herrschaft der Besten« verbanden, bezeichnet der Elitenbegriff heute überwiegend eine genau angebbare Leistungsqualifikation ohne ethische oder politische Forderungen, und man geht stärker auf den ursprünglichen Wortsinn im 17. Jahrhundert (élire = auswählen) zurück, der zunächst nur Waren mit besonderen Qualitätsmerkmalen bezeichnete und erst später auf gehobene soziale Gruppen, militärische

9

Einheiten oder auf den Hochadel ausgedehnt (Bottomore, 1966, S. 7) und noch später zu einem Substanzbegriff ontologisiert wurde.

Politische Elite bezeichnet funktional und positionell abgrenzbare Führungsgruppen des politischen Systems, deren Macht in der Demokratie nur als Derivat der Volkssouveränität gerechtfertigt werden kann. Die Anwendung des Terminus »Elite« impliziert jedoch, daß die Führungskräfte eines Systems von den Nichteliten – vom Durchschnitt der Gesamtbevölkerung – unterschiedene Merkmale aufweisen. Je größer diese Abweichung ist, um so weniger wird ein System den Postulaten der vorherrschenden Demokratietheorien gerecht. Der empirische Nachweis der Abweichung der Merkmale des Aggregats Elite von der Gesamtbevölkerung impliziert jedoch nicht die Rechtfertigung dieser Abweichungen und der Mechanismen, die zu dieser einseitigen Auslese führen.

Neue Fragestellungen der Elitenforschung, die sich stärker dem Einfluß von Eliten auf den »output and policies« und ihre Rolle bei Innovationen zuwenden, führen zu einer Kritik an der Einordnung der Elitenrekrutierung als »input«-Funktion. Einige amerikanische Forscher beginnen daher, einen treffenderen, wenn auch noch unschöneren Neologismus mit dem Wort »throughput« anzuwenden, das die sozialen und politischen Charakteristika der Eliten bezeichnet – im Gegensatz zu sozialen Variablen des ökonomischen und politischen Wandels einerseits (input) und dem output an Gesetzgebung und Staatsausgaben andererseits (vgl. Kornberg–Falcone, 1970, S. 16). Die »input-output«-Analyse politischer Systeme kann daher Ergebnisse von Elitenstudien, die mit dem positionellen Ansatz und sozialen Background-Daten arbeiten, nicht ohne weiteres als »input« einsetzen. Solche Daten haben allenfalls den Charakter einer Schleusenfunktion, die kodeterminiert, welche der Variablen des sozialen und ökonomischen Wandels sich in Gesetzgebung, Maßnahmen und Staatsausgaben niederschlagen, da die sozialen Charakteristika von Politikern einen gewissen Einfluß auf politisches Verhalten haben. Dies läßt sich jedoch nicht durch bloße »survey«-Studien über attitudes und Ideologien erforschen, sondern ist nur beim Studium einzelner outputs – nach Gebieten und issues getrennt – verläßlich zu ermitteln.

Die politische Rekrutierung ist in der Bundesrepublik nur sporadisch erforscht worden. Karl Martin Boltes Verwunderung darüber, woher so mancher seine Kenntnisse bezieht, der über die Schichtung in unserer Gesellschaft berichtet, ist auch für die Elitenforschung berechtigt. Unser Wissen stammt bisher vorwiegend aus drei unzulänglichen Quellen: (1) aus unsystematischen eigenen Beobachtungen, (2) aus teilweise unzulässigen Verallgemeinerungen der Ergebnisse der wenigen vorliegenden Studien (im Bereich der politischen Elitenforschung vor allem der Arbeiten von Zapf und Deutsch-Edinger) und (3) aus der Bezugnahme auf die Ergebnisse der amerikanischen Forschung (Bolte in: Glass-König, 1965, S. 506).

Der vorliegende Versuch beschränkt sich überwiegend auf die Untersuchung der Positionen der Minister und Staatssekretäre. Wo dies die Ergebnisse verbessern konnte, wie bei sehr allgemeinen Background-Variablen, wurden auch Fraktions- und Parteivorsitzende einbezogen. Um das zeitliche Element politischer Karrieren stärker zu berücksichtigen, als dies die meisten soziologischen Querschnittanalysen tun – soweit sie nicht die Elitenzirkulation untersuchen wie Zapf –, wurde bei der Untersuchung einiger Background-Variablen auch auf die Parlamentarier rekurriert. Da jedoch nicht alle von diesen zur politischen Elite im engsten Sinne gehören, hat sich die Untersuchung auf Ausschnitte beschränkt. Um möglichst vergleichbare Zahlen aus den drei konstitutionellen deutschen Regimen zu bekommen, wurden die Reichstage von 1907 und 1928 und der Bundestag von 1965 ausgewählt. Alle drei stellen Parlamente in einer Epoche dar, die zwar im ganzen noch als stabil erscheint, aber gleichwohl den Beginn einer neuen Entwicklung einleitet, die durch die Erstarkung oppositioneller Kräfte gekennzeichnet ist: 1907 der parlamentarisch-demokratischen Kräfte im Anschluß an die ›Daily Telegraph‹-Affäre von 1908; 1928 der antidemokratischen rechten und linken Flügelgruppen im Parteienspektrum in der letzten Phase der Weimarer Republik; 1965 der Sozialdemokratie, die 1966 die Regierungsbeteiligung durchsetzte, zugleich kurz vor der ersten Legitimitätskrise des Regimes, die in den außerparlamentarischen Aktionen von 1967/68 gipfelte.

Auf Interviews, wie sie von Deutsch (1967) verwandt wurden, mußte verzichtet werden. Selbst die umfangreiche Studie der Mannheimer Forschungsgruppe unter Rudolf Wildenmann hat die Regierungsmitglieder und Staatssekretäre auf Bundesebene nicht unter die 800 befragten Elitenpositionsinhaber aufgenommen, weil man befürchtete, daß eine hohe Ausfallquote die Verwertbarkeit der Ergebnisse beeinträchtigen könnte, und von der offiziellen Regierungspolitik abweichende Äußerungen, die bei einer ehrlichen Antwort der einzelnen Spitzenpolitiker hätten zutage treten müssen, kaum erhofft werden konnten (Wildenmann, 1968, S. IX). Auch Deutsch konnte die Fragebogenmethode bei der Spitzenelite nicht in ihrer schematischen Form anwenden lassen (Deutsch, 1967, S. 91), sondern mußte die Form des ungezwungenen Gesprächs wählen.

Kann die Beschränkung auf politische Spitzenpositionen – Minister, Staatssekretäre, Parteiführer – Ergebnisse zeitigen, die für die Analyse der politischen Elite insgesamt relevant sind, auch wenn andere politische Positionen – von den Ministerpräsidenten der Länder bis zu den Leitern von Spitzenverbänden – nur gelegentlich in die Betrachtung einbezogen wurden? Gerade in einem Land mit traditionellem Übergewicht der Exekutive erscheint dies vergleichsweise noch am ehesten möglich. Zapf (1966, S. 198 f.) stellte bereits fest: »In der westdeutschen Gesellschaft wird die Elite von der Exekutive repräsentiert.« Die Differenzen im Prestige der administrativen Spitzenfunktionen zu dem Prestige der Abgeordneten zeigen das bereits (vgl. unten S. 181 ff).

Wenn man nach einer Machtelite sucht, so muß man vor allem den Bereich eines inneren Zirkels abstecken, der in der Regel an jeder wichtigen Entscheidung potentiell beteiligt ist. Außer den Ministern und den Partei- und Fraktionsführern kommen hierfür noch die Spitzen der Fraktionshierarchie und die Vorsitzenden einiger Ausschüsse in Frage. Alle übrigen Positionen können zwar gelegentlich einflußreich sein, sind jedoch schwerlich am Willensbildungsprozeß bei jeder einzelnen Maßnahme von Tragweite beteiligt. Gleiches gilt auch für die nicht positionell fixierbaren Teile der politischen Elite: die Lobbyisten und Interessenvertreter, mächtige Männer in Kirchen, Massenkommunikationsmitteln und Konzernen. Sie alle können bei »key decisions« mehr Einfluß haben als selbst einzelne Minister, die im Kabinett über die Entscheidung mit abstimmen. Ihr Einfluß ist jedoch in der Regel sektoral begrenzt und wird nur punktuell und projektgebunden geltend gemacht.

Auch Soziologen denken heute in der Regel so stark im Decision-making-Ansatz, daß sie nicht einfach die Oberschicht als Elite identifizieren. Nach Janowitz wären das in Deutschland 1,9 % der Bevölkerung, eine große Zahl, die keinerlei Aufschlüsse über Einflußprozesse zuließe. Wildenmann ist bei seinen Befragungen von der fiktiven Zahl 2000 ausgegangen, wobei er die Befragten eine Klassifikation der Mächtigen vornehmen ließ, was diesen die Möglichkeit nahm, das Konzept der Zweitausender-Machtelite überhaupt in Frage zu stellen. Auch Dahrendorf (1965, S. 247) geht von 2000 Positionen aus. Diese Zahl erscheint recht willkürlich, wenn man sie mit der Elitenforschung anderer Länder vergleicht. Meynaud (1966, S. 361) nannte für Italien über doppelt so viele Personen, nämlich 4000–5000, und Guttsman (1965, S. 328) kam für Großbritannien auf einen Kreis von etwa 11 000. Die Elitenforschung für sozialistische Länder geht in der Regel noch stärker vom positionalen Ansatz aus und kam – etwa bei Meissner (1966, S. 115) – auf die

Zahl von 700 000 Personen für die Sowjetunion. Angesichts solcher Uneinigkeit in der Forschung scheint es ratsam, das Problem durch eine klare Abgrenzung der Positionsinhaber, die man untersuchen will, auszuklammern.

Elitenforscher haben es schwerer als andere Sozialwissenschaftler, ihren Forschungsgegenstand abzugrenzen. Schon die allgemeinste Feststellung – wie sie Pareto traf –, daß jedes Volk von einer Elite regiert wird, droht zur bloßen Tautologie zu werden, die nicht mehr besagt, als »that every people is ruled by rulers« (Lasswell-Kaplan, 1950, S. 202). Es ist daher kein Zufall, daß die Forschung sich zunächst den Eliten totalitärer und autoritärer Regime zuwandte, die in den fünfziger Jahren besser erforscht schienen als die Eliten demokratischer Staaten (Lasswell, 1966, S. 187). Auch die ersten Studien des RADIR-Projekts, die später gesammelt erschienen (Lasswell-Lerner, 1966), befaßten sich mit weltrevolutionären Eliten. Das Quellenmaterial war bei diesen Studien zum Teil sehr dürftig: Lerners Studie über die Nazi-Elite etwa stützte sich auf die spärlichen Informationen des ›Führerlexikons‹ von 1934, und Schueller hatte für die Sowjetelite nicht einmal Material von der gleichen Verläßlichkeit; Hinweise auf die politische Struktur und Korrelationen zur allgemeinen Sozialstruktur unterblieben fast völlig. Bei aller Würdigung der Verdienste Lasswells und seiner Schule um die Elitenforschung kam die Kritik zu sehr harten Urteilen wie »kuriose Kombination von Pedanterie, munterem Journalismus und Mystagogie« (Ross, 1952, S. 27–32); oder »nahe an der science fiction«; oder »Lasswell führt uns in den Bereich der Astropolitik« (Rustow, 1966, S. 692).

Um den Gefahren der Lasswellschen Mystagogie zu entgehen, die inhaltsleere Formeln über Eliten durch wertende Begriffe zu füllen trachtete, beschränken sich neuere empirische Untersuchungen überwiegend auf die Analyse von Funktionseliten. In der Schichtungslehre werden diese zum Teil mit der Oberschicht identifiziert. Die sozialen Schichten in der Bundesrepublik wurden von Moore und Kleining (1960, S. 91) folgendermaßen abgegrenzt:

Schicht	Prozent der Bevölkerung	Typische Berufe
Oberschicht	1–2 %	funktionale Eliten, Großunternehmer, Spitzenpolitiker, Hochfinanz
Mittelschicht	45 %	Beamte und Angestellte, freie Berufe
Unterschicht	50 %	Gros der Arbeiterschaft
Sozial Verachtete	3–4 %	Gelegenheitsarbeiter, Gastarbeiter

Für die politikwissenschaftliche Untersuchung von Eliten gibt diese Einteilung noch weniger her als für die Schichtungsforschung, da die Spitzenpolitiker ungesondert in einer Gruppe integriert gedacht werden, die 1–2 % der Bevölkerung umfaßt. Kontrollen im Rahmen des Decision-making-Ansatzes lassen jedoch prima vista die Hypothese zu, daß wesentlich weniger Menschen an den Schlüsselentscheidungen der Politik beteiligt sind. Es genügt für den Elitenbegriff nicht, ein Aggregat mit höherem Status festzustellen. Um die Anwendung des Elitenbegriffs zu rechtfertigen, müssen ein innerer Zusammenhalt des Aggregats und das Bewußtsein gemeinsamer Handlungsfähigkeit sowie eine gewisse Exklusivität hinzutreten (vgl. Nadel, 1956, S. 415).

Es gibt sogar Soziologen wie Etzioni (1968, S. 113), die den Begriff der Elite als politisches Konzept streng vom Statuskonzept sondern. Elite ist für ihn ein Rollenkonzept, Klasse ein Statuskonzept. Klassenmitglieder sind kohäsiv – Elitenmitglieder können dies sein, es gehört jedoch nicht zur Definition des Elitenbegriffs.

Der Verbindung des Elitenbegriffs mit dem Rollenkonzept entspricht die Tendenz der neueren Forschung, nicht Werteliten, sondern nur noch funktionale Eliten zu unterscheiden. Dahrendorf (1961, S. 179) verzeichnet sieben funktionale Eliten: Wirtschaftsführer, politische Führungskräfte, Professoren und Lehrer, Geistliche, Prominente der Massenkommunikationsmittel, Militärs, Richter und Staatsanwälte. Sein Schüler Wolfgang Zapf differenzierte in einer der ersten grundlegenden Untersuchungen zur deutschen Führungsschicht die politische Elite insofern, als er die Verwaltungsspitzen und die Verbandsmanager – sowohl von Wirtschaftsverbänden als von Gewerkschaften – sonderte (Zapf, 1966, S. 71). Eine so umfassende Typologie möglicher Führungsgruppen leistet in der Soziologie zur Erforschung der sozialen Mobilität durchaus wertvolle Beiträge, jedoch für Politikwissenschaftler, die primär nach dem politischen Entscheidungsprozeß und den an ihm beteiligten Gruppen fragen, ist sie wenig aussagekräftig. Die bloße Addition von Positionen und ihrer Inhaber droht zudem den alten institutionalistischen Ansatz, der durch die politik-soziologischen Forschungen gerade überwunden werden sollte, durch die Hintertür wieder einzuführen, da die Positionsinhaber nicht selten mit den Einflußreichsten im politischen Entscheidungsprozeß gleichgesetzt werden. Neben der verfassungs- oder satzungsmäßig begründeten politischen Führung gibt es immer auch eine »interessenmäßig begründete, implizit autorisierte Einflußnahme« (Ammon, 1967, S. 21). Einige Elitentheoretiker, wie Urs Jaeggi (1960), betonen die Notwendigkeit, auch die »grauen Eminenzen und Drahtzieher« zu berücksichtigen, ohne jedoch genauer anzugeben, wie diese empirisch zu ermitteln sind. Die vergleichsweise erfolgversprechendste Methode scheint dem behavioristischen »approach« zugrunde zu liegen, der ein paar Hypothesen über die wichtigen Decisionmaker durch Umfragen unter Teilnehmern am Entscheidungsprozeß testet und so Schritt für Schritt zu einem durch Gegen- und Querfragen kontrollierten Kreis von Decisionmakers kommt. Aber selbst dieser reputationelle Ansatz schließt Fehlerquellen nicht aus. Einmal zeigt es sich bei Umfragen, daß selbst Politiker, die an entscheidender Stelle mitwirken, über das Zustandekommen einer politischen Entscheidung und die wichtigsten Decisionmaker keineswegs immer eine zutreffende Meinung haben, da auch sie sich von landläufigen Topoi über die Mächtigen und Einflußreichen lenken lassen. Zudem sind die »key decisions«, an denen man Einfluß über längere Zeiträume testen könnte, nur schwer für alle Gruppen und Quasigruppen verbindlich festzustellen (vgl. Dahl, 1958, S. 466 f.). Auch wäre es einseitig, wichtige Entscheidungen nur auf die Einflüsse von entscheidenden Gruppen und Personen hin zu untersuchen; Einfluß kann auch auf Unterlassen zielen, wie bei fast allen Vetogruppen, und der »nondecision-making process« im politischen System müßte ebenfalls untersucht werden, wenn man zu realistischen Hypothesen über Einfluß und Durchsetzungsvermögen bei Entscheidungen kommen will (Bachrach-Baratz, 1963, S. 641).

Jede Studie über die politische Elite in der Bundesrepublik muß davon ausgehen, daß nicht einmal über die wichtigsten Entscheidungen hinreichende empirische Untersuchungen vorliegen. Die wenigen detaillierten Einflußstudien (Fritz 1964, Stammer 1965, Schatz 1970) lassen nicht den Schluß zu, daß »key-decisions« in der Bundesrepublik stets von einer kleinen festumgrenzten Gruppe von Drahtziehern durchgesetzt werden, vielmehr zeigt sich ein äußerst diffuses Bild von Einflüssen und Gegenpressures auf mehreren Ebenen (vgl. S. 203 ff.). Die durch die neomarxistischen Theorien wieder populär gemachte Vorstellung, das Monopolkapital entscheide letztlich im politischen Prozeß der Bundesrepublik, verdunkelt mehr, als sie erhellt, da detaillierte Einflußstudien zeigen, daß das Monopolkapital selten ein einheitlich handelndes Aggregat ist.

Trotz der genannten Bedenken ist es für die Politikwissenschaft nicht völlig sinnlos, Karrieremuster einer eng umgrenzten Positionselite zu untersuchen. Die Auswahl von Ministern, Staatssekretären, Parteiführern und Ministerpräsidenten der Länder unterstellt keineswegs, daß diese Gruppen immer die Mächtigsten und Einflußreichsten im System sind, sondern geht lediglich von einigen Hypothesen aus:

(1) daß diese Aggregate dank ihrer verfassungsmäßigen Kompetenzen und der Ämterkumulation, die solche Positionseliten mit den gesellschaftlichen Machtzentren verbindet, eine größere Chance zur Durchsetzung ihrer Vorstellungen haben als andere Gruppen, obwohl in parlamentarisch-demokratischen Systemen die Positionsinhaber nicht im gleichen Maße auch tatsächliche Macht ausüben wie in totalitären Regimen (Ludz, 1968, S. 39). Es sind daher Herrschafts- und Machtstruktur zu unterscheiden. Erstere sagt etwas über die Organisation, letztere über die tatsächliche personelle Verteilung der Macht aus (Jaeggi, 1960, S. 155). Die Herrschaftsstruktur und ihr institutioneller Rahmen hat jedoch vielfältigen Einfluß auf die Führungsauslese, die in den soziographischen Elitenprofil-Studien meist wenig berücksichtigt wurde: Das Verhältnis der Gewalten im Staat, die Organisation des Föderalismus, das Wahlrecht, die Parteienorganisation, das Erziehungssystem und andere institutionelle Variablen beeinflussen die Rekrutierungsmuster von demokratischen Staaten;

(2) daß die Addition dieser Positionen noch keine Gruppen schafft, die ein einheitliches Bewußtsein und Handeln besitzen oder gar eine homogene politische Elite ausmachen, sondern daß durch die enge formelle und partiell auch enge informelle Kommunikation der Positionsinhaber die Chance einheitlichen Handelns im Vergleich zu allen anderen Einflußsuchenden steigt;

(3) daß der institutionelle Rahmen des politischen Systems solche Kommunikation im Vergleich zu anderen Aggregaten und Gruppen erleichtert und zugleich durch bestimmte Institutionen (z. B. die Einheit von Ministeramt und Abgeordnetenmandat im parlamentarischen System oder den Föderalismus) die Karrieremuster und die Führungsauslese mit determiniert. Die Tendenz zur Oligarchie, die sich in politischen Entscheidungen auszudrücken scheint, wird häufig überschätzt, weil die Kommunikationsschwierigkeiten von potentiell mächtigen Gruppen und Individuen viel zu gering veranschlagt werden, wie man selbst für die lokalen Machtzentren in »community power studies« nachweisen konnte. Selbst auf lokaler Ebene wäre eine Unmenge von Meetings mit Vizepräsidenten, »branch managers«, »supervisors«, Verbandsfunktionären und Wirtschaftsbossen nötig, um alle Teile eines lokalen »Establishments« zu einer einheitlichen Handlungsweise und Einflußnahme zu bewegen (Banfield, 1961, S. 296; vgl. S. 199 f.).

(4) Die Erforschung von Politikerkarrieren hat, abgesehen von ihrem mittelbaren Aufschluß über politischen Einfluß bei »key decisions«, ihren Wert

auch für die Erforschung von Parteistrukturen, die Wirkungen von Institutionen auf politisches Verhalten, die Erhellung der Zusammenhänge von Bundes-, Landes- und Lokalpolitik, Kabinettsstabilität und Ämterrotation, die Wirkung von Ausbildungssystemen, die Interdependenz von Wirtschaft, Massenmedien, Kirchen, Verbänden und anderen gesellschaftlichen Bereichen und der Politik.

(5) Eine politikwissenschaftlich relevante Untersuchung von Eliten kann nicht dabei stehenbleiben, aus Background-Daten herauszufinden, wie man in der Politik avanciert, sondern muß die Chancen des Zugangs zu Führungspositionen in Beziehung zu den politisch Aktiven setzen und muß untersuchen, wer in einem politischen System Möglichkeiten sieht, an die Schalthebel der Macht zu gelangen. Während die theorielose Sammlung von Background-Daten mit unsystematischen Potpourri-Klassifikationen (vgl. Searing, 1968/69, S. 491) meist mehr Licht auf soziale als auf politische Vorgänge wirft, droht die »Theory of Ambition and Opportunity«, wie sie Joseph A. Schlesinger (1966, S. 15) für die USA zum Ausgangspunkt der Analyse gewählt hat, in eine überholte Unterstellung eines universalen Willens zur Macht bei allen am politischen Leben Beteiligten zu verfallen, der von der Häufigkeit der politischen Chancen nur gefördert und kanalisiert gedacht wird.

Der Nutzen solcher Karrierestudien, die vornehmlich auf Informationen des Who's-who-Typs basieren, kann nur dann erhöht werden, wenn sie nicht rein deskriptiv bleiben, sondern zu zeigen versuchen, daß die Background-Variablen mit dem politischen Verhalten der politischen Positionsinhaber zusammenhängen und daß einige der zahlreichen Background-Variablen, die studiert werden können, relevanter sind als die übrigen, um politisches Verhalten verständlich zu machen (Edinger-Searing, 1967, S. 431). Der Versuch, politisches Verhalten etwa aus sozialer Herkunft und Beruf des Vaters zu erklären, ist für die Politik häufig so unergiebig wie der psychoanalytische Ansatz, der politisches Verhalten auf frühkindliche Erlebnisse zurückführt (z. B. E. H. Erikson: Young Man Luther. New York 1958). Variablen, die im Stadium unmittelbar vor der Rekrutierung eine Rolle spielen (wie Lernberuf, Beschäftigung, Gruppenzugehörigkeit), erweisen sich als gewichtiger für die Erklärung von politischem Verhalten aufsteigender Politiker. Institutionelle Variablen, wie Inkompatibilitäten und Ineligibilitäten oder Vorschriften des Wahlgesetzes, können jedoch diese sozialen Background-Variablen stark kanalisieren, weshalb die Eigenarten eines politischen Systems nicht aus den Augen verloren werden dürfen.

Im »cross-national«-Vergleich mehrerer Länder ist es hingegen schwer, solche Eigenarten einzelner Systeme in Rechnung zu stellen. Es ist daher bisher meist nicht befriedigend erklärt worden, warum der Einfluß bestimmter Background-Variablen auf das Verhalten von Eliten in unterschiedlichen Systemen starke Abweichungen voneinander aufweist, wie etwa in der Untersuchung der Forschungsgruppe Edingers, die herausfand, daß Alter und Klasse für Frankreich von hoher prädiktiver Kraft waren, während dies für die Bundesrepublik nicht zutraf (Edinger-Searing, 1967, S. 436). Vergleiche leiden zudem daran, daß nicht einmal die Background-Daten immer vergleichbar sind, wie z. B. die Einteilungen von sozialen Schichten, Verbandszugehörigkeit, ja sogar die Ausbildungssysteme (Searing, 1968/69, S. 491). Trotz mancher Bedenken wird in dieser Studie dennoch versucht, die Befunde über die deutsche Elite mit ausländischen Untersuchungen zu vergleichen, um die Relevanz von Aussagen zu testen. Der komparative Ansatz kann dazu beitragen, daß sich der Forscher davor hütet, Befunde normativ zu bewerten, ohne seine Bewertungskriterien klar anzugeben. Wenn über das Alter deutscher Politiker, ihre soziale Herkunft oder den Bekanntheitsgrad (vgl. S. 78) Aussagen gemacht werden, so findet man immer wieder Deduktionen von einem idealen, wünschenswerten Zustand. In zahlreichen Monographien tauchen Vergleiche mit einem anderen Land allenfalls auf, um die Mängel des eigenen Systems stark hervorzuheben. Gegen diese Methode ist nichts einzuwenden, solange sie sich auf ein zutreffendes Bild des fremden Systems stützt, was jedoch gemeinhin nicht der Fall ist – vor allem in jenen Zeiten nicht der Fall war, da angelsächsische Demokratien unreflektiert als die gelobten Länder hingestellt wurden. Der komparatistische Ansatz kann freilich den Forscher von absoluten Wertungen nicht völlig entbinden. Es ist keine hinreichende Entschuldigung für den Mangel an Demokratie in der Bundesrepublik, wenn man nachweisen kann, daß manches in den USA oder in Frankreich noch mehr im argen liegt oder daß ein optimaler Zustand bisher in keinem demokratischen System verwirklicht wurde. Der komparative Ansatz kann jedoch die Möglichkeit der Abhilfe durch systematisch-funktionale Vergleiche verbessern. Diese leiden aber vorerst daran, daß bisher keine Elitenstudien mit gleicher Fragestellung und demselben methodischen Ansatz in den verschiedenen Ländern gemacht wurden.

Korrelationen zwischen sozialen und politischen Daten könnten verbessert werden, wenn die Kenntnis über Background-Daten durch Interviews ergänzt werden könnte. Dies Verfahren zwingt jedoch dazu, nicht nur die manifesten, sondern auch die latenten Attitüden der Positionsträger mit in die

Analyse einzubeziehen, und erfordert eine ungewöhnliche Geschultheit der Interviewer und eine Interviewfreudigkeit der Elite. Auch amerikanische Forschungsteams, denen es weder an geschulten Kräften noch an Geld fehlte, konnten bei der Untersuchung europäischer und vor allem der deutschen Eliten keine mechanische Fragebogenaktion unternehmen, sondern die Antworten der Befragten wurden erst nach einem mehr oder weniger informellen Gespräch vom Interviewer aus dem Gedächtnis aufgezeichnet, was doppelte Fehlerquellen – bei den Aussagen der Interviewten und dem Gedächtnis und Perzeptionsvermögen des Interviewers – eröffnete (Deutsch, 1967, S. 91). Die Ergänzung der Untersuchungen durch Interviews droht andererseits die Vorteile, die sie für die Einschätzung einzelner Background-Variablen hat, durch den statischen Charakter der Momentaufnahme wieder zu verlieren, weil die Positionsinhaber der Vergangenheit nicht in gleicher Weise studiert werden können wie die gegenwärtigen.

Die Politikwissenschaft kann sich jedoch nicht damit begnügen, soziale Daten mit politischen Variablen zu korrelieren. Erik Allardt (Political Science and Sociology. Scandinavian Political Studies. Oslo 1969 [S. 11–21], S. 17) hat den Unterschied zwischen der Politikwissenschaft und der politischen Soziologie darin gesehen, daß erstere den institutionellen Aspekt und die zweite Disziplin den Stratifikationsaspekt stärker betont. Elitenforscher neigen dazu, die Methoden der politischen Soziologie zu bevorzugen. Soweit Elitenforschung aber im Rahmen der Politikwissenschaft betrieben wird, muß sie auch den institutionellen Aspekt in die Betrachtung einbeziehen. Institutionelle Variablen, wie Föderalismus, Stellung des Parlaments, Organisation der Regierung u. a., haben Einfluß auf die Elitenrekrutierung und bestimmen nicht unwesentlich mit, welche einflußreichen sozialen Daten sich im politischen Handeln der Eliten niederschlagen. Es ist daher kein Zufall, daß eine der größten ausländischen Studien über deutsche Eliten, die von Deutsch und Edinger (1959), institutionelle Aspekte stark würdigte. Die einflußreichsten Eliteforscher, wie Deutsch, Edinger, Ludz und Zapf, gingen methodisch durchaus eklektisch vor – am wenigsten vielleicht die Studie von Zapf. Ludz (1968, S. 20 ff.) hat bei Absteckung des methodischen Bezugsrahmens den organisationstheoretischen, den elitentheoretischen und den ideologiekritischen Aspekt herausgestellt und alle drei Ansätze in vorbildlicher Form auch in der Untersuchung durchgeführt. Der organisationstheoretische Aspekt zwingt immer auch zur Berücksichtigung institutioneller Variablen, während sich der ideologiekritische nur auf einzelne Dokumente stützt, da nicht alle Mitglieder der Elite in gleicher Weise ideologisch hervortreten. Stärker noch als bei der DDR-Elite werden daher diese beiden Aspekte in der Untersuchung der Eliten in der Bundesrepublik fragmentarisch bleiben und weniger quantifizierbare Ergebnisse zeitigen als der elitentheoretische Ansatz im engeren Sinne, der es mit gleichmäßiger erhebbaren Daten zu tun hat.

Der elitentheoretische Ansatz, der mit Daten über größere Aggregate arbeitet, wird nach dem überwiegend behavioristischen Selbstverständnis moderner Elitenforscher eine »Elitenforschung ohne Namen« sein. Soweit Namen in ihr auftauchen, haben sie nur als Beleg für quantifizierbare Behauptungen einen Sinn und könnten notfalls weggelassen werden, wenn nicht bessere Kontrollierbarkeit der Behauptungen durch ihre Anführung gewährleistet würde. Ein großer Teil der Namensnennungen in der vorliegenden Untersuchung sind solcher Art. Daneben haben aber auch die drei genannten wichtigen Studien immer einzelne Personen paradigmatisch zur Illustrierung von Thesen in den Fällen herausgegriffen, bei denen kein quantifizierbares Material über alle Positionsinhaber vorlag; am häufigsten taten dies Deutsch-Edinger, am seltensten Zapf. Es ist kein Zufall, daß Soziologen mehr zur »Elitenforschung ohne Namen« tendieren als Politologen, da sie sich weniger als diese für einzelne Entscheidungsprozesse interessieren. Soweit biographische Forschung als zulässig angesehen wird, gilt sie bei Behavioristen nur in Fällen der massenhaften Anwendung als sinnvoll, wenn sie so zu quantifizierbaren Ergebnissen führt. Marxisten hingegen bleiben selbst in diesem Fall skeptisch, weil subjektive Elemente als Unterlagen für soziale Phänomene in ihren Augen nicht herangezogen werden dürfen, wie der polnische Soziologe Jan Szczepański (1967, S. 566) feststellte.

Jede Elitenuntersuchung, die wie die hier vorliegende auch auf individuellbiographisches Material rekurriert, muß sich bewußt bleiben, daß die Aussagen auf dieser Basis geringere Möglichkeiten zur Verallgemeinerung und Nomologisierung bieten und nie ganz ihren empirisch-anekdotischen Charakter verlieren, da keine Elitenuntersuchung auf gleichmäßig gutes biographisches Material in Form von Memoiren, Schriften, Zeitungsartikeln oder Stellungnahmen von Zeitgenossen zurückgreifen kann. Sie hat darüber hinaus den Nachteil, daß der Abstraktionsgrad von Aussagen in der Darstellung häufig wechselt. Die rein quantitative Social-Background-Daten-Analyse erscheint durch ihre äußerliche Einheitlichkeit bestechend. Kein wörtliches Zitat braucht den Duktus der Darstellung je zu unterbrechen. Gleichwohl sollte man die methodische Integrität nicht über die Komplexität und Vielseitigkeit der Analyse stellen, weil man sonst auf Hypothesen in weiten

Bereichen politisch relevanten Handelns überhaupt verzichten müßte und nur ein paar dürre Korrelationen zwischen sozialen und politischen Daten übrigblieben. Wenn man auch ideologiekritische Betrachtungen aufnimmt, läßt sich die stärker individualisierende Betrachtung ohnehin nicht vermeiden. Sie ist daher im vorliegenden Fall nicht als bloße Konzession an die Lesbarkeit und Verständlichkeit für Laien und damit die Verkäuflichkeit des Buches aufzufassen. Sozialwissenschaftliche Stratifikationsforschung, die hofft, eines Tages die positionelle Methode stärker mit den Entscheidungsstudien verbinden zu können, als das heute schon möglich ist, wird sich daher nicht einer methodisch puristischen Quantifizierung verschreiben können. Sie könnte dies allenfalls um den Preis starker Einschränkung der Forschungsgegenstände, wie sie methodenbewußte Forscher wie Heinz Eulau vornahmen, der sich nach Untersuchungen über Staatenlegislatoren noch kleineren Einheiten wie Stadträten in der Gegend von San Francisco zuwandte, weil sich nur hier Eliten mit klaren Statusrängen problemlos vergleichen ließen (vgl. Eulau-Prewitt, 1970, S. 3). Strikte Behavioristen – wie Robert A. Packenham (in: Kornberg-Musolf, 1970, S. 562) – haben alle vergleichenden Studien über legislative Eliten, die nicht mit der quantifizierenden Methode arbeiten, als »von minderer Qualität« eingestuft, aber dennoch ihren Wert für eine funktionale Betrachtung nicht übersehen. Trotz einiger wissenschaftlicher Skrupel geht daher der Verfasser davon aus, daß man die Fragestellungen, die sich beim heutigen Forschungsstand oder angesichts der zur Zeit erhebbaren Daten nicht mit hinreichender wissenschaftlicher Verläßlichkeit behandeln lassen, nicht völlig den Popularisatoren und der »Hundert-Bonner-Köpfe-Literatur« überlassen sollte. Auch die Teile der Untersuchung, die Daten behandeln, deren Aussagekraft zur Deutung von künftigem politischen Verhalten nicht sonderlich hoch ist, sind in einer »comprehensive study« von partiellem Nutzen und wurden daher nicht nach den modernen Verfahren der Eliminierung weniger relevanter Variablen von der Betrachtung ausgeschlossen.

I. Soziale Daten der Inhaber von politischen Führungspositionen

Der Untersuchung liegt eine grobe Zweiteilung der Positionsinhaber in Politiker und (beamtete) Staatssekretäre zugrunde. Zu den Politikern wurden Kanzler, Bundesminister, Fraktionsvorsitzende, Parteivorsitzende und parlamentarische Staatssekretäre gezählt; gelegentlich werden die Ministerpräsidenten der Länder in die Untersuchung mit einbezogen. Zu den beamteten Staatssekretären wurden auch die Leiter des Bundespresseamtes gezählt, da sie ähnliche Karrieremuster wie die Spitzen der Verwaltungselite aufwiesen. Bei einigen Karrieredaten empfiehlt es sich, bei der Auswahl der Politiker sich auf die drei Parteien des Bundestags zu beschränken, unter Verzicht auf die Positionsinhaber in DRP, KPD, BHE, DP, Zentrum und Bayernpartei, die bei ihrer relativ kleinen Zahl die statistische Relevanz des Elitensektors für die politischen Führungsgruppen der drei einflußreichsten Parteien zu mindern drohen. Zuweilen müssen einzelne Rollenträger, die nacheinander in beiden großen Gruppen vertreten sind (z. B. Ehmke, v. Dohnanyi), in beiden Gruppen gezählt werden.

Die Untersuchung wird zeigen, daß die Karrieremuster von Politikern und Staatssekretären sich mehr und mehr angleichen und daß die strikte Trennung der beiden Positionen und der mit ihnen verbundenen Rollenerwartungen, die aus konstitutioneller Zeit überkommen ist, sich kaum noch aufrechterhalten läßt. Die hohe personelle Stabilität in den höchsten politischen Ämtern läßt es auch nicht zu, die Staatssekretäre – im Vergleich zu den Politikern – als das »Kontinuitätselement« anzusehen, und die zunehmende Politisierung der Karrieremuster der Staatssekretäre läßt auch den vielgebrauchten Unterschied zwischen politischer und administrativer Elite fragwürdig werden. Zudem entspricht es modernen Konzeptionen der Verwaltungslehre immer weniger, die Verwaltung der Politik gegenüberzustellen, vielmehr ist »politische Verwaltungsführung« zu einem Schlagwort in der modernen Verwaltungswissenschaft geworden (vgl. Grauhan, 1969). Trotz dieser Bedenken erschien es nicht zweckmäßig, Staatssekretäre und Minister als eine einheitliche politische Elite zu behandeln, selbst wenn man ihren Einfluß auf wichtige Entscheidungen als annähernd gleichgewichtig ansehen könnte.

Eine weitere Aufgliederung der Ämter – etwa der Minister und parlamentarischen Staatssekretäre – wurde daher gelegentlich zur Verdeutlichung eines Trends vorgenommen. In der Bundesrepublik gab es jedoch bisher keine etablierte Hierarchie von Ämtern wie in Großbritannien mit weitgehend einheitlichen Karrieremustern und Regeln der Rollensozialisierung (vgl. Rose, 1970, S. 6). Es gab in der 2. Regierung Brandt nur zwei Staatsminister, und das seit 1967 bestehende Amt des parlamentarischen Staatssekretärs konnte in der kurzen Zeit seiner Existenz keine festen Rollenmuster herausbilden, wie auch seine Funktion in der Karriereselektion der Spitzenpolitiker noch unklar ist.

1. Geschlecht (Rolle der weiblichen Politiker)

Von allen sozialen Daten über Politiker hat das Geschlecht noch immer eine der höchsten Prediktibilitätsraten. Gegen Frauen in der Politik gibt es bis heute starke Vorurteile, was nicht verwunderlich erscheint, wenn selbst die bekannteste Vertreterin des Faches politische Philosophie, Hannah Arendt (Gaus, 1964, S. 16), auf die Frage nach der Frauenemanzipation bekannte: »Ich bin eigentlich altmodisch gewesen. Ich war immer der Meinung, es gibt bestimmte Beschäftigungen, die sich für Frauen nicht schicken, die ihnen nicht stehen, wenn ich einmal so sagen darf. Es sieht nicht gut aus, wenn eine Frau Befehle erteilt. Sie soll versuchen, nicht in solche Positionen zu kommen, wenn ihr daran liegt, weibliche Qualitäten zu behalten.« Hannah Arendt nennt die Politik nicht ausdrücklich, aber nach dieser Äußerung könnte der Politikerberuf zu denen gehören, die »sich für Frauen nicht schicken«. Diese Ansicht ist besonders in Deutschland noch weit verbreitet und hat den politischen Aufstieg zahlreicher Frauen erschwert. Die Zahl der Frauen in den Spitzenpositionen ist gering, bei den Staatssekretären läßt sich bis 1969 nur ein einziger Fall nachweisen (Gabriele Wülker, 1957-59 im Familienministerium). Weibliche Ministerpräsidenten hat es in deutschen Bundesländern noch nicht gegeben. Es gab bisher lediglich vier weibliche Bundesminister. 1961 wurde das Gesundheitsministerium unter Elisabeth Schwarzhaupt geschaffen. Das Amt war das Ergebnis von gewissen Verbandswünschen außerhalb der CDU und dem Drang der weiblichen CDU/CSU-Mitglieder, im Kabinett vertreten zu sein. In der großen Koalition von 1966 mußte dann ein Parteienproporz der weiblichen Minister hergestellt werden: Da das Gesundheitsministerium an die SPD-Politikerin Käte Strobel fiel, wurde das Familienministerium durch die CDU mit Änne Brauksiepe besetzt.

1969 bemühte sich die neue Bundesregierung, das frauenfeindliche Image der deutschen Politik etwas abzubauen. Angesichts der Auflösung mancher kleinerer Ressorts kam eine Vermehrung der Zahl der weiblichen Minister jedoch nicht in Betracht, eines der wichtigsten Ressorts aber wurde bisher in der Bundesrepublik einer Frau nicht anvertraut, auch in der neuen Regierung nicht. Neben Käte Strobel, die das Gesundheitsministerium weiter leitet, kamen drei Frauen in führende politische Stellungen: Hildegard Hamm-Brücher (FDP) als beamteter Staatssekretär im Ministerium für Bildung und Wissenschaft und als parlamentarische Staatssekretäre Katharina Focke (SPD) im Bundeskanzleramt und Brigitte Freyh (SPD) im Ministerium der »unorthodoxen Karrieren«, dem Entwicklungshilfeministerium. Auch im Bundestag traten Frauen in das Rampenlicht der Öffentlichkeit: Lieselotte Funcke (FDP) als Vizepräsidentin des Bundestages und sieben weibliche Abgeordnete in den Fraktionsvorständen(CDU/CSU und SPD je drei, FDP eine). Helga Wex ist die einzige Frau im Präsidium der CDU, Annemarie Renger wurde parlamentarische Geschäftsführerin der SPD und 1972 stieg sie zur Präsidentin des Bundestages auf. Nur ein Bundestagsausschuß hatte jedoch einen weiblichen Vorsitzenden, und es ist der unter Abgeordneten am wenigsten gefragte Petitionsausschuß. Das Einrücken der Frauen in ein paar wichtige Positionen darf nicht darüber hinwegtäuschen, daß im ganzen die Zahl der weiblichen Repräsentanten zurückging. Der fünfte Bundestag hatte am Anfang 36 weibliche Abgeordnete, der sechste nur 34, der siebente nur noch 30. Erfahrungsgemäß steigt die Anzahl der weiblichen Abgeordneten gegen Ende der Legislaturperiode, wenn eine größere Anzahl der Abgeordneten ausgeschieden ist und einige Frauen, die auf schlechten Listenplätzen plaziert waren, nachrücken; so gab es im fünften Bundestag am Ende 43 weibliche Abgeordnete. Die Bundesrepublik liegt mit einem Anteil von etwa 8 % über dem Durchschnitt weiblicher Abgeordneter in den Parlamenten der Welt. Am stärksten ist der Anteil der Frauen in den machtlosesten Parlamenten (Oberster Sowjet etwa 30 %, Volkskammer der DDR 27 %). In westlichen Staaten variiert der Anteil von 13,5 % (Finnland) und 10,6 % bzw. 14,6 % (in den zwei Kammern, die in Schweden bis 1970 existierten) bis zu etwa 2 % in Frankreich und den USA. Bei den ministeriellen Posten hingegen führt England, das Mutterland der Frauenbewegung, mit sieben weiblichen Ministern, darunter einem mit Kabinettsrang (Ulrich, 1969; Dichgans, 1968, S. 80). Bei den Frauen ist es offenbar noch schwieriger, sich aus den unteren Schichten emporzuarbeiten, als bei den Männern. Außer Frau Strobel, deren Vater Schuhmacher, Gewerkschaftssekretär und USPD-Mitglied war, stammen die meisten weiblichen Spitzenpolitikerinnen aus gutbürgerlichen Häusern, nicht wenige aus Beamtenfamilien (Brauksiepe: Reichsbahnbeamter, Schwarzhaupt: Oberschulrat, Wülker: Pfarrer). Katharina Focke ist die Tochter des bekannten Publizisten Ernst Friedländer.

Die Forschung über weibliche Politiker auf parlamentarischer Ebene zeigt ähnliches: Juristinnen sind nicht in gleichen Anteilen wie die Juristen unter den männlichen Abgeordneten vertreten. Pädagoginnen, Philologinnen und soziale Berufe überwiegen bei den weiblichen Abgeordneten. Im Gegensatz zu den wenigen Fällen von Frauen in höchsten politischen Ämtern hat jedoch die Frau als Abgeordnete im Durchschnitt eher eine längere akademische Ausbildung hinter sich, woraus man geschlossen hat, daß die Frau qualifizierter und leistungsfähiger sein muß als der Mann, wenn beide dieselbe Position erstreben (Fülles, 1969, S. 125).

In neuerer Zeit zeichnet sich ein vielversprechender Wandel der Karrieremuster ab. Die ersten weiblichen Minister entsprachen ganz dem Bild der Frauenpolitikerinnen, die über Frauen- oder Kirchenorganisationen emporstiegen. Frau Schwarzhaupt war Oberkirchenrätin, Frau Brauksiepe Vorsitzende des katholischen Frauenbundes. Auch Frau Strobel hat in der Frauen- und Kinderarbeit begonnen. Frauen galten häufig als ungeeignet für die Verwaltungsarbeit. Angeblich hat Adenauer das vorzeitige Ausscheiden der Staatssekretärin Gabriele Wülker aus gesundheitlichen Gründen dem Geschlecht als ganzem angekreidet und das Vorurteil bestätigt gesehen, daß Frauen sich nicht für den Posten eines Staatssekretärs eigneten. Die neue Generation der führenden Politikerinnen zeigt nun, daß die traditionelle Beschränkung der weiblichen Politiker auf Frauen- und Erziehungsfragen nicht unausweichlich ist: Katharina Focke studierte an der Philosophischen Fakultät Politische Wissenschaft und widmete sich dann weitgehend der europäischen und Verkehrspolitik, Brigitte Freyh studierte ebenfalls an der Philosophischen Fakultät und arbeitete in Ausschüssen für Entwicklungshilfe und Publizistik mit, Hildegard Hamm-Brücher studierte Chemie, arbeitete als Publizistin und wurde erst später eine Spezialistin für Erziehungsfragen. Helga Wex legte in einem Interview Nachdruck auf die Feststellung: »Wir haben erst nach dem Krieg zusammen angefangen und kommen nicht aus

Frauenorganisationen« (Höfer, 1969, S. 4). Das Gros der weiblichen Politiker in den Parlamenten und Parteihierarchien hat es jedoch noch immer schwer, aus dem Getto der vorgeblich »fraulichen Domänen« auszubrechen; vor allem fehlen sie in den wirtschaftlichen und Verteidigungsausschüssen meist völlig.

Zeuner (1970, S. 136) wies in seiner Studie über Kandidatenaufstellung nach, daß die Wähler keineswegs so ablehnend auf weibliche Kandidaten reagieren, wie die Parteiapparate häufig noch unterstellen. Man kann dies vor allem an dem Verhältnis von Erst- und Zweitstimmen ablesen. Hingegen scheint der Durchschnittsbürger Frauen in höchsten Staatsämtern nur ein begrenztes Vertrauen entgegenzubringen.

Eine Allensbach-Umfrage von 1957 ermittelte nicht nur, daß 22 % der Befragten (davon 29 % der Männer und 16 % der Frauen) dagegen waren, daß eine Frau Minister würde, wie Adenauer vor der Wahl angekündigt hatte, sondern fragte auch nach den Ministerien, die man sich unter der Leitung einer Frau vorstellen könnte, wobei größere Stimmenzahlen nur folgende drei bekamen: das Familienministerium (62 %), das Vertriebenenministerium (17 %) und das Wohnungsbauministerium (16 %), alles Ressorts, die noch in das Fürsorge-Image passen, das der Frau in der Politik anhängt (Elisabeth Noelle–Erich Peter Neumann: Jahrbuch der öffentlichen Meinung 1958–1964. Allensbach/Bonn 1965, S. 315).

Die Behandlung des Aufstiegs weiblicher Politiker in Presse und Literatur weist noch nicht den gleichen Grad der gelassenen Selbstverständlichkeit auf, mit dem die vier ranghöchsten weiblichen Politiker ihre Rolle spielen und auftreten. Sie versuchen in der Öffentlichkeit verdienstvoller Weise, das Problem der Frau in der Politik aus den üblichen Klischees herauszuführen, und betonen wie Hildegard Hamm-Brücher, im Gedenken an die kämpferisch-frauenrechtlerische Generation, die einst Elisabeth Lüders (FDP) verkörperte: »Die Politikerinnen der ersten Stunde hatten es schwerer als wir. Weil sie sich den Männern anpassen mußten, mußten sie sich verhalten wie Männer. Sie mußten noch um Privilegien kämpfen, die uns als Selbstverständlichkeiten zugestanden werden. Das ließ sie zuweilen härter scheinen, als sie wollten.« Katharina Focke ergänzte: »Wir brauchten keine Barrikaden mehr zu stürmen, weil sie längst abgebaut waren« (Höfer, 1969, S. 4).

Widerstände gegen stärkere Karrieremobilität der Frauen sind heute weniger in der politischen Elite als in den mittleren und unteren Kadern der Parteien zu finden; am geringsten sind diese vielleicht bei der FDP, in manchem am stärksten – trotz Bebels ›Die Frau und der Sozialismus‹ – in der

SPD. Die Partei hat den Aufstieg der Spitzenpolitikerinnen oft nicht erleichtert und nur gelegentlich aus optischen Gründen eine frauenfreundliche Rekrutierungspolitik betrieben. Die Widerstände zeigen sich vor allem auch im Kampf um die Listenplätze, bei dem häufig qualifizierte Frauen schlechter abschneiden als mittelmäßige männliche Politiker (Kaack, 1969 b, S. 78 ff.; Zeuner, 1970). Katharina Focke erzielte den größten Wahlerfolg, den die SPD in einem Wahlkreis errang, durch eine unorthodoxe Wahlkampfführung, die ihr 10,2% Stimmenzuwachs (von 37,8 auf 48%) einbrachte, und zwar weniger durch Unterstützung der Partei als durch ihren persönlichen Einsatz. Hildegard Hamm-Brüchers Weg führte sogar über scharfe Konflikte in der Landespartei und einen persönlichen Erfolg in Wahlkämpfen, der nicht der Unterstützung der örtlichen FDP zu danken war.

Die tendenzielle Verbesserung der Lage der weiblichen Politiker schlägt sich nun auch in einem Wandel der Rollenerwartung der Umwelt und der Rollenauffassung der Politikerinnen nieder. Das Vorurteil, daß der weibliche Politiker überwiegend dem unverheirateten, kinderlosen Suffragetten-Typ entspreche, läßt sich heute weniger denn je zuvor in der Geschichte der Bundesrepublik halten. Schon für den zweiten Bundestag wurde ermittelt, daß die verheirateten weiblichen Abgeordneten nicht nur beruflich Ungewöhnliches geleistet hatten, sondern zum Teil auch einen umfangreichen Haushalt mit im Durchschnitt etwas weniger als zwei Kindern meistern mußten (Lütkens, 1959, S. 58, 61). Ähnliches läßt sich für die Spitzenpolitikerinnen in Exekutivämtern nachweisen: Die sechs verheirateten Spitzenpolitikerinnen in der Geschichte der Bundesrepublik – nur Frau Schwarzhaupt war unverheiratet – haben im Durchschnitt ebenfalls etwas weniger als zwei Kinder.

Einige der weiblichen Minister hatten sich in der NS-Zeit im Widerstand befunden: Frau Schwarzhaupt durch Publikationen, die zu ihrer Entlassung aus dem Amt führten, der Mann von Frau Strobel war im KZ inhaftiert gewesen, Frau Brauksiepe war zeitweise im Ausland (Holland und England).

Die Benachteiligung der Frauen in der politischen Karriere schlägt sich nicht nur in der geringen Anzahl von Frauen in den höchsten Ämtern nieder, sondern auch in dem vergleichsweise späten Eintritt in das höchste Amt: im Falle der drei weiblichen Minister der Bundesrepublik mit durchschnittlich 59 Jahren. Bei der Bildung der Regierung von 1969 ist diese Benachteiligung etwas geringer geworden. Die drei 1969 neu in hohe Regierungsämter eingetretenen Politikerinnen erreichten diese Position bereits mit 48, 47 und 45 Jahren.

2. Konfession

Die konfessionelle Aufteilung der Parlamentarier hat sich im Laufe der Geschichte stark gewandelt:

Parlament	evang.	kath.	mosaisch	andere u. Dissid.	ohne Konf. u. ohne Angabe
1907 (v. 397)	222 (55,9 %)	137 (34,5 %)	3 (0,8 %)	10 (2,5 %)	25 (6,3 %)
1928 (v. 487)	177 (36,4 %)	114 (23,4 %)	5 (1,0 %)	82 (16,8 %)	103 (21,1 %)
1965 (v. 518)	179 (34,6 %)	192 (37,0 %)	–	–	147 (28,4 %)

(Anm.: 1907 und 1928 sind die Angaben »Dissident« und »ohne Konfession« zum Teil identisch, es handelt sich meist um Angehörige von SPD und KPD. 1965 stehen die meisten unter »ohne Angaben«, was jedoch nicht Konfessionslosigkeit bedeutet, sondern nur, daß ein großer Teil der Abgeordneten von dem Recht Gebrauch macht, die Konfessionszugehörigkeit zu verschweigen.)

Die Tabelle zeigt, daß der Anteil der Katholiken im Weimarer Reichstag in der Spätphase sank. Im Bundestag scheinen unter Bekennenden die Katholiken zu überwiegen. In der Rubrik »ohne Angabe« verbergen sich überwiegend Protestanten, soweit es nicht Konfessionslose sind, so daß – im Vergleich zum Religionsproporz in der Bevölkerung die Katholiken sogar unterrepräsentiert erscheinen, trotz der Überrepräsentierung der Katholiken bei der Kandidatenaufstellung in der CDU (vgl. S. 30).

Bei den Ministern der Bundesrepublik bis 1969 waren 48 % protestantisch, 42 % katholisch. Die Zahlen sind jedoch relativ unsicher, da von 9 % keine Angaben vorliegen. Könnte man unterstellen, daß sich diese 9 % proportional auf die Konfessionen verteilen (was man vermutlich nicht kann, da erfahrungsgemäß mehr Protestanten als Katholiken von dem Recht im laizistischen Staat, die Religionszugehörigkeit zu verschweigen, Gebrauch machen), so würde dies annähernd der Verteilung der Konfessionen in der Bundesrepublik entsprechen. Bis 1962 waren die Katholiken noch leicht überrepräsentiert, da die Minister sich etwa je zur Hälfte auf die beiden Konfessionen verteilten (Zapf, 1966, S. 175).

Heuss (1970, S. 272) beschrieb mit spöttischer Distanz das Ringen um den Konfessionsproporz bei der Kabinettsbildung von 1957: »Aber neue Problematik: das Kabinett sollte 10 Katholiken und 8 Protestanten haben. Der furor protestanticus innerhalb der CDU-Fraktion alarmiert. Adenauer glaubt, ihn überwunden zu haben, aber ich bin dessen noch nicht so gewiß.« Auch der

Konfessionsproporz zwischen dem Amt des Bundespräsidenten und des Bundeskanzlers spielte eine Rolle, erstmals bei der Wahl von Heuss. Als seine Nachfolge diskutiert wurde, verlangte ein Teil der CDU einen Katholiken als Bundespräsidenten. Heuss erinnerte sich: »Mir wären Carlo (Schmid) und Erhard als Nachfolgekandidaten willkommen. Denn beide sind eigenständige und profilierte Figuren und ich kann, um Deutschlands und eines dubiosen Nachruhms willen nicht wünschen, daß das Amt an einen redlichen ›Funktionär‹ delegiert werde. Aber in der CDU-Fraktion scheint, weil das Sondergremium Erhard nominiert und an die Zeitung gesagt hat, helle Rebellion ausgebrochen. Gerstenmaier gegen ihn, für einen Katholiken (was hat Luther [angerichtet], der nicht wußte, daß es einmal etwas wie Demokratie geben könne), weil er angeblich auf Adenauers Nachfolge spekuliert« (ebd. S. 400). Als mit Kiesinger wieder ein Katholik Kanzler war, hat man für die Nachfolge Lübkes wieder profilierte Protestanten in der CDU diskutiert wie Gerhard Schröder und Richard von Weizsäcker.

Ähnlich gleichgewichtig ist die Verteilung bei den Regierungschefs der Länder, 19 Protestanten stehen 17 Katholiken gegenüber, drei sind ohne Konfession. Hier ist jedoch die Relation noch unsicherer, da in 18 Fällen keine Konfessionszugehörigkeit bekannt ist (Hauptmann, 1969, S. 3). Bei den Staatssekretären ist eine eindeutige Unterprivilegierung der Katholiken festzustellen, 49 % konnten als evangelisch, 29 % als katholisch ermittelt werden. Seit 1969 sank der Anteil der Katholiken noch stärker. Elitenzirkulationsstudien wie die von Zapf konnten nachweisen, daß der Anteil der Katholiken an den politischen Führungsposten sich seit dem Kaiserreich ständig vergrößert hat – mit einer gewissen Unterbrechung durch den Nationalsozialismus – und daß die Katholiken nach dem Zweiten Weltkrieg vorübergehend überrepräsentiert waren, hingegen in anderen Funktionseliten wie Verwaltung, Militär, Wissenschaft und Kommunikationsmitteln weitgehend unterprivilegiert sind (Zapf, 1966, S. 175). Für die höheren Beamten und Angestellten ermittelte man für Februar 1950 eine Relation von 68 % : 26 % zugunsten der Protestanten. Nur das Vertriebenenministerium, das Ministerium für Gesamtdeutsche Fragen und das Arbeitsministerium wichen vom Durchschnitt ab, was man mit der starken Vertretung von katholischen Vertriebenen und christlichen Gewerkschaftlern erklärt (Zapf, 1965, S. 84). Diese Befunde decken sich mit den Elitestudien anderer konfessionell gemischter Länder. Selbst in den Vereinigten Staaten sind Katholiken in politischen Führungsposten stärker vertreten als in administrativen Positionen. Die Zahlen sind jedoch durch den mehrfachen Wechsel der Parteiherrschaft schwer mit denen der Bundesrepublik zu vergleichen, da die Katholiken traditionell mehr der Demokratischen Partei zuneigen. Entgegen einer landläufigen Ansicht hat Kennedy Katholiken nicht sehr bevorzugt, wenn auch im Vergleich zur Eisenhower-Administration ein Anwachsen des katholischen Anteils an den höchsten Ämtern festzustellen war. Der Protestant Johnson ging in der Patronage gegenüber Katholiken jedoch weiter als Kennedy (33 % statt 26 % unter Kennedy; Stanley u. a., 1967, S. 16).

Unterschiede in der Religionspatronage der drei ersten Bundeskanzler lassen sich schwer feststellen, da die Religionszugehörigkeit der Minister und Staatssekretäre mehr von der Koalition als von den Präferenzen des Kanzlers determiniert wurde. Der Katholik Kiesinger konnte in der großen Koalition mit der SPD, in der die Führung überwiegend protestantisch war, nicht die gleiche Patronagepolitik treiben wie der Katholik Adenauer oder der Protestant Erhard. Wenn man in der CDU-Führung und in der Ressortverteilung zu Beginn der Bundesrepublik eine Überrepräsentation der Katholiken feststellt, so muß man in Betracht ziehen, daß die Protestanten im Vergleich zu den Mitgliederzahlen in den Führungspositionen in Partei und Regierung eher überrepräsentiert waren, da die CDU – vor allem in den 50er Jahren – ziemlich streng auf einen Konfessionsproporz achtete, der erst nach dem Abtreten Adenauers vernachlässigt wurde (Rannacher, 1970, S. 128). Zeuners Kandidatenauslesestudie (1970, S. 137) stellte fest, daß die CDU 1965 auch in 43 überwiegend protestantischen Regionen katholische Kandidaten aufstellte und nur in neun Wahlkreisen mit katholischer Mehrheit einen evangelischen Kandidaten zuließ. Nur so war es möglich, das Verhältnis der Katholiken zu den Protestanten in der Bundestagsfraktion von 153 : 92 zu erreichen, das etwa dem Verhältnis der Wähler der CDU entspricht. Trotz der Vormachtstellung der Katholiken in der Fraktion haben diese ihren Führungsanspruch auf politische Posten – vor allem in den Staatssekretariaten – nicht mit dem Gewicht durchzusetzen vermocht, das ihnen in der Fraktion zukam. Neuerdings spielt der Konfessionsproporz auch in der CDU eine abnehmende Rolle.

Daß die Konfession für die Elitenrekrutierung eine sinkende Bedeutung hat, heißt jedoch nicht, daß sie für das Verhalten von Eliten und ihre Ideologien bedeutungslos geworden ist. Im Gegenteil. Uwe Schleth (1971, S. 99 ff.) hat an Hand des Materials der Mannheimer Elitenuntersuchung zeigen können, daß die Religion die Anschauungen – vor allem in der Alternative konservativ gegen liberal oder sozialistisch – stark beeinflußt und zu den Variablen zählt, welche die höchste Prediktibilitätsrate aufweisen.

3. Regionale Herkunft

Die Teilung Deutschlands, die Austreibung der deutschen Bevölkerung aus den Oder-Neiße-Gebieten und die Liquidation des preußischen Staates haben die regionalen Schwerpunkte der Elitenrekrutierung in Deutschland stark verschoben. Für die Zeit bis 1945 hat Knight (1955, S. 28) folgende Zahlen errechnet:

Land	Kabinette			Bevölkerung
	1890–1918 in %	1918–1932 in %	1933–1945 in %	1871 in %
Nordwestdeutschland	3,9	13,1	9,1	10,5
Altpreußen und Mecklenburg	35,5	8,2	9,1	21,5
Schlesien	5,3	4,9	3,0	9,0
Sachsen, Thüringen	5,3	12,3	12,1	14,3
Bayern	3,9	11,5	18,2	12,0
Baden, Württemberg	10,5	13,9	15,2	8,1
Elsaß, Saar	1,3	3,3	3,0	4,0
Hessen	7,9	6,6	–	5,6
Rheinland	5,3	18,0	15,2	13,0
Berlin	17,1	11,5	–	2,0
Ausland	2,6	3,3	12,1	–
unbekannt	1,3	–	3,0	–

Diese Zahlen zeigen, daß Altpreußen und Mecklenburg – in der amerikanischen Forschung oft als der »Junker-Gürtel« apostrophiert – schon in der Weimarer Zeit in den höchsten Ämtern unterrepräsentiert waren und ihr Anteil in der Nazi-Zeit nicht nennenswert angewachsen ist, sondern sogar unter dem Prozentsatz derer blieb, die im Ausland – meist in den ehemals österreichisch-ungarischen Ländern – geboren wurden. Baden-Württemberg und Bayern waren, entgegen traditionellen Klagen, im Verhältnis zur Bevölkerungszahl nicht unterrepräsentiert. Nur im Kaiserreich konnte Bayern eine ungünstige Relation zwischen Bevölkerungs- und Elitenanteil nachweisen. Überrepräsentiert war immer Berlin – mit Ausnahme der NS-Zeit, wo seine Repräsentation praktisch auf Null sank.

Seit der Föderalisierung Westdeutschlands spielt der regionale Proporz neben dem Konfessionsproporz eine entscheidendere Rolle bei der Vergabe der höchsten politischen Ämter. In den fünfziger Jahren war der Kanzler bei jeder Regierungsbildung einem starken regionalen Lobbyismus ausgesetzt. Heuss (1970, S. 272) schrieb über die Kabinettsbildung von 1957 in seinen Tagebuchbriefen nieder: »Nacheinander Besuche von Gerstenmaier und Adenauer; bei beiden wachsende Wut auf die bayerische CSU, die fortgesetzt ›erpresse‹, und jetzt haben auch die Württemberger entdeckt, daß sie gar keinen Minister kriegen sollen.« Auch bei der Diskussion von Kandidaten um das Amt des Bundespräsidenten spielten regionale Erwägungen gelegentlich eine Rolle.

Es ist kaum verwunderlich, daß die Mehrzahl der Ministerpräsidenten aus dem Land stammt, das sie regieren, mit Ausnahme von Berlin und in gewisser Weise von Bremen. In Bremen waren jedoch auch auswärtige Kandidaten mit der Stadt enger verbunden als in Berlin. Zwei der drei Bremer Senatspräsidenten, Kaisen und Dehnkamp, stammten zwar aus Hamburg, sie kamen jedoch schon mit etwa 30 Jahren nach Bremen und begannen dort ihre politische Laufbahn. In Berlin liegt das Durchschnittsalter der Übersiedelung hingegen bei 37 Jahren, und nicht in allen Fällen wurde die politische Karriere in der Stadt begonnen (Hauptmann, 1969, S. 10). Nicht wenige Ministerpräsidenten pflegten besondere lokale Bindungen mit den Allüren eines Duodezfürsten, wie Kopf in Niedersachsen seine Verbundenheit mit dem Hadelner Land oder Kiesinger mit Tübingen, dem Schönbuch und der Alb, eine Gewohnheit, die er auch als Bundeskanzler bis an den Rand des zulässigen Absentismus von der Hauptstadt trieb.

Herkunftsländer der Führungspositionsinhaber in der Bundesrepublik
(bis 1969)

	Staatssekretäre	Politiker
Bayern	4	11
Baden-Württemberg	7	5
Berlin	3	1
Bremen	7	5
Hamburg	1	–
Hessen	6	2
Niedersachsen	4	5
Nordrhein-Westfalen	17	16
Rheinland-Pfalz	6	3
Saar	–	1

	Staatssekretäre	Politiker
Schleswig-Holstein	2	5
Länder der späteren DDR	5	6
Ostgebiete	9	7
Ausland	2	2
keine Angaben	5	–

An der Kopfzahl der Bevölkerung gemessen, sticht Bremen als das Ursprungs-
land der größten Zahl politisch führender Persönlichkeiten hervor. In absoluten Zahlen gemessen, ergibt sich jedoch ein anderes Bild. Von den Spitzenpolitikern, über deren Geburtsland wir Angaben haben, entfallen bis 1969 die
höchsten Anteile auf Nordrhein-Westfalen (17 von 78 Staatssekretären, 16
von 69 Ministern und Parteiführern), an zweiter Stelle kommen die deutschen
Ostgebiete (9:7), ferner Bayern (4:11) und Baden-Württemberg (7:5). Der
starke Anteil von Ost- und Mitteldeutschen ist von Zapf auch für andere Sektoren der westdeutschen Eliten festgestellt worden. Er läßt sich aber nur zum
Teil aus der Elitenabwanderung erklären (Zapf, 1966, S. 172 f.). Als weitere Faktoren treten ein starker Bewährungswille bei den Vertriebenen hinzu und die in manchem schlechteren Startbedingungen dieser nach dem Krieg
unterprivilegierten Gruppe in der Wirtschaft. Rein zahlenmäßig sind die Vertriebenen im Vergleich zu ihrem Anteil an der Gesamtbevölkerung (von der
sie rd. ein Viertel ausmachen) in der politischen Führung nicht überrepräsentiert. Wenn sie in der Verwaltung mit 30 % (ebd., S. 172) partiell überrepräsentiert erscheinen, so kann man dies Phänomen cum grano salis mit
der zunehmenden Meridionalisierung der italienischen hohen Bürokratie
vergleichen, wo die Verwaltungsspitzen sich zu über 40 % aus Süditalienern
zusammensetzen, weil diese in Wirtschaft und Gesellschaft – in denen der
Norden führend ist – nicht die gleichen Aufstiegschancen hatten und daher
in die hohe Bürokratie auswichen (La burocrazia centrale in Italia, Mailand
1965, S. 91). Nicht zu vergleichen sind diese Ergebnisse hingegen mit den
Befunden über die Zugewanderten in den USA, bei denen man sowohl für
die höheren Verwaltungsposten als auch für die Big-Business-Posten eine geringere soziale Mobilität feststellte (Warner, 1963, S. 65). Die personalpolitische Führung Nordrhein-Westfalens erklärt sich durch die starke Stellung
dieses volkreichsten Bundeslandes. Ein Vergleich der Geburtsorte läßt jedoch
den Schluß zu, daß die Überrepräsentation einer bestimmten Gegend nicht
aus dem Hauptstadteffekt – dem Umstand, daß Bonn in Nordrhein-Westfalen liegt – zu erklären ist, wie das für die südatlantische Region um Wa-

shington in den USA zutrifft, die stark vertreten ist, wenn man die Gegend um die Hauptstadt mitzählt, jedoch relativ schwach repräsentiert ist, wenn man diese Gruppe ausklammert (Stanley, 1967, S. 10). Allenfalls das Mißverhältnis der Repräsentation von Berlin mit drei Rollenträgern bei den Staatssekretären, aber keinem Politiker läßt sich partiell so erklären, wenn man diesen Befund mit der hohen Berufsvererbung, der Neigung, in die Verwaltung zu gehen, unter Staatssekretären korreliert.

Auffallend ist die Diskrepanz zwischen den Geburtsorten der Politiker und der Staatssekretäre in Bayern (11:4). Dieses Phänomen läßt sich nicht eindeutig mit der Variablen »Konfession« in Beziehung setzen oder damit erklären, daß die Protestanten unter den Staatssekretären überwiegen und daher überwiegend katholische Länder in diesem Elitensektor unterrepräsentiert sein müssen. Für Rheinland-Pfalz – ein ebenfalls überwiegend katholisches Land – besteht dieser Zusammenhang jedenfalls nicht (6 Staatssekretäre, aber nur 3 Politiker).

Von den 10 bayerischen CSU-Ministern sind Bayern im landsmannschaftlichen Sinne nur eine Minderheit, wie Niklas, Strauß und Schäffer. Es überwiegen hingegen die fränkischen und oberpfälzischen Geburtsorte: Erhard (Fürth), Dollinger (Neustadt/Aisch), Höcherl (Benneberg bei Regensburg), Schuberth (Schwabach), Niederalt (Niedermurach/Oberpfalz), Stücklen (Heideck/Franken). Richard Jaeger, einer der konservativsten CSU-Politiker, wurde in Berlin geboren. Das Überwiegen der Franken hat sogar teilweise in der bayerischen Landesverwaltung ein Pendant und ist immer wieder Anlaß für innerbayerische Polemiken gegen die »Preußen« in Bayern. Klagen kamen 1971 auch aus München, wo von den 60 Stadträten nur 27 aus der Landeshauptstadt stammten.

Alle Verallgemeinerungen über die regionale Herkunft sind jedoch an die Regierungen gebunden, in denen die CDU/CSU die Führung hat; in FDP und SPD spielt der regionale Proporz, der zwischen CSU, süddeutscher CDU und norddeutscher CDU immer wieder zu erhalten versucht wird, eine wesentlich geringere Rolle. Bei der geringen Zahl von Amtsträgern ist es auch noch zu früh, regionale Hochburgen in einzelnen Ressorts festzustellen. Selbst im Landwirtschaftsministerium, das vielfach als Verbandsinsel des Bauernverbandes angesehen wird, der lange vom niedersächsischen Landesverband dominiert wurde (P. Ackermann: Der Deutsche Bauernverband im politischen Kräftespiel der Bundesrepublik. Tübingen 1970), kann man keine niedersächsische Vorherrschaft feststellen, hingegen eine vergleichsweise starke Vertretung der bayerischen CSU (Niklas, Höcherl).

Nur das Gesamtdeutsche (mit Ausnahme von Kaiser) und das Vertriebenenministerium (Lemmer) waren eindeutig Domänen der in den Ostgebieten und der späteren DDR geborenen Politiker und trugen auch bei abnehmender Funktion bis 1969 zur vergleichsweise guten Repräsentation der Ostgebiete und der DDR-Flüchtlinge bei. Zieht man die Amtsträger in diesen beiden Ressorts ab, so kann man auch dann die Vertretung der Ostgebiete nicht als zu gering ansehen: Barzel, Mende, v. Merkatz, Schiller, Starke und Wischnewski galten als Politiker, die jenseits von Oder und Neiße geboren wurden, auch für andere Ressorts als die beiden klassischen »ostdeutschen« Ressorts als ministrabel. Einige dieser Minister waren jedoch keine Vertriebenen im eigentlichen Sinne, da sie trotz eines ostdeutschen Geburtsortes bereits vor 1945 außerhalb der Oder-Neiße-Gebiete ihren Wohnsitz hatten, wie Barzel und Schiller. Bei Schiller sind landsmannschaftliche Bindungen an seine Geburtsregion Schlesien ohnehin unwahrscheinlich, da sein Vater aus Köln stammte und die Familie nur vorübergehend in Schlesien wohnte. Als das Vertriebenenministerium 1969 abgeschafft und ins Innenministerium eingegliedert wurde, tauchten bei den Vertriebenen Besorgnisse auf, daß ihre Belange nicht mehr berücksichtigt würden. Die neue Regierung war in der Lage, auf diese Besorgnisse durch Ehmke im Bundestag antworten lassen zu können: »Der Herr Bundesinnenminister hat bereits bei der Debatte über die Regierungserklärung zum Ausdruck gebracht, daß er diese Interessen im Kabinett schon durch seine eigene Person vertritt, da er selbst in diese Personengruppe gehört« (Deutscher Bundestag, 5. Nov. 1969, S. 254 c.) Das gilt übrigens auch von anderen Mitgliedern des Kabinetts. In der 1. Regierung Brandt war das ostdeutsche Element durchaus angemessen vertreten (aus den Oder-Neiße-Gebieten gebürtig sind Ehmke [Danzig] und Schiller [Breslau], aus dem späteren Gebiet der DDR stammt Genscher). Die Vertretung der Vertriebenen unter dem Patronagegesichtspunkt hat jedoch in der Bundesregierung keine Bedeutung mehr. Auch bei der Kandidatenaufstellung haben die ausgesprochenen Vertriebenenpolitiker bereits starke Schwierigkeiten, wie der Fall Rehs zeigte. Bei der Aufstellung der SPD-Landesliste in Nordrhein-Westfalen wurde vom linken Flügel bereits kritisiert, daß sich mit Schiller, Hein, Pöhler, Wischnewski und Hupka die Spitze der Landesliste wie ein »Vertriebenenbeirat« ausnehme (Kaack, 1969 b, S. 65). Größeres Gewicht haben die in Mittel- und Ostdeutschland Geborenen noch im Auswärtigen Dienst (mit 29 %) und in den Spitzenpositionen der Bundeswehr (41 %; vgl. End, 1969, S. 73).

Unter den übrigen Ressorts gab es nur wenige, die von einer Region der

Bundesrepublik zeitweilig »abonniert« wurden. Das Bundesratsministerium war ein reiner Patronageposten, der zunächst für DP-Politiker reserviert zu sein schien und 1949–62 von den DP-Politikern Hellwege und von Merkatz gehalten wurde, ehe er 1962–66 an die CSU (Niederalt) fiel, um schließlich einen Posten mit wenig Arbeitsanfall für den kranken SPD-Star Carlo Schmid abzugeben. Rein statistisch ist seit dem Niedergang der DP dieser Posten regional nicht zu fixieren. Die andere Partei in der Bundesrepublik, deren Präferenzen für ein bestimmtes Amt dazu führen könnten, eine Region überzurepräsentieren, ist die CSU. Außer dem Post- und Fernmeldeministerium (bis 1969), das mit Ausnahme eines Interregnums unter Lemmer (1956–57) stets in den Händen von CSU-Politikern war (Schuberth, Balke, Stücklen, Dollinger), läßt sich jedoch kein vorwiegend »bayerisches« Ressort finden. Bei allen Ressorts, bei denen die Parteizugehörigkeit des Ministers einem Wechsel unterlag, sind eventuelle Häufungen von Männern, die aus einer Region kommen, reiner Zufall. Gelegentlich hatte das Pochen einer Gruppe auf den regionalen Proporz seinen Grund auch vorwiegend in landespolitischen Erwägungen, etwa als die CSU 1957 Schäffer im Kabinett zu halten versuchte. Bundespräsident Heuss (1970, S. 269) erinnerte sich: »Er (Adenauer) will Schäffer ressortmäßig dislocieren – noch kämpfen die Bayern für ihn; denn sie wollen ihn in Bonn beschäftigt wissen und nicht seinen Eigensinn in München ansiedeln.«

In der 1. Regierung Brandt erschien der Regionalproporz stärker beachtet als vermutlich angestrebt. Am stärksten vertreten war – wie bisher – das volkreichste Land Nordrhein-Westfalen, aus dem Arendt, Heinemann, Möller und Scheel stammen. Diese Überrepräsentierung verstärkte sich noch bei den Staatssekretären. Unterrepräsentiert erschienen (wenn man nur die Geburtsorte zählt) Baden-Württemberg (Eppler) und Rheinland-Pfalz; Baden-Württemberg kann jedoch Alex Möller – unbeschadet seines Geburtsortes – als Repräsentanten des Landes ansehen, da er lange im Stuttgarter Landtag und in der Führung der Landespartei tätig gewesen ist, und auch Ehmke gehört seit langem in dieses Land.

Die Zahl der Regierungsvertreter aus einem Land steht auch nicht immer in direktem Zusammenhang mit der Zahl der Vertreter in der Parteiführung. Im Parteivorstand der SPD war Baden-Württemberg bis zum Parteitag in Saarbrücken von 1970 mit 4 Vertretern zum Ärger anderer Landesverbände sogar überrepräsentiert, obwohl die Partei in diesem Lande keine besonders starke Stellung hat.

Bei der Analyse der führenden Parteipolitiker ergeben sich naturgemäß für die CDU Schwerpunkte in den volkreichsten Ländern Nordrhein-Westfalen und Baden-Württemberg und bei der FDP in Gegenden, die mit den Hochburgen des Liberalismus identisch sind (Franken, Nordwürttemberg, Hansestädte, Teile Nordhessens).

Unter den bekanntesten Politikern der SPD zeigte sich eine gewisse Gravitation zugunsten der Politiker norddeutscher (Brandt, H. Schmidt) und ostdeutscher Herkunft (Schumacher [Kulm], Ollenhauer [Magdeburg], Erler [Berlin], Schiller [Breslau], Ehmke [Danzig]). In der Studie von Deutsch und Edinger (1959, S. 134), die auf einer breiteren Basis Karrieremuster untersuchte, fiel ebenfalls Norddeutschland als Gravitationszentrum der SPD, Süd- und Westdeutschland dagegen als das der CDU/CSU auf.

Die bloße quantitative Auszählung von Geburtsorten sagt jedoch allenfalls bei den regional gebundenen Parteien und den ostdeutschen Politikern partiell etwas über ihr politisches Verhalten aus. In der SPD hatte Schumachers Herkunft aus dem Osten zweifellos einen tiefen Einfluß auf seine Politik, vor allem auf seinen scharfen Kampf gegen die Grenzführung und die Spaltung Deutschlands. Heute hat jedoch der Umstand, daß einzelne Politiker in den Gebieten jenseits von Oder und Neiße geboren wurden, selbst für ihre Haltung in der Frage der Ostgrenze wenig Bedeutung. Analysiert man die Wortführer der Anerkennung der jetzigen Grenzen in den Landesverbänden, so handelt es sich nicht selten um Männer, die aus den Ostgebieten stammen.

Für die meisten politischen Fragen ist die regionale Herkunft von abnehmender Bedeutung. In CDU/CSU-Regierungen ist der Regionalproporz gekoppelt mit dem Konfessionsproporz, der zwar ebenfalls an Bedeutung verliert, aber doch nicht gänzlich bedeutungslos geworden ist. Eine eindeutige Überrepräsentierung einer Region fällt nur auf, wenn es sich um stark landsmannschaftlich verhaftete Politiker handelt. So erhob sich etwa Kritik an der Häufung von Schwaben in höchsten Ämtern, als man erwog, Gerstenmaier für das Amt des Bundespräsidenten kandidieren zu lassen. Eine gleiche Zahl von Männern aus verschiedenen Gegenden Nordrhein-Westfalens fiel hingegen nicht weiter auf, wenn sie nicht gerade einen gewissen Heimatkult trieben, wie Adenauer oder Lübke.

Die bloße Quantifizierung von *Geburts*orten ist freilich dann irreführend, wenn nicht zugleich die *Aufenthalts*orte mit in die Analyse einbezogen werden, die für eine Politikerpersönlichkeit prägend gewesen sein können. Dazu könnte man in der Jugend die Studienorte rechnen. Im allgemeinen war die örtliche Mobilität der Rollenträger auffallend hoch. Süddeutsche Studienorte

37

bei norddeutschen Positionsinhabern sind häufig; hier ergibt sich jedoch kaum ein Unterschied zum Verhalten der übrigen Bürger.

Vor allem die Kriegs- und Nachkriegsereignisse haben eine große Zahl von Politikern verpflanzt, die von ihren späteren Wohnorten mehr geprägt zu sein scheinen als von ihrem Geburtsort, etwa Schiller von Hamburg und Berlin im Vergleich zum Geburtsort Breslau. Ein Politiker wie Hans-Joachim von Merkatz, der aus Pommern stammt, hat sich durch die Führungsrolle in der DP so in niedersächsische Verhaltensweisen hineinleben müssen, daß er stärker als Niedersachse denn als Heimatvertriebener perzipiert worden ist, zumal man ihn vom Werdegang und Familie her eher als Berliner denn als Pommern ansprechen könnte. Trotz des unverkennbaren Waterkant-Akzents pflegt den Bürger Willy Brandts skandinavische Vergangenheit mehr zu interessieren als sein hanseatischer Hintergrund, und auch die Rolle des Oberbürgermeisters von Berlin hat die Rolle des regionsverbundenen Politikers völlig überlagert. Das brutale Experiment, das Hitler und seine Besieger mit Deutschland um 1945 vornahmen, hat die Bundesrepublik zu einem vergleichsweise so durcheinandergewürfelten und durch den raschen Aufbau dennoch sozial verhältnismäßig homogenen Gebilde werden lassen, daß die regionalen Unterschiede, die den föderalistischen Vätern des Grundgesetzes noch so wichtig waren, auch personalpolitisch stark an Bedeutung verloren haben. Diese Entwicklung dürfte sich noch verstärken, wenn die SPD-FDP-Regierung länger am Ruder bliebe.

Ein einheitliches politisches Verhalten ist auch bei den Spitzenpolitikern, die jenseits der späteren Demarkationslinie geboren wurden, nicht einmal in Fragen der Ost- und Deutschlandpolitik festzustellen. Insbesondere kam es zu keinem Wiederaufleben preußischen Zusammengehörigkeitsgefühls, wie die Alliierten – auf Grund übertriebener Vorstellungen von der sozialen und politischen Einheit Preußens – anfangs gelegentlich befürchtet hatten. Nur wenige Politiker haben sich als Preußen bekannt, wie v. Merkatz oder Lemmer, und die Meinungsverschiedenheiten zwischen den »Rheinpreußen« und den Altpreußen waren in der Regel geringfügiger als zwischen Kaiser und Lemmer einerseits und Adenauer andererseits. Lemmer personalisierte rückblickend seine Meinungsverschiedenheiten mit Adenauer geradezu: »Adenauer war in allem ein gänzlich anderer Typ als ich. Er hatte bereits in seiner Jugend politische Erlebnisse gehabt, die sehr wesentlich von den meinen abwichen. Seine Wurzeln reichten tief in den Boden des linken Rheinufers, während ich mich (was bei Rheinländern selten vorkommt) als Preuße begriff« (Lemmer, 1968, S. 335).

Ein Rollenverhalten, das als typisch preußisch angesehen wurde, fand sich vor allem bei Kurt Schumacher, dessen »Prussianism« von Lewis Edinger (1965, S. 274) zum Teil übertrieben dargestellt wurde. Ausländische Kritiker des Systems waren jedoch immer sehr viel rascher geneigt, politisches Verhalten typisch »preußisch« zu finden, wobei Preußen gemeinhin mit seiner letzten Phase des Aufgehens im Reich identifiziert wurde, bei der mit Recht gefragt werden kann, ob es noch eine »national identity« im Sinne der »political culture«-Forschung in ganz Preußen gegeben hat.

Unter deutschen Spitzenpolitikern der Bundesrepublik gab es – im Gegensatz zur Weimarer Republik – kaum einen Vertreter eines monarchisch gestimmten Konservatismus im älteren preußischen Sinne. Hans-Joachim von Merkatz war wohl der einzige, der sich je – sogar im Bundestag – als Monarchist bekannte.

Mit zunehmender Integration der Vertriebenen nahm auch der Gedanke einer Verpflichtung zu ihrer angemessenen Vertretung durch ihre Repräsentanten ab. Soweit Politiker aus ihren Reihen in die höchsten Ämter kamen, spielte nicht mehr der Umstand ihres Geburtsortes, sondern ihr politisches Durchsetzungsvermögen die entscheidende Rolle (vgl. S. 83).

Ein Teil der regionalen Verbindungen sind heute nicht so sehr aus der Intensität der Heimatverbundenheit als aus der Unattraktivität der Hauptstadt Bonn zu erklären, die zur größten Pendlerhauptstadt Europas geworden ist. Da es an einer integrierten und intellektuell angereicherten hauptstädtischen Gesellschaft fehlt, wird der privatistische Zug deutscher Führungsschichten wieder verstärkt. Während in anderen Ländern die Refugien den Intermezzi der Erholung dienen, erwecken die Ferienhäuser deutscher Politiker oft den Anschein eines Dauerwohnsitzes, der nur ungern verlassen wird. Das galt vor allem für Kiesingers Zuflucht in Bebenhausen, Gerstenmaiers Jagdgründe im Hunsrück, Erhards Haus am Tegernsee, Strauß' Domizil in Rottach-Egern oder Schröders Ferienhaus in Kampen auf Sylt.

Zusammenfassend kann gesagt werden, daß die »predictability rate« der regionalen Herkunft für das politische Verhalten, die in der amerikanischen Elitenforschung oft relativ hoch angesetzt wird, für die Bundesrepublik sinkt (Edinger-Searing, 1967, S. 437).

4. Soziale Herkunft

Während sich die Expertenfunktionen in Verwaltung, Wirtschaft, Militär und Kultur innerhalb der Oberschicht noch weitgehend vererben (Zapf, 1966, S. 183), läßt sich dies für die politischen Spitzenpositionen nicht in gleichem Umfang nachweisen. Die meisten Elitenuntersuchungen gehen bei der Klassifikation der sozialen Herkunft von einem groben Dreiklassenmodell aus (Oberschicht, Mittelschicht, Unterschicht), das nach dem Vorbild von L. Warner und anderen oft in jeweils zwei Gruppen untergliedert wird und zu Begriffen wie »obere Mittelschicht« und »untere Mittelschicht« führt. Es ist nicht immer leicht, die Angaben über Berufe der Väter in solche Schemen hineinzupressen. Zum Beispiel ist es in der großen Gruppe der Lehrer zum Teil reine Willkür, einen Oberstudiendirektor zur oberen Mittelschicht und einen Mittelschullehrer zur unteren Mittelschicht zu rechnen, zumal es nahezu unmöglich ist, über die subjektive Perzeption der eigenen Schichtzugehörigkeit bei den Vätern der Rollenträger noch etwas auszumachen. Das erscheint selbst dann schwer, wenn ein Politiker aus Werbegründen den Lebensstil seiner Familie gern im einzelnen darlegt, wie Franz Josef Strauß, da dieses Bild oft mehr zur politischen Folklore als zur sozialen Wirklichkeit gehört. Die Einordnung in soziale Schichten, die von außen vorgenommen wird, entspricht selten dem Selbstbild der Politiker, vor allem wenn Kategorien mit pejorativem Beiklang benutzt werden, wie Gaus (1964, S. 103) dies in einem Interview mit Erhard tat, in dem sich folgender bezeichnender Wortwechsel entspann: »Gaus: ›Sie sind aus kleinbürgerlichem Elternhaus hervorgegangen?‹, Erhard: ›Gutbürgerlichem Elternhaus, ja.‹«

Besonders schwierig ist die Ermittlung von sozialen Schichtdifferenzen in der großen Gruppe der Kaufleute, die von Industriemanagementposten bis zu Kolonialwarenhändlern sehr verschiedene Positionen umfaßt. Übernimmt man die Einteilung von Morris Janowitz (1958) und setzt die freien Berufe, die Beamten des gehobenen und höheren Dienstes, Selbständige mit größeren Betrieben und höhere Angestellte mit »oberer Mittelschicht« gleich und faßt als »untere Mittelschicht« die Beamten des mittleren und einfachen Dienstes, selbständige Gewerbetreibende, mittlere und einfache Angestellte, Selbständige und Mithelfende in Land- und Forstwirtschaft zusammen, so entstammen die meisten politischen Rollenträger der oberen Mittelschicht. Über die politische Einstellung oder gar das Handeln sagt diese Unterteilung freilich wenig aus, da die mittelständische Ideologie gerade bei der starken zünftlerischen Tradition einiger Berufe die willkürliche, nach Einkommen und Unabhängigkeitsgrad gezogene Grenze zwischen oberem und unterem Mittelstand kaum respektiert.

Abnehmende Bedeutung hat der Anteil des Adels an der deutschen Führungsschicht. Zapf (1966, S. 181) ermittelte 1925 noch 16 %, 1940 noch 12 % und 1955 immerhin noch 8 % Adlige in Spitzenpositionen der Funktionseliten.

Im Bundestag gab es nur wenige Vertreter des Hochadels nach 1949, wie Fürst Sayn-Wittgenstein, Fürst Bismarck oder Prinz Konstantin von Bayern, keiner von ihnen spielte eine bedeutende politische Rolle. Die Vertretung des Adels in deutschen Parlamenten hat stetig abgenommen: 1907 waren 73 Adlige Abgeordnete (davon 19 Angehörige des Hochadels), 1928 waren es 15 (davon drei aus dem Hochadel) und 1965 10 (davon zwei aus dem Hochadel). Einige Adlige spielten eine gewisse Rolle in der Fraktionsführung oder im Parteivorstand und gehörten damit zum Kreis der politischen Elite im engeren Sinne, wie Guttenberg oder Kühlmann-Stumm sowie Olaf von Wrangel und Richard von Weizsäcker. Zwei Adelige wurden parlamentarische Staatssekretäre (Guttenberg und Dohnanyi), vier wurden Minister: Brentano, Merkatz, Hassel und Dohnanyi. Die alten preußischen Familien fehlten fast völlig, allenfalls Merkatz kann man seiner Herkunft nach zu den »Junkern« im preußischen Sinne des Wortes – nicht in der Verallgemeinerung für jenen Adel, der auf seiner Scholle selbst wirtschaftete – rechnen. Eine größere Rolle spielte der Adel in den deutschen Funktionseliten nur im Auswärtigen Dienst, wo 1962 noch 10 % der Attachés adlig waren, und bei der Generalität. Von 16 amtierenden B8-Botschaftern entstammten jedoch 1969 nur noch drei dem Adel (End, 1969, S. 80).

Über die Berufe des Vaters bei deutschen Spitzenpolitikern ermittelte Knight (1955, S. 45) folgende Zahlen:

Berufe	Kaiserreich	Weimarer Republik	NS-Zeit
	in %	in %	in %
Business	10,4	18,9	18,2
Beamte	23,6	4,9	12,4
Gutsbesitzer	18,4	6,6	12,1
Militär	9,1	4,9	12,1
Juristen	18,4	1,6	–
Arbeiter	1,3	11,5	3,0
Lehrer	–	3,3	3,0

Berufe	Kaiserreich	Weimarer Republik	NS-Zeit
Banken–Versicherung	4,0	0,8	–
Publizisten	2,6	0,8	–
Pfarrer	2,6	–	–
Bauern	–	0,8	3,0
Unbekannt	24,9	44,2	24,2

Es wäre zwar möglich, die väterlichen Berufe der Politiker der Bundesrepublik in die gleichen Berufskategorien zu pressen und Prozentzahlen zu errechnen. Aber selbst wenn Unterschiede der Zuordnung ganz ausgeschaltet werden könnten, würde die hohe Zahl der unbekannten väterlichen Berufe für die Zeit vor 1945 jeden Vergleich sinnlos machen, da für die Bundesrepublik einerseits besseres Material vorliegt, so daß die Dunkelziffer gering ist, andererseits aber die absolute Zahl der Positionsinhaber so gering ist, daß die Bruchzahlen ein wenig willkürlich im Vergleich zu den von Knight errechneten Zahlen wirkten. Es läßt sich jedoch die Parallele ziehen, daß die Business-Berufe und die beamteten Berufe als Herkunftsgruppen von Eliten noch immer führend sind.

Die Berufe des Vaters teilten sich unter den Spitzenpolitikern der Bundesrepublik bis 1969 folgendermaßen auf:

	Staatssekretäre	Politiker
Freie Berufe		
Unternehmer und Fabrikanten	1	5
Kaufleute	8	8
Rechtsanwälte	1	–
Ärzte	8	2
Ingenieure	1	2
Landwirte	2	5
Gastwirte	–	1
Handwerker	4	7
Journalisten	1	–
Beamte		
Professoren und Wissenschaftler	5	2
Lehrer	6	7
Pastoren	1	1
Beamte	17	11

	Staatssekretäre	Politiker
Offiziere u. Soldaten	2	4
Angestellte	–	1
Arbeiter	–	4
ohne Angaben	18	3

Der größte Anteil der Politiker der Bundesrepublik seit 1949 entstammt Beamtenfamilien. Bei den Staatssekretären zeigt sich eine noch stärkere Tendenz zur Berufsvererbung im Beamtenstand. Die zweitstärkste Gruppe bilden die freien Berufe. Unter ihnen sind Elternhäuser mit Reichtum und großem Lebensstil relativ selten. Im Vergleich zu den Vereinigten Staaten und den Studien über ›Civilian Federal Executives‹ von 1959 zeigt sich in der Bundesrepublik ein stärkerer Trend zur Mitte der Schichtungspyramide. In den Vereinigten Staaten haben Untersuchungen des sozialen Backgrounds ergeben, daß die Arbeiter mit 21 % stark vertreten waren, andererseits die Unternehmer mit 20 % (verstärkt durch Männer der gehobenen »business executive« mit 4,6 %) ebenfalls stärker hervortraten als in Deutschland. Die »professional men« (Ärzte, Rechtsanwälte, Pfarrer, Ingenieure) bildeten auch in den USA eine starke Gruppe mit 19 % (Warner, 1963, S. 29). Ebenfalls ist die Landwirtschaft in Amerika noch stärker repräsentiert als in Deutschland.

Arbeiterkinder sind bei den deutschen Staatssekretären kaum vertreten, eine Ausnahme bildete seit 1969 Professor Karl-Heinz Sohn im Ministerium für wirtschaftliche Zusammenarbeit, dessen Vater Wirkmeister in einer Wuppertaler Textilfabrik war. Von den CDU-Ministern stammten nur wenige vom linken Gewerkschaftsflügel aus Arbeiterschichten, wie J. Kaiser, Storch oder Blank. Unter den SPD-Politikern, die seit 1966 in die höchsten Ämter einrückten, trat hier ein spürbarer Wandel ein. Mehrere Minister können der Herkunft nach der Arbeiterschaft (Arendt und Wischnewski aus Bergarbeiterfamilien, Lebers Vater war Maurer) zugerechnet werden, andere der unselbständigen Handwerkerschaft (Lauritzen, Strobel, Wehner). Aber auch von den Vätern der SPD-Minister gehört etwa die Hälfte zu den klassischen Honoratiorenberufen: Ärzte (Ehmke, Jahn, Heinemann), Studienrat (Schmidt), Beamter (A. Möller), Ingenieur (Schiller). Bei den parlamentarischen Staatssekretären der SPD sind die Herkunftsschichten eher noch bürgerlicher als bei den Ministern (mit Ausnahme von Börner) und werden durch ihre statistische Zunahme in der Rubrik der Politiker die Repräsentation der Arbeiterschaft in einem noch ungünstigeren Licht erscheinen lassen.

43

Die Aussage, daß die SPD im Unterschied zur Labour Party kaum Mitglieder der alten Oberschichten rekrutierte (Bendix in: Bendix-Lipset, 1963, S. 164; zur SPD: Neidhardt, 1968, S. 127), ist nicht mehr ganz zutreffend, vor allem, wenn man die neueren Amtsträger unter den parlamentarischen und den beamteten Staatssekretären (z. B. Duckwitz, v. Dohnanyi, K. Focke, v. Manger-König) und andere in Betracht zieht. Angesichts der Protesthaltung großer Teile der Jugend aus den ehemaligen und den heutigen Oberschichten erscheint ein Engagement in der SPD vielen als das »kleinere Übel«, und die Gewöhnung an die SPD-Regierung – für den Fall, daß sie erfolgreich regiert – wird diesen Trend vermutlich verstärken. Noch ist es zu früh festzustellen, ob sich in der Bundesrepublik erneut »politische Familien« herausbilden werden, wie sie in Systemen mit größerer politischer Kontinuität – etwa in England oder Schweden – selbst in den Arbeiterparteien nicht ganz ausgestorben sind. Im Augenblick ist die Öffentlichkeit mehr über das gegenteilige Phänomen erstaunt, daß manche Söhne prominenter Politiker der Protestbewegung nahestehen und starke Abneigung gegen eine Integration in das bestehende politische System zeigen.

Bei den Länderchefs ist das Verhältnis für die Arbeiter und unselbständigen Berufe, die Janowitz unter der Bezeichnung obere und untere Unterschicht aufführt, dank der stärkeren Rolle der SPD etwas günstiger; für die SPD hat man 7 und für die CDU 2 gezählt, die nach ihrer Herkunft zur Unterschicht gezählt werden können (Hauptmann, 1969, S. 11).

Die SPD ist im politischen Bereich – neben den Kirchen und den Gewerkschaften – der einzige Sektor, in dem die unteren Schichten stärkere Aufstiegschancen haben. Soweit Angehörige dieser Gruppe in die politische Führung eintraten, hatten sie häufig bereits durch vorherige Aktivität und erworbenen Status Qualifikation und Ansehen erworben (Zapf, 1966, S. 184).

In der Bundesrepublik hat die soziale Herkunft nicht die gleiche Bedeutung wie in den Ländern, in denen man mit größerer Berechtigung nach einem sozial relativ homogenen Establishment suchen kann, wie zum Beispiel in England. Selbst eine Art Proporz von Angehörigen des Establishments und Politikern, die nicht dazu gehören, wie man ihn in den USA zwischen dem Präsidenten- und dem Vizepräsidentenamt festzustellen versuchte, läßt sich in der Führungsspitze der Bundesrepublik kaum nachweisen (Rovere, 1962, S. 20).

Die Bedeutung der sozialen Background-Variablen für das politische Handeln ist umstritten (vgl. S. 17), und selbst für den sozialen Aufstieg, der Zugang zu maßgebenden politischen Ämtern schafft, ist ihre Wichtigkeit übertrieben worden. Soziale Herkunft, Prestige der Familie, Bildung und Reichtum sind als solche keine hinreichenden Bedingungen zur Erlangung von Macht: »Ihre Transferierbarkeit in Macht läßt sich allenfalls in einer Wahrscheinlichkeitsbeziehung bezeichnen« (Neidhardt, 1968, S. 97). Man kann allenfalls sagen: (1) Die Herkunft aus den Oberschichten schafft noch immer einen wichtigen Vorsprung bei der politischen Karriere, und (2) ohne Positionen in anderen Bereichen, ohne Bildung oder Besitz ist eine politische Karriere unwahrscheinlich.

Nur wenige politische Karrieren lassen sich zeigen, die vor allem durch Familienprestige und Besitz abgesichert werden konnten, ohne daß spezielle Ausbildung und besondere fachliche Spezialisierung hinzutraten (als Ausnahme könnte Baron Guttenberg angesehen werden, vgl. S. 63).

Die Sozialisation in der Familie entfaltet bis heute bei uns eine starke Ungleichheitswirkung, und die Korrekturmechanismen in Schule und Universität sind in den meisten deutschen Ländern schwach entwickelt, so daß es zu dem Ergebnis kommt, »daß der Wissensstatus des einzelnen in relativ hohem Maße mit lebenslanger Konsequenz vom Elternhaus sozial vererbt wird, und daß in diesem Sinne die Ungleichheit der Wissensschichtung in der Bundesrepublik ständisch bestimmt ist« (Neidhardt, 1968, S. 75). Dies wird jedoch noch verschlimmert durch den »Selbstbefriedigungseffekt abnehmenden Wissens, der dazu führt, daß man mit abnehmendem Wissen immer weniger Einsicht in das Fehlende hat« (Moore–Tumin, 1947, S. 787 ff.). Gewisse Korrekturmechanismen gibt es jedoch für Politikerkarrieren durch die Kompensation fachlicher Ausbildung mit Hilfe der Akkumulation von organisatorischer Erfahrung in Interessengruppen und Parteien.

Die Bundesrepublik steht im Verhältnis zu westlichen Industriestaaten mit ihren Raten der sozialen Mobilität, d. h. von Leuten, die in *einer* Generation die Linie Handarbeit – nichtmanuelle Arbeit – überschritten haben, mit 25 % nicht besonders günstig da im Vergleich zu 34 % in den USA, 32 % in Schweden, 31 % in England, 29 % in Frankreich, 22 % in Italien (Lenski, 1966, S. 411). Janowitz (1958, S. 12) ermittelte in den fünfziger Jahren sogar mehr sozial Abgestiegene (11,3 %) als Aufgestiegene (9,5 %), bei einem Anteil von 73,7 % ohne Mobilität. Dieser Befund ist jedoch nicht ganz typisch für industrielle Gesellschaften, weil eine hohe Zahl durch Kriegs- und Nachkriegseinwirkungen sozial Deklassierter in ihr enthalten war, die in anderen Ländern wesentlich geringer wäre. Gleichwohl ist es angesichts solcher Zahlen nicht verwunderlich, daß die Mobilität in den Spitzen der Machtpyramide ebenfalls zu wünschen übrigläßt.

Die Wahl des Aufstiegssektors ist in einer pluralistischen Gesellschaft, in der jedem mit einer gewissen Bildungsqualifikation mehrere Möglichkeiten der Karriere offenstehen, nur selten ein von Anfang an bewußter Vorgang, so sehr er auch ex post facto rationalisiert und zielstrebig dargestellt wird (Fürstenberg, 1962, S. 69). Dies gilt für die politische Karriere noch weit mehr als für die berufliche, zumal am Anfang nur selten bewußt und ohne Rückzugsmöglichkeit auf die politische Laufbahn gesetzt wird. Von den Parteien wird sogar in der Regel nicht gern gesehen, wenn jemand allzufrüh und eindeutig für die politische Karriere optiert, und zumindest bei der Kandidatenaufstellung für parlamentarische Mandate pflegt die Rolle, die ein Bewerber im Berufsleben spielt, nicht selten ein wichtiges Kriterium für den Wert zu sein, den er für die Partei und ihr örtliches Prestige besitzt (vgl. S. 79).

5. Gruppenzugehörigkeit

Eine große Zahl von Politikern verdankt einen Teil ihrer politischen Mobilität der Zugehörigkeit zu Interessengruppen. Die Verbände waren in deutschen Parlamenten immer stark direkt vertreten. Selbst im Kaiserreich, in dem der Reichstag kaum wichtige Entscheidungen zu treffen hatte und als Adressat von Pressure weit weniger interessant erschien als die Regierung, waren 1907 unter 397 Abgeordneten immerhin 64 Verbandsfunktionäre nachweisbar. 1928 war diese Zahl auf 152 von 487 gewachsen; darunter führten die Gewerkschaftsfunktionäre mit 66 vor den Vertretern der Landwirtschaftsverbände mit 33, der mittelständischen Vereinigungen mit 19 und der Unternehmerverbände mit 18. Im 5. Bundestag von 1965 konnte man sogar 186 Abgeordnete zu den Interessenvertretern zählen: 46 Gewerkschaftler, je 29 Landwirtschafts- und Unternehmerinteressenvertreter und 28, die kirchlichen Organisationen verbunden waren.

Trotz der großen Bedeutung des Elements der Interessenten läßt sich keine adäquate Kausalität zwischen Karrieremobilität und Verbandszugehörigkeit insgesamt feststellen. Seit die SPD an die Regierung kam, haben Gewerkschaftler erstmals größere Aussichten, in Exekutivämter einzurücken; in der Zeit der CDU-Herrschaft waren weit mehr Unternehmer-, Mittelstands- oder Landwirtschaftsinteressenten als Gewerkschaftler in führende Stellungen gelangt. Niemals aber ließ sich der Umkehrschluß ziehen, daß Vertreter dieser mächtigen Interessen automatisch die größten Aussichten auf ein Amt hatten.

Andere intervenierende Variablen determinierten die Karrieremobilität nicht weniger als die Gruppenzugehörigkeit.

Die Gruppenzugehörigkeit der Spitzenpolitiker war in vielen Fällen nicht vollständig zu ermitteln. Bei den Staatssekretären fehlen solche Angaben in mehr als 50 % der Fälle. Die Handbücher verzeichnen noch am ehesten die Zugehörigkeit zu ideellen Förderverbänden (in 45 Fällen bis 1969). Es wurde bereits festgestellt, daß in 22 % der Fälle die politische Karriere aus einer Verbandskarriere hervorging. Bei den Spitzenpolitikern dominieren die Berufsorganisationen und die Wirtschaftsverbände. Auch die Gewerkschaften und Bauernverbände sind stark vertreten. Im Anschluß an den Skandal des fingierten Parteiübertritts von Karl Geldner im November 1970 mehrten sich die Stimmen derer, die im Zuge einer deutschen »Lobby-Regulation« die Information der Wähler und der Öffentlichkeit über Gruppenzugehörigkeit zu verbessern trachteten. Theodor Eschenburg (›Die Zeit‹, 4. 12. 1970, S. 8) schlug vor, alle Kandidaten über ihre Gruppenzugehörigkeit und wirtschaftlichen Verpflichtungen Rechenschaft ablegen zu lassen. Diese Informationen sollten vom Landeswahlleiter aufbewahrt werden. Noch weiter ging ein prominenter Interessenvertreter der Stahlindustrie im Bundestag, Hans Dichgans, der ein Drei-Phasen-Modell skizzierte, in dem vorgesehen wurde, daß die Handbücher des Bundestages über das berufliche Engagement, eventuelle Beraterverträge und alle möglichen Interessenkollisionen Auskunft müßten geben können. Mitglieder von Ausschüssen, die persönlich oder beruflich an einem Beratungsgegenstand interessiert sind, sollten eine entsprechende Erklärung zu Protokoll geben müssen (›Der Spiegel‹, 1970, Nr. 50, S. 67). Würden diese Vorschläge im Zuge der 1968 steckengebliebenen Initiative für eine Lobby-Regulation verwirklicht, könnte eines Tages die Elitenforschung mit wesentlich exakteren Daten arbeiten als heute.

Unter den Jugendorganisationen, denen einzelne Positionsinhaber angehörten, standen bei den Politikern konfessionelle und bündische Jugendgruppen an erster Stelle, bei den Staatssekretären hingegen die studentischen Korporationen. Für beide Gruppen sind die Ergebnisse nicht ohne weiteres vergleichbar, da bei den Politikern ein größerer Prozentsatz nicht studiert hat (vgl. S. 55). Unter den höheren politischen Beamten bis 1969 fällt die große Zahl von in katholischen Verbindungen Korporierten auf, auch wenn über die Patronagemacht des CV und KV immer wieder übertriebene Vorstellungen kursierten. Noch nach dem Regierungswechsel von 1969 wandte sich ein FDP-Abgeordneter in einer Fragestunde mit der Bitte an den Bundesinnenminister: »Herr Minister, könnten Sie bei diesen Untersuchungen (der

Umbesetzungen bei früheren Regierungsbildungen) vom Jahre 1949 ausgehen und nachprüfen, ob die Behauptungen, die vor 15 Jahren in einer deutschen Zeitung veröffentlicht worden sind, stimmen, daß bei der Berufung von Personalreferenten und Haushaltsreferenten in allen Ministerien 1949 nur eine einzige Studentenverbindung diese Stellen besetzt hielt?« (Deutscher Bundestag, 5. Nov. 1969, S. 253 A). Erhard war einer der wenigen deutschen Spitzenpolitiker, die in ihrer Jugend völlig unpolitisch aufwuchsen und sogar den Gedanken an eine Mitgliedschaft in politischen Studentengruppen weit von sich wiesen. Erhard antwortete Gaus (1964, S. 106) auf eine diesbezügliche Frage: »Nein, ich gehöre nicht zu den Vereinsmeiern, obwohl ich ganz bestimmt nichts dagegen sagen möchte. Aber ich war doch sehr individualistisch im Studium, und ich war vor allem so mit mir selbst beschäftigt, mit dieser ganzen inneren Umkrempelung, die ich zu vollziehen hatte, daß die äußere Form der Einordnung in diese mehr kollektiven Gruppen mir nichts bedeutet hat.« Diese individualistisch-unpolitische Haltung hat Erhard auch als Minister und Kanzler im Grunde nie ganz aufgegeben.

Das Kabinett von 1969 wies in der Organisationszugehörigkeit und Gruppenbildung klare Unterschiede zu allen früheren Kabinetten auf. Die Hälfte der SPD-Minister war in den Gewerkschaften tätig (Arendt, Leber, Möller, Wehner, Wischnewski, die beiden ersten davon in führenden Stellungen). Neu ist, daß auch unter den beamteten Staatssekretären sich zunehmend Männer mit gewerkschaftlicher Aktivität finden, wie Auerbach, Hein, Gscheidle, Sohn und Wittrock, weniger hingegen unter den parlamentarischen Staatssekretären (z. B. Börner). In der Arbeiterschaft zugewandten Organisationen arbeiteten jedoch Freyh, Herold und Westphal.

Die SPD-Minister bestätigen die These, daß die politische Sozialisation der Politiker der Arbeiterparteien überwiegend durch Einflüsse der Familie bewirkt wird, in der nicht selten schon ein Familienmitglied der Partei angehörte, Gewerkschaftsfunktionär oder militanter Anhänger war (vgl. für Österreich: Gerlich-Kramer, 1969, S. 105; für Italien: Alberoni, 1968). Die meisten sozialdemokratischen Spitzenpolitiker waren daher schon in ihrer Jugend in weit größerem Umfang politisch engagiert als die Politiker der CDU/CSU und der FDP. In der sozialistischen Arbeiterjugendbewegung standen Franke und Wehner, in sozialistischen Studentengruppen Lauritzen und Schmid. Führende Posten im SDS hatten Ehmke (in Göttingen), Jahn (in Marburg) und Schmidt (Bundesvorsitzender) inne. Alex Möller wurde in seiner Jugend aus dem ›Reichsbanner‹ wegen »Linksabweichung« ausgeschlossen, und selbst erst später zur SPD Gestoßene waren in ihrer Jugend politisch engagiert, wie Heinemann in der Demokratischen Studentenbewegung. Am Beispiel Wischnewski, der 1959–61 Bundesvorsitzender der Jungsozialisten war, zeigt sich, wie wichtig die Jugendarbeit als Feld der Rekrutierung für Nachwuchspolitiker bei der SPD ist, eine Rolle, die auch in den anderen Parteien stark zugenommen hat (z. B. Genschers Rolle bei den Jungdemokraten; vgl. Ackermann, 1970).

Die parlamentarischen Staatssekretäre weisen einen ähnlichen Werdegang wie die Minister auf. Einige waren in der sozialistischen Arbeiterjugend (Berkhan), andere bei den Jungsozialisten (Arndt, Rohde), bei den ›Falken‹ (Ravens, Westphal) oder im SDS (Freyh, Apel) aktiv. Die wenigen bisherigen parlamentarischen Staatssekretäre der beiden anderen Parteien entsprechen ebenfalls dem Bild, das die SPD-Rollenträger vermitteln: Dorn (FDP) war Vorsitzender der Jungdemokraten in Nordrhein-Westfalen, Benda (CDU) hatte führende Posten in der Jungen Union und Köppler (CDU) in der katholischen Jugendbewegung; Leicht (CDU) war im CV korporiert. Bei den (beamteten) Staatssekretären ließen sich – mit Ausnahme der wenigen Gewerkschaftler und derer, die MdB gewesen waren – nicht ebenso häufig Aktivitäten in politischen Jugendorganisationen ermitteln.

Ausgesprochene Interessengruppenvertreter sind in den politischen Spitzenpositionen selten, nicht einmal in den traditionellen Verbandsinseln, wie im Landwirtschaftsministerium, überwogen sie. Im Arbeitsministerium und im Vertriebenenministerium war die Verbandsbindung der Minister am stärksten. Der straff geführte Bauernverband konnte dennoch seine Wünsche bei der Regierungsbildung nicht immer durchsetzen. Als Rehwinkel 1957 eine massive Kampagne gegen die Wiederernennung Heinrich Lübkes zum Landwirtschaftsminister startete, konnte Adenauer genügend Gegeninteressen – z. B. die Verbraucher – mobilisieren, um dem Druck zu widerstehen (Jürgen Domes: Mehrheitsfraktion und Bundesregierung. Köln/Opladen 1964, S. 69). Bei der Ernennung von Exponenten einzelner Flügel der CDU waren dem Kanzler zum Teil die Hände gebunden. Das Arbeitsministerium wurde häufig dem linken Gewerkschaftsflügel überlassen, wie bei Blank und Katzer. Blank war schon in der Weimarer Zeit Sekretär des Zentralverbandes christlicher Fabrik- und Transportarbeiter gewesen und wurde 1948 3. Vorsitzender der Industriegewerkschaft Bergbau. Katzer war Bundesgeschäftsführer der Sozialausschüsse der christlich-demokratischen Arbeitnehmerschaft. Am stärksten hielten sich die Kanzler beim Vertriebenenministerium an die Wünsche des korrespondierenden Verbandes. Adenauer soll bei Angriffen auf Oberländer nach den Erinnerungen seines Pressechefs einmal resignierend festgestellt haben: »Ich habe die Flüchtlingsverbände mehrmals gebeten, mir einen anderen Mann zu präsentieren, aber sie bestehen auf Oberländer« (v. Eckardt, 1967, S. 274).

Eine so starke Rücksichtnahme auf die personellen Wünsche eines Verbandes bei der Ressortbesetzung war durchaus atypisch. Die Untersuchungen zum Politikerprestige zeigen zudem (vgl. S. 184), daß der multifunktionale Führungstyp dem Interessenspezialisten in der Aufstiegschance eindeutig überlegen ist. Politiker, die aus Verbandskarrieren in die politische Arena stiegen, haben häufig die allzuenge Bindung an ihren Verband aufgeben müssen. Die Klagen über den »Verrat« reißen daher bei einzelnen Verbänden nicht ab. Der persönliche Vorwurf, der in diesem Wort enthalten ist, kann nicht über die strukturelle Notwendigkeit eines solchen »Interessenverrats« bei aufstiegswilligen Politikern hinwegtäuschen. Selbst die Interessenvertreter der Arbeiterorganisationen sind von dieser Entwicklung nicht ausgenommen. Kompromißbereite gewerkschaftliche Politiker haben immer unter dem Odium des »Arbeiterverräters« gestanden.

II. Bildungs- und Berufskarriere

1. Ausbildung und beruflicher Werdegang

Die Ungleichheit der Repräsentation in den Führungspositionen wird bereits durch die Erwerbsstruktur bedingt. Es gibt keine feste Laufbahn für Politiker, und der Entschluß, in die Politik zu gehen, birgt große Risiken für die Berufskarriere. Daher sind potentielle Führungskräfte in bestimmten Berufen ab einer gewissen Karrieresprosse für die Politik so gut wie verloren (Eick, 1970). Beim Karrierestart werden meist bestimmte Gruppen bereits überrepräsentiert: (1) Kandidaten, die keine finanziellen Opfer für eine politische Karriere bringen müssen, wie Beamte und einige freie Berufe, und (2) Kandidaten in einem Abhängigkeitsverhältnis, deren Vorgesetzte bereit sind, sie für die Politik »freizustellen«, vor allem leitende Angestellte. Eine wachsende Bereitschaft, sich in der Politik zu engagieren, findet man unter den Frauen (häufig nachdem ihre Kinder groß sind) und bei Männern, die relativ früh die höchste Sprosse ihrer beruflichen Laufbahn erreichten und daher ohne großes Risiko in die Politik überwechseln können. Selbst in den USA, wo in der politischen Kultur der Wert der Partizipation des Bürgers höher eingeschätzt wird als bei uns, erstreckt sich die Pflicht zur staatsbürgerlichen Aktivität, wie sie Propaganda und Erziehung fördern, nur auf die Stufe der indirekten Partizipation. Der Einstieg in die politische Arena gilt – nach den Untersuchungen von Barber (1967, S. 221) – keineswegs als »normal« und wird vom Durchschnittsbürger gleichsam als »abweichendes Verhalten« perzipiert. Dies gilt in noch größerem Maße für Deutschland, wo das Laufbahndenken und das Festhalten am einmal »erlernten« Beruf weit stärker ist als in Amerika und wo Politik allenfalls als »Job«, aber nur selten als »Beruf« anerkannt wird.

Der Aufstieg in die politische Führungsschicht vollzieht sich in der Regel über Bildungs- und Berufskarrieren. Die Ausbildung ist dabei – vor allem für die Zeit, in der die heute maßgebenden Männer aufwuchsen – noch weitgehend an die soziale Herkunftsschicht und den Beruf des Vaters gebunden, erst in neuerer Zeit wird diese zweite Variable zunehmend unabhängiger von der ersten. Zapf stellte 1965 fest, daß zwei Drittel der deutschen Elite einen Universitätsgrad aufweisen; für die politische Führung ist diese Zahl noch zu niedrig angesetzt.

Eine grobe Gegenüberstellung mit den Zahlen für die Erwerbsstruktur der Bevölkerung (nach: Statistisches Jahrbuch 1970) zeigt bereits, daß der Bundestag die Erwerbsgruppen der Gesellschaft nicht annähernd in adäquaten Proportionen widerspiegelt. Die Beamten, die leitenden Angestellten und Selbständigen sind im Bundestag stark überrepräsentiert (Rangol, 1970, S. 611). Die soziale Zusammensetzung des 6. Deutschen Bundestages sieht wie folgt aus:

Berufsgruppe	% der Abg.	% der Erwerbsfähigen
Arbeiter	3,0	47,4
Angestellte	26,4	28,8
Beamte	27,4	5,5
selbständige Landwirte	7,3	3,3
übrige Selbständige	rd. 20,0	7,6

Eine detailliertere Aufstellung des Statistischen Bundesamts weist folgende Zahlen auf (›Das Parlament‹, 1970, Nr. 14, S. 7):

Berufsgruppe	Gesamtzahl	SPD/FDP	CDU/CSU
Minister, Parlamentarier	26	9	17
Professoren und Lehrer	58	31	27
andere Beamte	73	37	36
leitende Angestellte	70	44	26
Arbeiter	15	11	4
Juristen	50	22	28
Mediziner	10	7	3
Publizisten	29	17	12
Fabrikanten	11	4	7
Landwirte	36	7	29
Kaufleute	18	4	14
Ingenieure	13	5	8
Hausfrauen	10	6	4
Sonstige	16	10	6

Die Beamten und Angestellten sind danach die am stärksten vertretene Gruppe. Während die Beamten sich auf Regierungsparteien und Opposition etwa gleichmäßig verteilen, überwiegen die Angestellten bei der SPD; Juristen, Kaufleute, Fabrikanten und Landwirte sind überwiegend bei den Unionsparteien zu finden. Der Wandel der Berufsstruktur in den Parlamenten zeigt sich in folgenden Zahlen:

Berufsgruppe	Parlamente		
	1907 %	1928 %	1965 %
Professoren u. Lehrer	25 (6,3)	40 (8,2)	45 (8,7)
Pfarrer	24 (6,0)	8 (1,6)	2 (0,4)
andere Beamte	44 (11,0)	52 (10,7)	86 (16,6)
Angestellte	12 (3,0)	39 (8,0)	79 (15,2)
Militärs	5 (1,3)	6 (1,2)	1 (0,2)
Juristen (Richter u. Rechtsanwälte)	73 (18,3)	27 (5,5)	48 (9,3)
Mediziner	7 (1,7)	6 (1,2)	8 (1,5)
Publizisten	29 (7,0)	58 (11,9)	31 (6,0)
Fabrikanten	32 (8,0)	7 (1,4)	10 (2,0)
Landwirte	90 (22,6)	56 (11,5)	40 (7,7)
(davon Gutsbesitzer)	(66)		
Kaufleute	19 (4,8)	23 (4,7)	43 (8,3)
kleine Selbständige	4 (1,0)	11 (2,2)	12 (2,3)
Ingenieure	–	3 (0,6)	18 (3,5)
Partei- u. Verbandsfunktionäre	11 (2,8)	98 (20,1)	48 (9,3)
Handwerker	13 (3,3)	16 (3,3)	16 (3,0)
Arbeiter	2 (0,5)	29 (5,9)	9 (1,7)
Hausfrauen	–	6 (1,2)	10 (1,9)
Sonstige	8 (2,0)	2 (0,4)	12 (2,3)
	398	487	518

Die Zahlen der drei Parlamente sind nicht leicht zu vergleichen, da sie auf den subjektiven Selbsteinschätzungen der Parlamentarier beruhen. Die Gruppe der Angestellten umfaßt die heterogensten Beschäftigungen von der Medizinisch-Technischen Assistentin bis zum Fabrikdirektor. Der Wandel des Prestiges einzelner Berufe schlägt sich auch in der Wahl der Berufsbezeichnung nieder: Ingenieure zum Beispiel scheinen ein so starkes Selbstbewußtsein zu haben, daß sie in der Regel nur die Bezeichnung Ingenieur oder gar nur ihren akademischen Grad (Dr.-Ing., Dipl.-Ing.) angeben, ohne die faktische berufliche Tätigkeit anzuführen, nach der sie ebensogut unter die Angestellten oder Beamten eingeteilt werden könnten. Die Berufsangaben in den Bundestagshandbüchern – von denen Theodor Eschenburg einmal gesagt hat, daß sie zu den »diskretesten Nachschlagewerken« gehören, die es überhaupt gibt (Eschenburg, 1959, S. 66) – sind häufig irreführend. Vor allem die Anwälte erscheinen stark überrepräsentiert, da eine Vielzahl von Karrieren, bis hin etwa zu der des hauptamtlichen Geschäftsführers der FDP, Genscher, sich unter dieser Bezeichnung verbirgt. In der Weimarer Zeit bekannten sich die Mitglieder der beiden sozialistischen Parteien weit häufiger als Gewerkschafts- oder Parteifunktionäre als heute. Auf Grund der umfangreichen Kader der zwei Parteien ist jedoch anzunehmen, daß tatsächlich in der Weimarer Zeit ein höherer Prozentsatz von Berufsfunktionären im Parlament saß. Umgekehrt vermeiden im Bundestag die Abgeordneten meist Bezeichnungen, die zum »Klassenhaß« reizen könnten: Das Wort »Fabrikant« oder »Gutsbesitzer«, auf das viele Reichstagsabgeordnete der Kaiserzeit stolz waren, kommt so gut wie überhaupt nicht in der Selbsteinschätzung vor, so daß wahrscheinlich der Prozentsatz derer, auf die diese Bezeichnungen zutreffen, größer ist, als nachweisbar wird. Man tarnt sich heute gern hinter den schlichteren Bezeichnungen »Unternehmer« oder »Landwirt«.

Die Entwicklung der Lernberufe deutscher Parlamentarier zeigt die zunehmende Bedeutung der Lehrberufe, der Beamten, der Publizisten (die jedoch in der Weimarer Zeit noch stärker vertreten waren als heute), der kaufmännischen Berufe, der Angestellten und der Ingenieure. Abnehmende Bedeutung haben die Militärs – die in Deutschland nie stark an parlamentarischen Lorbeeren interessiert waren – und die Pfarrer. Der Passus des Konkordats, der den katholischen Pfarrern politische Betätigung untersagte, trat zwar nicht in Kraft, da die entsprechende Vereinbarung mit der evangelischen Kirche unterblieb. Die Kirchen haben sich gleichwohl sehr zurückgehalten, und vor allem die katholische Kirche hat ihren Priestern die parlamentarische Betätigung nur in Ausnahmefällen und meist nur auf lokaler Ebene erlaubt. Erstaunlich gleichmäßig konnten sich die Selbständigen, die Ärzte und Mediziner halten. Der klassische Politikerberuf – Rechtsanwalt oder Richter – nahm in der Weimarer Republik ab, aber in der Bundesrepublik wieder zu. Die Zahl der Juristen beschränkt sich jedoch nicht auf Juristen im engeren Sinne, ein großer Teil der Beamten und ein Teil der Angestellten sind vielmehr gleichfalls vom Studium her Juristen, so daß das Juristenmonopol noch keineswegs gebrochen erscheint.

Trotz eines gewissen Wandels in der Elitenrekrutierung für den Bundestag, der sich zum Beispiel im Abnehmen der Zahl bäuerlicher und mittelständischer Abgeordneter niederschlägt, ist die Überrepräsentation der Beamtenschicht bisher nicht verschwunden. Sie betrug im Parlamentarischen Rat (Beamte, Richter, Professoren) noch 61 % (Sörgel, 1969, S. 216).

Zunehmende Bedeutung hat das Studium für alle politischen Karrieren. Entgegen einem Vorurteil, daß die CSU überwiegend kleinbürgerliche und ländliche Elemente in ihren Reihen enthalte, zeigte sich noch im 6. Bundestag bei ihr die Honoratiorenstruktur am deutlichsten. Von ihren 49 Abgeordneten waren 22 Doktoren oder Professoren (›Das Parlament‹, 1970, Nr. 14, S. 7). Die Entwicklung des Akademikeranteils in deutschen Parlamenten erfolgte keineswegs geradlinig. Im Reichstag von 1907 hatten die Akademiker mit 221 gegen 176 Nichtakademiker eine klare Mehrheit. Im Reichstag der Weimarer Republik – am Beispiel von 1928 – überwogen die Nichtakademiker mit 329:158, im Bundestag von 1965 hatten die Nichtakademiker nur noch ein kleines Übergewicht mit 296:222.

Von den Politikern der Bundesrepublik bis 1969 haben 69 % studiert und 17 % der übrigen das Abitur gemacht; bei den Staatssekretären haben sogar 92,2 % ein Studium und der Rest das Abitur. Von den 52 Ministerpräsidenten, über die Angaben gefunden werden konnten, hatten 73 % studiert, davon in 33 Fällen mit und in 5 Fällen ohne Abschluß (Hauptmann, 1969, S. 12). Bei den Staatssekretären konnten keine abgebrochenen Studien festgestellt werden, nur im Bundespresseamt ergibt sich eine Abweichung von der Norm. Bei den Ministern gibt es nur wenige Fälle eines abgebrochenen Studiums (3).

In den Parlamenten überwiegen seit Beginn des liberalen Parlamentarismus die Juristen. In der Philadelphia Convention von 1787 waren es 56 %, in der französischen Nationalversammlung von 1789 (Dritter Stand) etwa 50 % und in der Frankfurter Nationalversammlung von 1848 ebenfalls etwa 50 %; in der Weimarer Nationalversammlung 1919 gab es 54 % und noch im Parlamentarischen Rat 1948/49, der das Grundgesetz schuf, 41 % (Sörgel, 1969, S. 262). In deutschen Parlamenten betrug der Anteil der Juristen unter den studierten Abgeordneten 1907: 135 von 221, 1928: 82 von 158 und 1965: 110 von 222, er pendelte also konstant um etwas mehr als die Hälfte.

Ein ähnliches Juristenmonopol läßt sich für die politischen Spitzenpositionen nachweisen. Die studierten Positionsinhaber bis 1969 verteilten sich auf folgende Fakultäten:

Jura (Ministerpräsidenten 70 %)	Staatssekretäre 65 %	Politiker 42 %
Volkswirtschaft	Staatssekretäre 11 %	Politiker 11 %
Technische Fächer	Staatssekretäre 7 %	Politiker 8 %
Philosophische Fächer	Staatssekretäre 7 %	Politiker 8%

Die Sozialwissenschaftler nehmen bisher einen verschwindend kleinen Prozentsatz mit 1 bzw. 2 % ein. Nur unter den jüngeren Positionsinhabern fällt die Tendenz auf, Fächer der Philosophischen und Sozialwissenschaftlichen Fakultät zu studieren, obwohl sozialwissenschaftliche Studien als Basis einer Politikerkarriere immer noch auf Ablehnung bei den meisten Politikern stoßen. Selbst bei einem Politiker mit unkonventionellem Werdegang nach einem Studium der Geschichte wie Strauß sind solche Vorurteile gegen neue Fächer unausrottbar: »Ich halte gar nichts von akademisch gelernten Politikern im Sinne eines Politik-Studiums. Ich bin der Meinung, daß sich in der Politik nur jemand betätigen sollte, der den festen Boden eines erlernten Berufs hat, der es ihm auch ermöglicht, ohne diese Tätigkeit in der Politik für sich und seine Familie den Lebensunterhalt zu bestreiten« (Gaus, 1964, S. 185). Es wird dabei implizite noch immer unterstellt, daß sozialwissenschaftliche Studien keinen »ordentlichen Beruf« ermöglichen. Politik wird im Sinne älterer Staatslehrer gern noch als »Staatskunst« aufgefaßt, die sich systematischer Erforschung entzieht und nur durch »Einübung« in der Praxis erlernbar ist. Politikwissenschaft wird, ähnlich wie Zeitungswissenschaft oder Theaterwissenschaft, als eine der möglichen Grundlagen für die spätere Praxis in undifferenzierter Weise abgelehnt. Dennoch gewinnt die Politikwissenschaft in jüngster Zeit als Ausbildungsfach für Politiker eine gewisse Bedeutung. Die ersten Politikwissenschaftler rückten in führende Positionen der Landespolitik ein, in zwei Fällen sogar als Landeschef (Kohl [Rheinland-Pfalz] und Schütz [Berlin]); als Kultusminister amtierten 3 Universitätslehrer des Faches Politikwissenschaft: Vogel in Rheinland-Pfalz, Peter von Oertzen in Niedersachsen und Hans Maier in Bayern, sowie ein Soziologieprofessor, Ludwig von Friedeburg, in Hessen. Unter den begabten Nachwuchspolitikern, die unter anderem auch Politikwissenschaft studiert hatten, fielen Vera Rüdiger und Katharina Focke auf. Unter den Politikern, die versuchten, in der Wissenschaft Fuß zu fassen, haben eine Reihe im Fach Politikwissenschaft gelehrt oder einen Lehrauftrag angestrebt, auch wenn sie dieses Fach nicht studiert hatten, wie Ulrich Lohmar, Friedrich Schäfer, Carlo Schmid, Erich Mende, Hans-Joachim von Merkatz oder Ernst Majonica. Zum Teil droht dem Fach geradezu die Gefahr, zur Altersposition abgetretener Politiker zu werden, ein Trend, den die Politikwissenschaft mit verschärften Ansprüchen an die Professionalisierung ihrer Lehrenden beantwortet hat.

Bei den Länderchefs und den Staatssekretären schloß die knappe Hälfte ihr Studium mit der Promotion ab. Das Juristenmonopol ist selbst in Amerika noch nicht gebrochen. In vergleichbaren Positionen hat man dort 44 % der Positionsinhaber mit einer juristischen Ausbildung nachgewiesen (Stanley u. a., 1967, S. 18). Die andersartige Common-Law-Tradition und der weitverbreitete Brauch, daß der Undergraduate, der später auf eine berühmte Law School geht, andere Fächer, oft literatur- oder sozialwissenschaftliche, studiert, haben aber nicht die gleichen Folgen eines einseitig formalistisch-juristischen Denkens wie in der deutschen Elite gezeitigt. Außerdem hat das Jurastudium in Amerika nicht die gleiche sozial disziplinierende Funktion gehabt wie in Deutschland, zumal die Tradition und Qualität der einzelnen Universitäten und Colleges weit unterschiedlicher ist als an deutschen Universitäten. Im ganzen wächst auch in Amerika die Tendenz zu immer höheren »degrees«; die Doktoren und Magister etwa nehmen unter den Verwaltungsspitzen zu. Vergleiche mit der Bundesrepublik lassen sich jedoch wegen der Differenzen des Qualifikationswertes solcher Titel in den USA und den sehr unterschiedlichen Bildungssystemen dort und in Deutschland schwer herstellen.

Der Werdegang der SPD-Minister weist klare Unterschiede zu dem der Angehörigen der bisherigen Kabinette auf. Führende Kabinettspolitiker haben nicht studiert: Wehner, Möller (Dr. h. c.), Wischnewski, Leber, Franke und Frau Strobel; Brandt hat in Oslo einige Zeit an der Universität gehört. Auch Vizekanzler Scheel (FDP) hat nicht studiert, sondern nach dem Abitur eine Laufbahn in der Wirtschaft begonnen. Die Juristen waren 1969 erstmals in der Minderheit (Genscher, Ehmke, Jahn und Lauritzen), Volkswirte (Schiller, Schmidt), ein Ingenieurwissenschaftler (Leussink) und ein Landwirt (Ertl) ergänzen das Spektrum. Auch bei den parlamentarischen Staatssekretären zeigte sich ein ähnlicher Trend zum vorübergehenden Gleichgewicht zwischen drei Gruppen: denen, die Jurisprudenz studiert haben (Bayerl, Benda, Dohnanyi, Jahn, Köppler, Reischl, Leicht), denen, die andere Fächer studiert haben (Adorno, Arndt, Berkhan, Dahrendorf, Focke, Freyh, Moersch), und denen ohne Studium, die über Fachschulen oder eine Lehre ihren Berufsweg nahmen (Börner, Dorn, Logemann, Ravens, Rohde, Westphal). Die beamteten Staatssekretäre folgten hingegen noch älteren Mustern. Über die Hälfte sind Juristen, und nur einzelne haben Volkswirtschaft (Emde, Haller, Harkort, Schöllhorn, Sohn), philosophische Fächer (Auerbach) oder Naturwissenschaften

57

bzw. Medizin (Hamm-Brücher, v. Manger-König) studiert. Selten führt ein Werdegang ohne Universitätsstudium bis zum Staatssekretariat wie bei Duckwitz oder bei Gscheidle. 1972 nahmen die Juristen wieder zu.

Mit dem Abbau des Juristenmonopols in der Führungsspitze wird die Untersuchung der Lernberufe der Politiker interessanter als früher, obwohl der Trend zur Professionalisierung der Politik, vor allem bei den Rollenträgern, die in ihren vierziger Jahren bereits in die höchsten Ämter kamen, wenig Zeit zur Ausübung ihres Lernberufs ließ. Neben den Politikern, die in verschiedenen Stationen der Verwaltung aufstiegen (H. Schmidt oder Lauritzen), und den ehemaligen Rechtsanwälten (z. B. Genscher und Jahn) – Karrieren, die dem traditionellen Gang der Honorationorenpolitik durchaus entsprachen – wächst die Zahl derer, die als Juristen, Volkswirte, als Bank- oder andere Kaufleute und sogar als Gewerkschaftler wirtschaftliche Karrieren machten. Bei den gewerkschaftlich engagierten Politikern waren die wirtschaftlichen Positionen relativ niedrig in der Hierarchie (z. B. Strobel und Wehner; Ausnahme: Leber). Mit Heinemann, Leussink, Möller, Scheel oder Schiller aber kamen Politiker auch mit wirtschaftlichen Managementerfahrungen an die Macht, was sich auf den Verwaltungsbetrieb positiv auswirkte. Ehmke, Heinemann, Leussink, Möller, Schiller, Stoltenberg und Vogel haben sich gerade auch um die Reformierung des Verwaltungsbetriebs in und außerhalb ihres Ressorts stark verdient gemacht. Bei der Rekrutierung der parlamentarischen Staatssekretäre (z. B. Arndt, v. Dohnanyi, Dorn, Westphal) wie der beamteten Staatssekretäre (Duckwitz, v. Dohnanyi, Eicher, Rohwedder, Mommsen) wurden ebenfalls zunehmend Männer mit wirtschaftlichen Management-Erfahrungen herangezogen. Selbst bei den beamteten Staatssekretären gerieten die Männer mit einer überwiegenden Verwaltungslaufbahn oder die Richter 1969 schon in die Minderheit. 1972 sah jedoch das Berufsbild wieder sehr viel traditioneller aus. Juristen und Volkswirte mit Verwaltungslaufbahnen dominierten wieder eindeutig.

Damit setzt sich der Abbau der Vorherrschaft des Beamtentums auf politischer Bühne fort, einer Vorherrschaft, die vor allem die Länderpolitik bis heute immer wieder immobil erscheinen läßt. In einigen Ländern – wie in Bayern – wurde gegen die Parlamentarisierung sogar mit dem Argument gekämpft, daß die Qualifizierten nicht mehr Beamte würden, wenn man Parlamentarier Minister werden ließe und die Ministerposten nicht mehr als letzte Aufstiegssprosse dem Beamtentum reserviere. Schon Max Weber warnte jedoch eindringlich vor den Beamtenpolitikern, die als konstitutionelles Relikt im deutschen Denken immer wieder eine große Rolle spielten: »Der Beamte als Politiker macht nur allzu oft durch technisch ›schlechte‹ Führung eine in jenem Sinn ›gute‹ Sache zur ›schlechten‹« (Weber, 1958, S. 512). Es wäre jedoch falsch, von der bloßen Auswechselung von Karrieremustern sogleich einen tiefgreifenden Gesinnungswandel der politischen Führung zu erwarten. Technokratisches Sachzwangdenken kann durch Ausbildung und »politische Kultur« selbst bei den Politikern auf Ministerposten und in Staatssekretariaten stark sein, die selbst nicht mehr aus der Beamtenlaufbahn kommen. Die Änderung der Rekrutierungsmuster ist jedoch eine wichtige Voraussetzung der Änderung der »politischen Kultur« der Eliten.

Auch in der Mobilität auf einem anderen Sektor hat sich seit den Zeiten Max Webers manches geändert. Weber konstatierte noch, daß ganz selten »Parteiführer aus den Reihen der Presse hervorgingen«, was er mit der starken Unabkömmlichkeit des Journalisten und dem Zwang täglichen Schreibens erklärte (ebd., S. 414). Durch die stärkere ökonomische Sicherung des Journalisten und seinem Zuwachs an Prestige in einer pluralistischer gewordenen Gesellschaft (vgl. Wildenmann, 1968) haben sich seine Chancen, in die Politik überzuwechseln, zweifellos verbessert. Eine Reihe von Politikern stieß oft nach einer anderen Ausbildung über journalistische Tätigkeit zur Politik, wie Brandt und Wehner oder Arendt, der als Bergmann begonnen hatte, unter den Ministern, Frau Hamm-Brücher (nach einem Studium der Chemie), Egon Bahr und Konrad Ahlers unter den beamteten Staatssekretären sowie Katharina Focke, Moersch und Rohde unter den parlamentarischen Staatssekretären.

Entscheidender als der Lernberuf der Politiker ist heute die Tätigkeit, die unmittelbar vor der Rekrutierung ausgeübt wurde. Das gilt vor allem für sozialistische Parteien, in denen die Tendenz zum Berufspolitikertum größer ist als in manchen bürgerlichen Parteien, schon weil sich gewisse Honoratiorenberufe leichter neben der politischen Aktivität ausüben lassen als die eines Arbeiters oder Angestellten, Berufe, in denen eine große Zahl der rekrutierbaren Aktivisten sozialistischer Parteien nach ihrer Ausbildung einmal tätig waren.

Die wachsende Zahl der Wissenschaftler und Publizisten, die sich für politische Karrieren zu interessieren beginnen, unterstützt die Hypothese Czudnowskis (1970, S. 11), daß neben der Berufsrolle der Besitz einer Position im formellen oder informellen Kommunikationsnetz eines politischen Systems für die Rekrutierung von Politikern am relevantesten ist. Die Bedeutung von Wissen und Kommunikation für den politischen Aufstieg schlägt sich auch in der wachsenden Zahl der Politiker nieder, die mit einer wissenschaftlichen

Karriere begonnen hatten, die praktisch abgebrochen wurde (z. B. Mende, Stoltenberg und Gerstenmaier, cum grano salis auch Erhard und Oberländer sowie Schmid), auch wenn einige, wie Carlo Schmid, einen Lehrstuhl behielten oder ihre wissenschaftliche Karriere zeitweilig mit der Politik vertauschten, wie Ehmke, Dahrendorf, Haller, Maihofer, Jochimsen, Leussink, v. Manger-König und Schiller. Auch Strauß hat nach eigenem Geständnis an eine wissenschaftliche Karriere gedacht: »Ich habe mich nie entschlossen, Politiker zu werden. Mein eigentliches Berufsziel – ich wage es vor den gestrengen Vertretern dieser Disziplin zu sagen – wäre es gewesen, Professor für Geschichte zu werden« (Gaus, 1964, S. 178).

Die Annäherung von Wissenschaft und Politik, die nach althergebrachtem Topos nirgends in Westeuropa als einander so feindlich galten wie in Deutschland, bewährt sich auch in umgekehrter Richtung: Eine wachsende Zahl der Minister, Exminister und Politiker bemühte sich um Lehraufträge und Professuren – besonders im Fach Politikwissenschaft (vgl. S. 56) – oder ging vor Erreichung des höchsten Amtes gelegentlich wissenschaftlicher Dozententätigkeit nach, wie Balke, Ertl, Heinemann oder Süsterhenn. Der Kampf um »brain-trusts«, der in Amerika eröffnet wurde, beschränkt sich nicht mehr auf die Heranziehung von Professoren und Wissenschaftlern zur Beratungstätigkeit (vgl. Morkel, 1967, S. 94 f.), sondern führt zur verstärkten Rekrutierung von Wissenschaftlern selbst. Niemals gab es einen so starken Andrang von Professoren bei der Kandidatenaufstellung zum Bundestag wie 1969, und zu keiner Zeit wären politische Blitzkarrieren von Wissenschaftlern ohne große Umwege über parteiliche Kleinarbeit, wie bei Dahrendorf und Ehmke, in Deutschland denkbar gewesen. Herzog (1970/71, S. 132 ff) vertritt die These, daß die Hinwendung des politischen Systems zur langfristigen Planung nicht zu einer erheblichen Änderung in den Führungskadern führte, sondern eher zur Herausbildung einer Experten- und Beraterelite neben den traditionellen Elitegruppen. Ein leichter Wandel der Führungskader läßt sich jedoch seit 1965 bereits feststellen; für ein endgültiges Urteil ist es indessen zu früh. Es ist aber unwahrscheinlich, daß bei Zunahme des Positionsaustausches (vgl. S. 155 ff.) ausgerechnet zwischen traditioneller politischer Elite und der neuen Expertenschaft im Vorraum der Politik keine Interpenetration stattfindet.

Bei der Analyse der Lernberufe und der später ausgeübten Tätigkeiten der Spitzenpolitiker muß man versuchen, sich von altmodischem Bildungsdünkel freizumachen, der auch in der neuesten Literatur nicht ganz ausgestorben ist, die ihr Pendant in der Abneigung eines großen Teils der Bevölkerung gegen angelernte Berufe hat, im Gegensatz zum älteren Modell des

Berufs, der in Lehre und Gesellenzeit stufenweise erworben wird (Kluth in: Mommsen, 1955, S. 262). Vor allem bei der Einführung des Amtes des parlamentarischen Staatssekretärs wurde vielfach über die Bildungsqualifikationen der neuen Amtsträger nachgedacht (vgl. Morkel, 1967). Laufer (1969, S. 35 f.) war am striktesten in seinen Postulaten an die berufliche Qualifikation der Anwärter; er verlangte »abgeschlossene Berufsausbildung, unabhängig vom schulischen Weg und unabhängig von Berufstypen. Demokratische Politik und ihre Amtsträger kommen in Verruf, wenn gescheiterte Existenzen beschließen, Politiker zu werden, und dabei Karriere machen – abgesehen davon, daß derjenige, der nicht über die charakterliche Disziplin, die intellektuellen oder praktischen Fähigkeiten verfügt, eine berufliche Ausbildung erfolgreich abzuschließen, in der Regel nicht in der Lage ist, wirkungsvoll politisch handeln zu können. Politische Parteien, die ungelernte Gelegenheitsarbeiter, berufslose Funktionäre, Nur-Abiturienten, verkrachte Studenten als Kandidaten für das Parlament aufstellen, handeln funktionswidrig.«

Diesem Begriff von Funktionalität der Führungsauslese liegen eine Reihe von Vorurteilen zugrunde:

(a) Abgebrochene Berufsausbildung wird mit moralischen Mängeln der charakterlichen Disziplin und der intellektuellen Fähigkeiten identifiziert. Selbst wenn wir einmal die Schwächen des bisherigen Bildungssystems – gerade für junge Menschen, die an praktischer Politik interessiert waren – ausklammern, so kann ein frühes politisches Engagement zum Abbruch von Studien zwingen. Korreliert man die Studiengänge der Politiker mit dem hohen Grad von Engagement in politischen Jugendorganisationen, so ist eigentlich gerade die »charakterliche Disziplin« erstaunlich, die relativ wenig abgebrochene Ausbildungsgänge feststellen läßt. Vor allem der Ambitionsansatz der Elitenforschung hat etwa den Zwang, angesichts von vorübergehenden politischen Chancen auf den Abschluß von Ausbildungen, gutes Leben und Konsum zu verzichten, bisher überhaupt nicht berücksichtigt (vgl. Schlesinger, 1966).

(b) Der Nur-Abiturient oder der verkrachte Student werden schlechter bewertet als der »drop-out« auf höherer Stufe. Ist aber selbst ein Mann, der zwei Promotionen durchkämpft, um später auf anderen Gebieten als den studierten zu arbeiten, höher zu bewerten als einer, der aus Gründen politischer Aktivität früher zum Berufspolitiker wird? Ein gerechtes Werturteil könnte sich allenfalls ergeben, wenn man den Abbruch von Studiengängen bei Politikern mit der späteren politischen Leistung im allgemeinen und dem sichtbaren Nutzen des speziellen Studiengegenstandes für die spätere politische Tätigkeit im besonderen in Beziehung setzte. Die Vorstellung, daß Politik in erster Linie mit Sachverstand und ordentlichem Berufswissen gemeistert werden könne, ist in solcher Konzeption noch verborgen.

Es wurde bis 1969 häufig eine Verjüngung der politischen Spitze verlangt. Man muß sich darüber klar sein, daß eine solche Verjüngung den Zwang zur frühen Professionalisierung der Politiker und die Chance zum Aufstieg von jungen Leuten ohne abgeschlossene Berufsausbildung fördert.

(c) Den Parteien wird zugemutet, die Führungsauslese primär nach dem Ausbildungsgesichtspunkt vorzunehmen. Bei der überwiegend konservativen Rollenerwartung, welche Delegiertenkonferenzen und die Gremien, welche die Landeslisten aufstellen, an die Bewerber herantragen (gerade auch bei der SPD), kann man sicher sein, daß die Frage nach der beruflichen Qualifikation von Bewerbern immer stark diskutiert wird und daß die Parteien gerade in diesem Punkt am wenigsten nachlässig vorgehen. In einer konkreten Konfliktsituation aber kann die Superiorität der beruflichen Ausbildung im Zweifelsfalle nicht den Ausschlag geben, weil Einsatz für die Partei, ideologische Linie, Gruppenzugehörigkeit, Wirkung auf die Wähler usw. (vgl. S. 78 ff.) ebenso wichtige Auslesekriterien darstellen.

In allen Leistungshierarchien lassen sich immer wieder funktional überschüssige Ausbildungsgehalte feststellen, die weniger der Verbesserung der Leistung als der Symbolisierung von berufsständischen und persönlichen Statusansprüchen dienen (Offe, 1970, S. 95). Wenn es einerseits zu begrüßen ist, daß im Bereich der Politik akademisch erworbenes Wissen nicht mehr nur als überflüssiges »Luxuswissen« angesehen wird, wie weitgehend in der Politik der Kaiserzeit, so ist andererseits davor zu warnen, den Erwerb von Diplomen und anderen akademischen Qualifikationen zum Maßstab der Bewertung der Eignung von Bewerbern um politische Ämter und Mandate zu machen.

Laufers Sorgen bezogen sich in erster Linie auf die parlamentarischen Staatssekretäre. Selbst wenn man seiner Wertung zustimmen könnte, ließen sich seine Bedenken zerstreuen. Die parlamentarischen Staatssekretäre bis 1973 werden den antiquiertesten deutschen Berufsideologien gerecht, denn sie haben:

Abgeschlossenes Studium	23
Abitur, mittlere Reife oder abgeschlossene Mittelschule und Lehre	7
Volksschule, Lehre und Meisterprüfung	2
Landwirtschaftliche und Fachschulausbildung	2
Facharbeiterausbildung	2

Allenfalls Baron Guttenberg, den auch Laufer als einzigen ohne Berufsausbildung nennen konnte, könnte als »Nur-Abiturient« klassifiziert werden, da er nach der Gymnasialausbildung und dem Kriegsdienst unmittelbare berufliche Tätigkeit in der Verwaltung des Familienbesitzes angibt, und nur Moersch brach aus materieller Not in der Nachkriegszeit sein Studium ab.

Die frühere berufliche Tätigkeit der parlamentarischen Staatssekretäre bis 1974 kann zwar nicht gerade als Spiegelbild der Erwerbsstruktur in der Bundesrepublik angesehen werden, ist aber im Vergleich zu früheren und zu einigen ausländischen Rekrutierungsmustern ein erfreulicher Anfang zu einer Pluralisierung der Karrieremuster:

Wirtschaft	10	Arndt, Baum, v. Dohnanyi, Dorn, Haar, Hauff, Hermsdorf, Matthöfer, Rosenthal, Westphal
Landwirtschaft	3	Adorno, Guttenberg, Logemann
Verwaltung	5	Apel, Jung, Haack, Köppler, Offergeld
Richter und Rechtsanwälte	7	Benda, Bayerl, Grüner, Jahn, Leicht, Reischl, de With
Professoren und Lehrer	7	Berkhan, Dahrendorf, Freyh, Glotz, Porzner, Schlei, Jung
Freiberufl. Publizisten	5	Brück, Focke, Moersch, Raffert, Rohde
Handwerk und Facharbeit	6	Börner, Buschfort, Herold, Ravens, Wischnewski, Zander

Da sich das neue Amt erst feste Rollenmuster schaffen muß und diese nicht zuletzt von der Entwicklung des politischen Beamtentums abhängen werden, läßt sich noch kein abschließendes Urteil über die Karrierevehikel der parlamentarischen Staatssekretäre fällen.

Selbst unter den SPD-Politikern fällt die hohe Zahl der Studierten auf. Von 29 wichtigsten Politikern der SPD (bis 1972) hatten 17 studiert, zwei hatten ein abgebrochenes Studium. Bei den Ministerpräsidenten der SPD hatten 13 von 22 studiert, was nur leicht unter dem Durchschnitt liegt, der annähernd durch die CDU repräsentiert wird, während die Akademiker in der FDP auch in den führenden Posten überrepräsentiert sind (im Vergleich zum Durchschnitt der Führungsposten). Deutschland liegt mit diesem Akademiker-Anteil unter SPD-Politikern etwa in der Mitte im Vergleich zu den romanischen Ländern, besonders zu Italien, wo der Ausbildungsgrad der sozialistischen Führer (und auch ihre soziale Herkunft) der der »bürgerlichen« Po litiker sehr ähnlich ist (Meynaud, 1966, S. 22 ff.), und zu England und den skandinavischen Ländern Schweden und Norwegen, wo eine große Anzahl der Führer der Arbeiterpartei nicht studiert hat. In England hatte etwa die Hälfte der Labourpolitiker zwischen 1935–1955 keine Universitäts-Bildung (Guttsman, 1965, S. 244), und zur Zeit des ersten Regierungseintritts der Labour Party lag der Prozentsatz der Akademiker noch niedriger. Gleichwohl muß man sich davor hüten, die englische Labour Party deshalb für demokratischer zu halten, weil sie einen größeren Anteil von Männern der Unterschichten ohne höhere Bildung in die höchsten Ämter zu bringen vermochte. Diese Eigenart ist vor allem durch die engen Bande der Labour Party zu den Gewerkschaften zu erklären, die rd. $^2/_3$ der Mitgliedschaft als kollektive Mitglieder stellen, und dadurch, daß Gewerkschaftskarrieren ohne Hochschulbildung auch für eine politische Laufbahn in der Labour Party in größerem Maße als Voraussetzung dienen können, als das bei der SPD heute der Fall ist, vor allem seit der DGB um seiner Einheit willen eine gewisse Neutralität gegenüber der SPD an den Tag legen mußte. Schon an der Kandidatenaufstellung und Unterstützung in der Labour Party wird diese Eigenart Großbritanniens ersichtlich. 1954–1964 fielen 47 % der Labour-Kandidaturen von Bewerbern, die noch kein Mandat hatten, an Kandidaten, die von Gewerkschaften oder von den Kooperativen unterstützt wurden (Ranney, 1965, S. 221). Ähnlich ist die Entwicklung in Norwegen und Schweden, wo Gewerkschaften – wenn auch in geringerem Maße als in England – kollektive Mitglieder der Arbeiterparteien sein können. Aber auch in diesen Ländern macht sich ein Trend in den Arbeiterparteien bemerkbar, Akademiker im Amt zu bevorzugen, und mit der Demokratisierung und Egalisierung der Bildungschancen wird jene Dominanz der Akademiker selbst in sozialistischen Parteien, die ursprünglich ein Zeichen einer elitären Gesellschaft war, genau mit dem Gegenteil zu erklären sein.

Ausbildung und beruflicher Werdegang haben nach der eingangs (S. 17) skizzierten These, daß die Variablen, die unmittelbar vor der Rekrutierung Einfluß haben, die relevantesten für die Erforschung politischen Verhaltens von Positionsinhabern sind, eine hohe Voraussagekraft. Ist der Beruf jedoch im allgemeinen der beste Indikator für politisches Verhalten? Moshe Czudnowski (1970, S. 7) geht davon aus, daß in westlichen Industriegesellschaften für die Messung von Prestige, Einkommen und Erziehung die Berufsrolle der beste einzelne Indikator ist, der – neben der Stellung eines politisch Interessierten im Kommunikationssystem der Gesellschaft und ihrer Subsysteme – ausschlaggebend für die Mobilitätsaussichten politischer Karrieren ist.

Ausbildung und beruflicher Werdegang sind jedoch nicht für alle Fragestellungen der Elitenforschung gleich relevant. Die heute von Kritikern der bisherigen Elitenforschung immer eindringlicher gestellte Frage (Herzog, 1970; Schleth, 1971), welchen Einfluß Background-Variablen auf politisches Verhalten haben, läßt sich durch die Analyse von Berufsgängen nur partiell beantworten.

Für die Bundesrepublik wurden die notwendigen Vergleiche zwischen Karrieremustern und »policy outputs« bisher nicht quantitativ unternommen. Ein erster Eindruck macht es jedoch unwahrscheinlich, daß sich etwa zwischen der Zahl und dem Gewicht einzelner Entscheidungen und Gesetze und den Anteilen, mit denen bestimmte Berufe in Parlament und Regierung vertreten sind, positive Korrelationen finden lassen, es sei denn bei bestimmten überrepräsentierten Berufen (z. B. den Bauern). Die bloß quantitative Auszählung von Maßnahmen wäre hierfür auch kein Indikator, und selbst die Ausgaben für einen bestimmten Sektor geben das Gewicht beruflicher Einflüsse bei den politischen Entscheidungen nur unvollkommen wieder. Manche Berufe erscheinen im Parlament unterrepräsentiert, können aber diesen Mangel durch gesteigerte Pressure-group-Aktivität kompensieren (z. B. bestimmte Wirtschaftsgruppen), andere Berufe sind überrepräsentiert, weil ihre beruflichen Mobilitätsaussichten gering sind, ohne daß sich dies in ein adäquates politisches Durchsetzungsvermögen umschlägt (vgl. Herzog, 1970/71, S. 136 ff). Der Beruf hat auf das politische Verhalten von Parlamentariern bei hoher Fraktionsdisziplin ohnehin geringe Bedeutung für das Zustandekommen von Gesetzen und wird wahrscheinlich nur bei der Willensbildung in der Fraktion, dem Verhalten in Ausschüssen und dem allgemeinen Verhalten gegenüber der dem Lernberuf zugeordneten Interessengruppe eine größe Rolle spielen.

Allenfalls bei Vergleichen von »Rekrutierungsthroughput« und »policy output« über lange Perioden hin könnten sich positive Korrelationen in größerer Anzahl ergeben – vor allem in Systemen, die eine größere Kontinuität aufweisen als Deutschland.

Wichtiger werden die beruflichen Werdegänge jedoch für das Studium der politischen Karrieren an sich, ohne den Versuch zu unternehmen, diese mit Entscheidungen zu korrelieren. Die Berufsrollen sind nach Czudnowski (1970, S. 11) vor allem dann relevant für die politische Rekrutierung, wenn sie eine »generalistische Orientierung« implizieren, verbunden mit der Fähigkeit komplexe Operationen auszuführen. Unglücklicherweise weisen unter den Beschreibungen von 979 Berufen, die das ›Dictionary of Occupational Titles‹

des amerikanischen Labor Departments enthält, nach den Ermittlungen Czudnowskis (ebd., S. 16) 52 Berufe eine ähnliche generalistische Orientierung auf wie der des Politikers, darunter juristische und Managementberufe. Außerdem wird der Versuch, die Rollenerwartungen, die an den Berufspolitiker herangetragen werden, abzugrenzen (vgl. S. 119), zeigen, daß im Zuge einer Differenzierung politischer Rollen die generalistische Orientierung nur noch einem Teil der politischen Spitzeneliten nachgesagt werden kann.

Die Rolle der Berufe, die der politischen Rekrutierung vorausgingen, für die politischen Karrieren ließe sich zuverlässig erst dann ermitteln, wenn detailliertere Informationen über den Werdegang deutscher Politiker zur Verfügung stünden als jene, die in Handbüchern des Who's-who-Typs zu finden sind. In der Bundesrepublik stieße der Versuch, solche Daten zu erheben – was generell durchaus möglich ist –, im Vergleich zu Systemen mit größerer politischer und sozialer Kontinuität auf zusätzliche Schwierigkeiten: Einmal haben sich die Berufsbilder und das mit Berufen verbundene Prestige in der Bundesrepublik seit dem Zweiten Weltkrieg stärker gewandelt als in anderen Systemen. Zum anderen hat die deutsche politische Elite durch die NS-Zeit (vgl. S. 69) und die Nachkriegszeit mit Entnazifizierung und beruflichen Beschränkungen für weite soziale Gruppen und Erwerbszweige eine von anderen Systemen so verschiedene berufliche Entwicklung gehabt, daß sie sich mit den Ergebnissen anderer Länder kaum vergleichen läßt. Allenfalls für die Politiker, die ihre Ausbildung und ihre beruflichen Anfänge ausschließlich nach 1945 erlebten, hätte eine solche Untersuchung für die Zukunft prädiktive Aussagekraft.

Eine weitere Störung der Relevanz der Ergebnisse ist dadurch zu befürchten, daß Berufe in einem System, das sein Bildungswesen zeitweilig stark vernachlässigte, nicht eine bloße Frage freier Auswahl sind, da die Berufswahl durch soziale Herkunft, Verbindungen und Ausbildung stark beeinflußt wird. Die Würdigung von Berufsrollen als der entscheidenden Variablen ist ständig in Gefahr, die soziale Bedingtheit von Berufsstrukturen zu vernachlässigen. Eine Untersuchung mit »survey«-Methoden müßte versuchen, nach Politikern zu differenzieren, die schon ihre Ausbildung und den beruflichen Werdegang an dem Wunsch ausrichteten, Politiker zu werden, und solchen Politikern, die mehr durch ungünstige Karriereaussichten in einer entscheidenden Epoche ihres Lebens (z. B. Gerstenmaier in der Wissenschaft, Mende beim Militär) in die Politik gerieten. Zwischen diesen beiden Extremen gibt es eine Fülle von Politikern, bei denen die berufliche Karriere immer als Dolus eventualis Ausbildungs- und Berufsentscheidungen mit beeinflußt hat, ohne daß sie allein ausschlaggebend gewesen wäre. Die Bindung an Gruppen, politisierte Familien und soziale Milieus und die Opportunitätsstruktur der Einheiten, in denen sie wirkten, hatten in der Mehrzahl der Fälle einen schwer abzuschätzenden Einfluß. In Systemen mit großen unterprivilegierten Gruppen (Rassen, Nationalitäten, sozialen Schichten) ist der Eintritt in die Politik weniger auf die Möglichkeit einer prestigegeladenen Berufsrolle zurückzuführen als auf das Gegenteil: Mangelnde Mobilitätsaussichten lassen politische Karrieren vergleichsweise aussichtsreich erscheinen, wie sich in der Bundesrepublik an der Rolle der Vertriebenen in Verwaltung und Politik zeigte (vgl. S. 33).

2. Militärdienst

Die Angaben über Militärdienstzeiten waren vor allem bei den Staatssekretären ziemlich unvollständig. Auch war es bei allen Gruppen nicht immer leicht, die höchsten Ränge zu ermitteln. Vorwiegend bei konservativ-national Gesinnten wurden der militärische Rang und die höchsten Auszeichnungen gern betont (z. B. bei Erich Mende). »Militärische Hochstapelei« ließ sich jedoch allenfalls bei der extremen Rechten in unteren Rängen feststellen – z. B. der Fall Freiherr von Heyl, dem vorgeworfen wurde, seine Wehrdienstpapiere gefälscht zu haben, um einen höheren militärischen Rang vorzutäuschen.

Im Durchschnitt haben die Inhaber politischer Führungspositionen bis 1969 etwa 4 Jahre gedient und es etwa bis zum Leutnant gebracht. Der höchste Rang, der ermittelt wurde, war Oberst. Bei Staatssekretären wie Politikern gab es je 2 Majore. Die neue Bundesregierung von 1969 ist als die Generation der »Flakhelfer« bezeichnet worden. In der Tat sind nur wenige der Minister den ganzen Krieg über eingezogen gewesen wie Schmidt (zuletzt Oberleutnant), Schiller (Oberleutnant) oder Leber (Unteroffizier). Die jüngeren wie Arendt, Ehmke, Ertl, Genscher, Jahn haben noch etwa zwei Jahre gedient und als Luftwaffenhelfer oder im Arbeitsdienst begonnen. Etwa ein Drittel der Minister der SPD-FDP-Regierung hat keinen Militärdienst geleistet, weil sie in der Emigration lebten (Brandt, Wehner) oder in der Wirtschaft tätig waren (Heinemann, Möller, Leussink). Bei den 25 Politikern der Regierung von 1969, die eingezogen gewesen sind, wurde im Durchschnitt noch eine Dienstzeit von etwas unter drei Jahren ermittelt. Die Variable Militärdienstzeit verspricht in vergleichender Betrachtung wenig Erhellung. Die durchschnittlich lange Zeit erklärt sich nicht nur durch die beiden Weltkriege – in die auch andere Länder verwickelt waren –, sondern durch den ungewöhnlich hohen

Mobilisationsgrad der Deutschen in der Armee in beiden Kriegen. In einigen Fällen kann diese Variable erklären, warum eine akademische Ausbildung abgebrochen wurde. Es ist anzunehmen, daß die Zahlen über Ausbildungsgänge durch die langen Dienstzeiten atypisch für den Durchschnitt der Politiker werden. Zum anderen könnte die Variable Militärdienst zur Erklärung herangezogen werden, warum Karrieremuster, die in der NS-Zeit als »system-affirmativ« bezeichnet wurden, die Karriere nach 1945 nicht behinderten. Der Militärdienst in den schlimmsten Jahren des NS-Regimes bewahrte viele Mitläufer vor einem stärkeren Engagement oder einer Kompromittierung in der Verwaltung des Systems. Schließlich läßt sich der späte Eintrittszeitpunkt in das höchste Amt damit erklären, obwohl ein Vergleich zeigt, daß andere Länder – mit geringerer Partizipation am Krieg – nicht eben sehr viel jüngere Politiker in die höchsten Ämter bringen (vgl. S. 124). Es läßt sich hingegen in der Bundesrepublik nicht demonstrieren, daß lange Militärdienstzeiten – wie in einigen Entwicklungsländern – einen positiven Einfluß auf die Karrieremobilität gehabt haben, etwa weil das Militär für die weniger privilegierten Schichten im System eines der besten Aufstiegsvehikel zum Erwerb bestimmter Fähigkeiten in bezug auf technischen Sachverstand und Menschenführung wäre.

3. Karrierestationen im Nationalsozialistischen Regime

Je länger das System der Bundesrepublik besteht, um so weniger relevant wird die Variable der Beschäftigung während der NS-Zeit für die Analyse des Verhaltens politischer Eliten in Deutschland, die vor allem in den ersten Elitestudien (z. B. Deutsch-Edinger) noch im Vordergrund des Forschungsinteresses stand.

Die Karrieremuster der Politiker bis 1969 während der NS-Zeit zeigten folgende Charakteristika:

	Staatssekretäre		Politiker	
Mitglieder in NS-Organisationen	8	10 %	12	10,5 %
Karrierekontinuität	35	45 %	12	10,5 %
Karrierestop	13	16 %	20	18,0 %
Privatwirtschaft	7	9 %	22	19,0 %
Widerstand	4	5 %	22	19,0 %
Unbetroffen aus Altersgründen	11	13 %	23	21,0 %
keine Angaben	2	2 %	2	2,0 %

Je weiter die NS-Zeit zurückliegt, um so größer wird die Zahl derer, die aus Altersgründen von der Fragestellung nicht mehr betroffen sind, daher sind alle früheren Auszählungen bis zur Mitte der sechziger Jahre für die Einschätzung der deutschen Nachkriegselite als ganze mit Vorsicht zu interpretieren. Außerdem hat es wenig Sinn, wie Gerstein-Schellhoss (in: Zapf, 1965, S. 70) nur den Beruf während der NS-Zeit anzugeben, da dieser nicht immer Auskunft über das Ausmaß möglicher Belastung und Identifikation mit dem Regime gibt. Daher wurde versucht, vor allem bei Positionsinhabern im öffentlichen Dienst festzustellen, ob die Karriere eines Rollenträgers stagnierte oder ob ein Aufstieg während der NS-Zeit erfolgte. Bei Karrierekontinuität ist zwar nicht in jedem Fall ein gewisses Engagement zu unterstellen, aber die Wahrscheinlichkeit eines ideologischen Mitläufertums wird größer. Nur bei den in der Privatwirtschaft Tätigen war die Karrieremobilität nicht ohne weiteres ein Kriterium für das politische Verhalten.

Die Angaben über den Widerstand konnten nur in den Fällen nachgeprüft werden, wo es sich um Emigranten handelt. Die relativ hohe Zahl der Widerständler unter den Politikern hält in einzelnen Fällen einer historisch-kritischen Analyse vermutlich nicht stand. Aber selbst in Fällen wie bei Gerstenmaier – dessen widerständlerische Aktivität bestritten worden ist – wurde der Politiker in diese Gruppe eingereiht, da er Nachteile seiner Karriere in Kauf nehmen mußte oder wenigstens glaubhafte Kontakte mit Widerstandskreisen nachweisen konnte. Über die politische Elite lassen sich auch hier keine Verallgemeinerungen wagen. Bei den Staatssekretären fällt der hohe Prozent von Karrierekontinuität auf. Niedrige Chargen waren oft zu keinem Engagement gezwungen, das über kollektive Pflichtübungen hinausging, und konnten daher äußerlich unbelastet ihre Karriere nach dem Krieg fortsetzen. Bei den Politikern bilden jene bereits die größte Zahl, die aus Altersgründen nicht betroffen waren, gefolgt von denen, die in der Privatwirtschaft und in freien Berufen ohne nachprüfbares Engagement für das Regime die Zeit überstanden. Die These, daß Bürokratie und Management jeden Umsturz überleben (Zapf, 1966, S. 164), gilt für die niedrigen Ränge noch mehr als für die Spitzenpositionen.

Da der Prozentsatz von Belasteten in höheren Positionen ständig abnimmt – besonders seit der Etablierung der »Linkskoalition« an der Macht –, haben die Urteile der älteren Autoren nur für die Nachkriegselite und bis etwa 1966 Gültigkeit. Die »künstliche Revolution« der Entnazifizierung (vgl. D. Montgomery, 1957, 4 ff.) hat die Etablierung einer Gegenelite nicht bringen können, weil diese nicht groß und qualifiziert genug war, um die umfangreichen

Aufbauaufgaben im zerstörten Deutschland zu erfüllen. Das gilt vor allem für die Eliten, die in der Administration die NS-Zeit überstanden hatten. Aber auch der Umkehrschluß, den die marxistische Literatur oft zog, daß die alte Nazi-Elite an die Macht zurückkehrte, hielt eingehender Untersuchung nicht stand (Edinger, 1960, S. 75). Karl Jaspers (Wohin treibt die Bundesrepublik? München 1966, S. 183) vermutete, daß es eine Elite von rund 500 000, die »stets ihr klares Urteil bewahrt hatten und unbelastet blieben«, nach dem Krieg in der Bundesrepublik gegeben habe, die jedoch »beiseite gedrängt wurde«, da »die Menge« sich durchsetzte. Jaspers legte bei diesem Urteil offenbar einen wertenden Substanzelitenbegriff zugrunde, der nicht näher spezifiziert wird und auch wenig geeignet ist, zu begründen, warum die Bundesrepublik für bald zwei Jahrzehnte ein stark restauratives Staatswesen wurde.

Es ist schwierig, die Karrieremuster der bisherigen politischen Elite in der Bundesrepublik mit der anderer Länder zu vergleichen. Die Unterbrechung der NS-Zeit kann allenfalls mit der Zeit des Faschismus in Italien in Beziehung gesetzt werden. Über Italien fehlen uns aber genauere Untersuchungen für die Staatssekretäre und die niederen Chargen. Die Vermutung liegt jedoch nahe, daß hier die Zahl der Politiker, die im faschistischen Regime irgendwann einmal belastet wurden, eher höher als niedriger liegt im Verhältnis zu Deutschland. In der ›Assemblea costituente‹ waren in größerem Umfang als im Parlamentarischen Rat und im ersten Bundestag Politiker der präfaschistischen Zeit wieder vertreten, wie I. Bonomi, L. Einaudi, E. De Nicola, F. Nitti und V. E. Orlando (Meynaud, 1966, S. 15), die beiden letzteren waren sogar ehemalige Ministerpräsidenten. Kein einziger Reichskanzler der Weimarer Zeit spielte dagegen im politischen Leben der Bundesrepublik eine Rolle, obwohl Männer wie Wirth oder Brüning an einen Wiedereintritt in die Politik gedacht haben. Unter den Ministern der Bundesrepublik taucht kaum ein Politiker auf, der in der Weimarer Republik eine größere Rolle spielte, mit Ausnahme von Adenauer, der schon in der Weimarer Zeit als ministrabel galt. Immerhin hatten Fritz Schäffer und Hoegner in Bayern oder Reinhold Maier und Heuss in Württemberg, Ernst Lemmer und einige andere eine gewisse politische Karriere bereits in der Weimarer Republik gemacht. Obwohl die politische Karenzzeit für Oppositionelle im Faschismus über ein Jahrzehnt länger war als die des Nationalsozialismus, gab es in Italien ein häufigeres Comeback. Zum Teil kann dies wohl durch den Umstand erklärt werden, daß man die Politiker der Weimarer Republik wesentlich direkter für den Zusammenbruch des Systems verantwortlich machte als in

Italien, wo das parlamentarische System immerhin seit 1848 leidlich funktioniert hatte.

Das Ausmaß der Belastung deutscher Politiker ist durch die grobe Klassifikation nicht immer auszumachen. Die Mitgliedschaft in der NSDAP oder einer nationalsozialistischen Organisation wurde in der Anfangszeit meist als schwerere Form der Belastung eingestuft. Aber selbst ehemalige Mitglieder von NS-Organisationen versuchten, sich selbst als Widerständler zu klassifizieren; so Schröder 1958 im Bundestag: »Ich habe im ›Dritten Reich‹ eine Haltung eingenommen, die Sie vielleicht am besten daraus ersehen können, daß ich Mitglied der Bekennenden Kirche gewesen bin. Vielleicht sagt Ihnen das etwas. Ich habe im ›Dritten Reich‹ aus Gründen, die ich hier gar nicht ausbreiten möchte, ausgesprochene Verfolgungen erlitten, die sich bis zu meiner Militärzeit und durch meine Militärzeit hingezogen haben. Es gibt Damen und Herren in Ihren Reihen, die das des näheren kennen« (Schröder, 1963, S. 154). Andere Politiker wurden stärker durch staatliche Tätigkeit belastet als durch Parteimitgliedschaft, wie Kiesinger als stellvertretender Leiter der Rundfunkabteilung des Reichsaußenministeriums, und konnten gleichwohl eine Reihe von Zeugen auftreiben, die ihre antinazistische Haltung bezeugten. Die trotzdem zurückbleibende moralische Belastung erlaubt es, die Undifferenziertheit der Statistik, die sich zu ihren Ungunsten auswirken könnte, nicht weiter anzufechten. Schwer sind andererseits die Fälle von Politikern zu werten, bei denen keine formelle Mitgliedschaft in einer NS-Organisation vorlag, die sich aber durch autoritäre Äußerungen in wissenschaftlichen Schriften diskreditierten, wie von Merkatz.

In der SPD-Spitze fand man verhältnismäßig wenig ehemalige NSDAP-Mitglieder, die sich auch in Wort und Schrift belastet haben, wie Karl Schiller und weniger auffällig Lauritzen. Die CDU und die konservative Publizistik griffen daher zur Rechtfertigung der ehemaligen NS-Mitglieder oder anderweitig Belasteter gern zum Vorwurf der kommunistischen Vergangenheit von SPD-Politikern, am schärfsten bei Wehner. Selbst bei Schröder klang dies in seiner Rechtfertigungsrede vor dem Bundestag an: »In sozialdemokratischen und ihnen verwandten Kreisen wird der Versuch gemacht, sozusagen eine Art Kompensation zu errichten: der kommunistische Wehner – Sie erlauben mir, daß ich das ganz abgekürzt ausdrücke – und der nationalsozialistische Schröder! Dieser Versuch wird gemacht. Meine Damen und Herren, es tut mir leid: mit diesem Versuch werden Sie zu hundert Prozent scheitern« (ebd. S. 153). In der Zeit des militanten Anti-

kommunismus und einer Totalitarismusforschung, die das nationalsozialistische und die kommunistischen Regime unter formalen Kriterien der Ausübung sozialer Kontrolle in eine Kategorie preßte, schien die Mitgliedschaft
in der NSDAP nicht belastender als die Mitgliedschaft in der KPD. Re-
aktionäre Publizisten sahen in dem Umstand, daß die SPD überwiegend
nicht bereit war, diese Gleichsetzung anzuerkennen, eine Bestätigung dafür,
»daß wegen der gemeinsamen marxistischen Wurzel, in den Kommunisten
immer noch die vom rechten Wege abgeirrten Brüder erblickt werden, die
des gleiche Endziel mit ungeeigneten Mitteln anstreben« (Salter-Stolz,
o. J., S. 13). Erst in neuerer Zeit wächst das Verständnis für die humanen
und rationalen Möglichkeiten des Marxismus, die trotz stalinistischer Per-
version die ethische Grundlage der Mitgliedschaft in faschistischen oder
kommunistischen Organisationen unvergleichbar machen.

Man hat oft darüber gerätselt, warum Adenauer – an dessen antinazisti-
scher Gesinnung kein Zweifel aufkam – belastete Männer wie Globke oder
Oberländer nicht nur berief, sondern lange gegen Angriffe deckte. Im Fall
Oberländer hat Adenauer selbst ein Motiv angegeben: »Ich habe mich instinktiv dagegen gewehrt, auf Kommando der SPD einen Minister zu entlassen. Natürlich war er Nationalsozialist. Er war sogar tiefbraun. Aber er hat
sich den blutigen Ausschreitungen im Osten widersetzt. Der Fall ist erle-
digt« (›Archiv der Gegenwart‹, 1960, S. 8371). Gegner Adenauers haben
angesichts der Belastung von Oberländer, Kraft und Krüger die These vertreten: »Im übrigen steht es außer Zweifel, daß den Kanzler das in Wirklichkeit gar nicht interessierte oder störte« (Kather, 1965, Bd. 1, S. 245)
Anhänger Adenauers – wie sein Pressechef Felix von Eckardt (1967, S. 441) -
hingegen erklärten solche Fälle eher mit einer mangelnden Bereitschaft, neue
Gesichter um sich zu sehen, und einer gewissen menschlichen Rücksicht auf
die Betroffenen (vgl. S. 129). Auffällig blieb jedenfalls Adenauers mangelnde
Empfindlichkeit in Fragen der NS-Vergangenheit und die Unterordnung mo-
ralisch-politischer Erwägungen unter taktische Gesichtspunkte der täglichen
Kabinettspolitik. Sie hat den Glauben daran, daß in der Bundesrepublik ein
von der Vergangenheit radikal verschiedenes Staatswesen aufgebaut werden
sollte, im In- und Ausland nicht gerade gestärkt.

Die politische Vergangenheit der deutschen Politiker steht nicht in allen
Fällen in adäquatem Kausalzusammenhang mit ihrem Verhalten angesichts
faschistischer Gefahren in der Bundesrepublik. Oft sind die »Gerechten«, die
mehr aus biographischen Zufällen denn aus antifaschistischer Gesinnung unbelastet blieben, in ihrer Entschlossenheit zum Widerstand gegen faschisti-

72

sche Tendenzen laxer als einst minder Belastete, die aus den Ereignissen gelernt haben.

Umfrageergebnisse lassen generell eine Unterschätzung der Gefahr reaktionärer Tendenzen bei der politischen Elite vermuten. Sie sieht nach den Umfragen von Deutsch (1967, S. 105) keine Gefahr einer möglichen Wiederkehr des Nazismus. 87 % hielten ihn für tot, 9 % verneinten dies, aber nur etwa die Hälfte sah keinerlei Chancen für ein Wiederaufleben des Nazismus, über ein Viertel (28 %) sah die Möglichkeit der Wiederkehr in anderer Form, als radikaler Nationalismus.

III. Politische Karrieren

1. Erfahrungen in Gemeinde- und Landespolitik

Deutsche Parlamentarier haben ihre Karrieren meist mit politischer Aktivität auf Gemeinde-, Kreis- und Landesebene begonnen.

Politische Erfahrungen auf unterer Ebene:

Parlament	Landesebene	Gemeindeebene	Kreisebene
1907 (von 397)	179 (45,9 %)	92 (23,2 %)	65 (16,4 %)
1928 (von 487)	150 (30,8 %)	154 (31,6 %)	46 (9,4 %)
1965 (von 518)	147 (28,4 %)	192 (37,1 %)	94 (18,1 %)

Es zeigt sich, daß die kommunalpolitische Tätigkeit an Bedeutung zugenommen hat. Im Kaiserreich hatte hingegen die landespolitische Aktivität noch den Vorrang vor kommunalpolitischen Erfahrungen. Die Zahl der Politiker, die vor 1918 auf höherer Ebene in eine politische Karriere einsteigen konnten, erscheint wesentlich größer als heute.

Auch bei den heutigen Spitzenpolitikern dienen Gemeinde- und Landespolitik noch immer als Sprungbrett für politische Karrieren – so für 93 % der untersuchten Politiker. Von 101 Politikern bis 1969 hatten 35 Erfahrungen in der Politik auf Gemeindeebene und 54 auf Landesebene gesammelt, meist als Abgeordnete in Gemeinderäten und Landtagen. Von den parlamentarischen Staatssekretären haben 9 von 21 in Stadt- oder Kreisräten und 7 in Landtagen gesessen, ehe sie in das höchste bisher erreichte Amt einrückten. Selbst bei den beamteten Staatssekretären fällt eine verhältnismäßig hohe Zahl von Positionsinhabern auf, die auf lokaler oder landespolitischer Ebene aktiv waren (bis 1969: 18 %). Die größere Mobilität im Vergleich zum Durchschnittsabgeordneten zeigte sich bei den späteren Spitzenpolitikern schon auf den unteren Stufen ihrer politischen Karriere, da bei ihnen landespolitische Erfahrungen die kommunalpolitischen überwiegen.

Bei den Ministerpräsidenten liegen ebenfalls häufig politische Erfahrungen auf lokaler Ebene vor. Als gewichtiger Unterschied zwischen CDU und SPD zeigt sich dabei, daß zahlreiche SPD-Ministerpräsidenten in einem lokalen Repräsentativgremium saßen, ehe sie Landespolitiker wurden (z. B. Dehnkamp, Diekmann, Kopf, Lüdemann, Schütz und Zinn) – während die entsprechende Zahl bei der CDU (bzw. DP) geringer ist (z. B. Altmeier, Hellwege, Filbinger). Hingegen kommt eine größere Zahl der CDU-Ministerpräsidenten aus lokalen Exekutiven. Einige waren Landräte (Seidel, Boden, Steltzer, Diederichs, Hellwege) oder Bürgermeister, wie Goppel, Arnold, Meyers, von Hassel, Lemke, Lübke (Hauptmann, 1969, S. 17). Bei der SPD hingegen war nur Steinhoff einmal Bürgermeister, ehe er es zum Ministerpräsidenten brachte. Man kann gleichwohl nicht sagen, daß die Tätigkeit als Stadtverordneter, Bürgermeister oder Landrat der normale Einstieg in die landespolitische Spitzenkarriere ist. Bloß numerische Vergleiche sind hier wenig ergiebig, da in den Stadtstaaten andere Karrieremuster vorliegen, in denen zum Beispiel die Durchgangsstufe des Landrats wegfällt, soweit die obersten Positionsinhaber ihre Karriere – wie in der überwiegenden Zahl der Fälle – im gleichen Land beginnen. In den größeren Ländern hingegen und bei den konservativen Parteien spielen Bürgermeister- und Landratsposten noch immer eine gewichtige Rolle, wenn auch die Mehrzahl die Karriere als MdL startet. Die Debatten um eine Verschärfung der Inkompatibilitäten, die sich vor allem am Unbehagen über die Landrats- und Bürgermeisterfraktionen der Landtage entzünden, werden auch für die Elitenforschung relevant (Tsatsos, 1970). Nicht selten wird für die Kompatibilität geltend gemacht, daß sie dem administrativen Sachverstand den Weg zur Landesspitze ebne. Dieser Vorteil wird jedoch durch das häufig relativ unpolitische und technokratische Verständnis von Landespolitik durch die so geprägten Positionsinhaber negativ aufgewogen.

Ob die Inkompatibilitätsgesetze, wie sie einzelne Länder initiierten, die Überrepräsentation von Beamten eindämmen, bleibt abzuwarten. In Baden-Württemberg hat vor allem die FDP und ein Teil der CDU im Dezember 1970 Widerstand gegen ein geplantes Inkompatibilitätsgesetz mit dem Argument geleistet, daß man einen ganzen Berufsstand und wichtige Spezialisten aus dem Parlament verdränge. Außerdem wurde geltend gemacht, daß die Inkompatibilitätsgesetze das Gegenteil dessen bewirkten, was sie erreichen möchten: nicht weniger, sondern noch mehr Beamte würden ins Parlament einziehen, da die Doppeleinkünfte von Landtagsdiäten und Altersrente und Ruhegehalt (mit der Möglichkeit, sich reaktivieren zu lassen) für Beamte auch bei Inkompatibilität von Amt und Mandat verlockend blieben. Für die negativen Rückwirkungen wurden häufig die hessischen Landtagswahlen von 1970 zitiert. Trotz eines neuen Inkompatibilitätsgesetzes hatte sich die Zahl der Beamten erhöht. Der hessische Fall ist jedoch oft überinterpretiert worden. Zwar hat sich die Beamtenzahl als solche erhöht, aber ehemalige Bürgermeister, Landräte und Juristen überwiegen nicht mehr im gleichen Maße wie früher, und die Lehrberufe zeigen eine deutlich ansteigende Tendenz, was bei der zunehmenden Bedeutung der Bildungspolitik als der wichtigsten Materie, die in Landtagen zur Beratung ansteht, nicht nur negativ betrachtet werden kann.

2. Karrierestart: Kandidatenaufstellung und Führungsauslese

Ein demokratisches System geht von der Fiktion aus, daß die politische Rekrutierung vom Wähler beeinflußt wird, und die Anhänger eines mehrheitsbildenden Wahlrechts argumentieren nicht zuletzt mit dem Gesichtspunkt, daß dieses den Einfluß der Wähler auf die Verteilung der höchsten Ämter stärke. Der Zusammenhang von Wahl und Elitenrekrutierung ist in den ersten Elitenstudien angesichts der Voreingenommenheit für bestimmte soziale Background-Variablen zu kurz gekommen. Heinz Eulau (Eulau-Prewitt, 1970, S. 8) hat mit Recht versucht, den »electoral context« der Elitenrekrutierung wieder stärker zu betonen. Seine Ergebnisse sind jedoch aus der Untersuchung von Stadträten gewonnen und lassen sich nicht ohne weiteres auf die Spitzenpolitiker im parlamentarischen System mit Vielparteiensystem und Koalitionsregierungen – bei vom Wähler nur sehr indirekt beeinflußter Rekrutierung – übertragen.

Für Politiker auf Bundesebene ist die Kandidatenaufstellung für die Bundestagswahlen in der Regel die wichtigste Weiche. Kaum ein Bewerber hat Aussichten, der nicht schon ein paar politische Erfahrungen im Gemeinderat oder in höheren repräsentativen Gremien und in den Parteigremien auf Orts- und Kreisebene sammeln konnte.

Die Kandidatenaufstellung impliziert eine gewisse Vorauslese der Spitzenpolitiker, die um so einschneidender ist, als die Kriterien für die Auswahl von Bewerbern um ein Bundestagsmandat überwiegend andere sind als diejenigen, die maßgebend für den Aufstieg in der Fraktion und in die Reihe der Spitzenpolitiker und Ministrablen sind. Ein flüchtiger Vergleich der Anteile sozialer Gruppen im Parlament und in der Bevölkerung (vgl. S. 52) zeigt, daß die Wahl der Kandidaten aus einem begrenzten Reservoir innerhalb der Bevölkerung vorgenommen wird. Potentielle Kandidaten müssen sich drei Fragen vorlegen (vgl. Barber, 1967, S. 11):

(1) Will ich? (Motivation);

(2) Kann ich? (Mittel);

(3) Wollen sie mich? (Abschätzung der Erfolgschancen).

Die erste Frage wird bei der Behandlung der Professionalisierung erörtert, mit der jeder rechnen muß, der mehr als kurzfristige politische Ambitionen hat (vgl. S. 110). Die zweite Frage ist noch immer nicht unwichtig – trotz der staatlichen Wahlkampfhilfen. Jeder Kandidat muß mit erheblichen Zuschüssen aus der eigenen Tasche rechnen und kommt, wenigstens was Fahrzeugverschleiß, Benzinverbrauch, Telefonrechnung und andere Ausgaben betrifft, auch bei günstiger Finanzlage seines Wahlkreises nicht ohne eigene Aufwendungen davon. Wahlkreisuntersuchungen haben ergeben, daß sich die persönlichen Kosten eines Bewerbers, der mit einiger Sicherheit auf ein Mandat rechnen kann, selten unter 10 000,– DM belaufen.

Das deutsche Wahlsystem schafft einen doppelten Filter für die Bewerber um eine Kandidatur: auf *Wahlkreis*ebene bei der Nominierung durch eine Delegiertenkonferenz und auf *Landes*ebene bei der Verteilung der Plätze für die Landesliste.

(a) Nominierung im Wahlkreis

Die Nominierung im Wahlkreis ist die erste Hürde, die ein angehender Politiker zu nehmen hat. Es ist häufig in der Literatur darüber lamentiert worden, daß die Mitglieder unserer Parlamente formal zur Elite des Volkes gehören, während nur ein Teil von ihnen auch substantiell zu ihr zu rechnen sei (Bethusy-Huc, 1958, S. 86), und daß die Kandidatenauslese eine »echte Elite« gar nicht bewirken könne. Bei der Kritik der Auslesekriterien für Wahlkreisbewerber muß man sich vor einem Rückfall in die Suche nach »Substanzeliten« hüten.

Die Untersuchung der Auslesekriterien muß sich darauf beschränken, einseitige Filterwirkungen, unkontrollierte Einflüsse kleiner Gruppen und unsachliche Auswahlkriterien im Hinblick auf das Mandat zu analysieren. Folgende Eigenheiten des deutschen Ausleseprozesses sind auffällig: Bei der CDU spielen die außerparteilichen Beziehungen, bei der SPD die innerparteilichen Beziehungen eine größere Rolle. Nach Zeuners (1970, S. 145 f.) Ermittlung wurden auf die Frage nach den wichtigsten Argumenten für die

Kandidatennominierung bei der CDU die Ortsverbundenheit, die Gruppen-
repräsentanz, die Bewährung in der Partei- und Lokalpolitik, die Überzeugungskraft und erst dann die besondere parlamentarische Qualifikation genannt; bei der SPD hingegen das jüngere Alter, die Überzeugungskraft, die
Ortsverbundenheit sowie die Bewährung in Partei- und Kommunalpolitik.
An Auswahlkriterien sind folgende für die Führungsrekrutierung von Bedeutung:

(1) Die persönlichen Qualitäten und die Eignung für das Mandat spielen
eine untergeordnete Rolle bei der Kandidatenaufstellung. Mit zunehmender
Macht der Parteimaschinen spielt die Einzelpersönlichkeit eine geringere Rolle. Anhänger normativer politischer Theorien, wie Wilhelm Hennis, beteuern
zwar immer noch: »Die Vertrauenswürdigkeit der Personen, wozu in einer
industriellen Gesellschaft die soziologische Nähe dazugehört, ist wichtiger als
ihre Ideologie: diese ist nur ein Moment ihrer Vertrauenswürdigkeit. Eine
Partei bleibt stets vor allem anderen ›a body of men‹. Man vertraut Personen,
nicht aber ihrer Ideologie, die weder regieren noch verwalten noch Gesetze
machen kann« (Hennis, 1968, S. 63). An den Zielen des altliberalen Honoratiorenparlamentarismus gemessen, mag es bedauerlich sein, daß diese Aussage eine Fiktion ist. Die Wähler vertrauen überwiegend nicht der Person,
sondern der Partei, wobei auch die Ideologie eines der Momente ist, die Vertrauen schaffen. Der Anteil der Wähler, die ihren Abgeordneten kannten,
schwankt nach Ermittlungen des Allensbach-Institutes in der Zeit des
3. Bundestages zwischen 22 % und (kurz vor den Wahlen) 43 % (Elisabeth
Noelle – E. P. Neumann: Jahrbuch der öffentlichen Meinung, 1958–1964.
Allensbach/Bonn 1965, S. 262). Es ist daher vergleichsweise ungerecht,
wenn über einen französischen offiziell lancierten Kandidaten gesagt wurde,
daß er sich nicht um seinen Wahlkreis gekümmert habe, mit der Begründung,
daß ihn die Mehrheit nicht kannte (Kempf, 1973, S. 72 f.). Die Abgeordneten sind stets nur einem Teil der Bevölkerung bekannt. Für die politische
Kultur in Deutschland ist es jedoch wichtig, daß die Wähler heute die Motivation der Abgeordneten positiver einschätzen als früher. 1951 glaubten
nach einer Allensbach-Umfrage nur 25 % der Bevölkerung, daß die Abgeordneten durch die Sorge um die Interessen der Bevölkerung zum Handeln be-
wogen würden, während 32 % private Interessen und 14 % Parteiinteressen
überwiegen sahen. 1958 fanden bereits 41 %, daß die Interessen der Bevölkerung, und nur 17 %, daß die privaten, und nur 8 %, daß die Parteiinteressen die Abgeordneten motivierten (Noelle-Neumann, a. a. O., 1947–1955,
Bd. 1, S. 163; Bd. 3, S. 262; vgl. dazu Loewenberg, 1969, S. 73).

Die bedenklichste Seite des Auswahlverfahrens ist, daß sich kein Zusammenhang zwischen der Qualifikation für ein Mandat und den Nominierungschancen erkennen läßt. Die Mehrzahl der Bewerber, die nominiert wurden, konnte Zeuner (1970, S. 121) als »Hinterbänkler« einstufen. Die Eigenschaften, die stärker zählen als die Begabung für ein Mandat (Ortsverbundenheit, Bewährung in der Partei), lassen von vornherein den Aufstieg von potentiellen parlamentarischen Führern oder Spezialisten erschwert erscheinen. Zeuners Befragungen ergaben, daß in allen Parteien große Unklarheit darüber herrscht, was als Qualifikation für ein Mandat gelten sollte. Kleine Unterschiede ergaben sich bei den beiden größten Parteien in bezug auf die Vorstellung, ob der Bundestag ein Rede- oder ein Arbeitsparlament sein sollte. Die CDU/CSU neigte mehr zu dem ersten, die SPD mehr zu dem zweiten Modell (vgl. auch Maier u. a., 1969, S. 11 ff.). Das Modell des Arbeitsparlaments hat zwar auf Grund der Rollenspezialisierung der Abgeordneten auch seine bedenklichen Seiten, könnte aber potentiell eine stärkere Rotation des Rederechts bewirken. Eine geringere Oligarchisierung des Rederechts im Vergleich zu den anderen Parteien läßt sich jedoch bei der SPD keineswegs nachweisen.

(2) Eine größere Rolle als die voraussichtliche parlamentarische Qualifikation spielt die *berufliche Qualifikation*, die für Wahlkreiskonferenzdelegierte leichter überschaubar ist, auch wenn der Rang der Bewerber in der Prestigehierachie noch kein sehr objektives Kriterium darstellt. Die berufliche Bewährung wird bei »bürgerlichen« Parteien in der Regel noch höher eingestuft als bei sozialistischen Parteien. Zwischen CDU und SPD sind jedoch geringere Unterschiede festzustellen als zwischen Konservativen und Labour Party in England, wo bei den Konservativen die »Oxbridge-Kandidaten«, die Eliteuniversitäten absolviert haben, noch immer dominieren und die berufliche Bewährung bei der Kandidatenaufstellung stark im Vordergrund steht, während bei der Labour Party sehr unterschiedliche Maßstäbe angelegt werden, je nachdem, ob es sich um einen unabhängigen Kandidaten handelt oder einen, der von Gewerkschaften oder Kooperativen lanciert wird (Rush, 1969, S. 80, 83, 211). Beruflicher Erfolg kann jedoch in einer komplexen Gesellschaft weniger denn je mit politischen Fähigkeiten gleichgesetzt werden. Dem höheren Prestige eines Professors im Vergleich zu einem kaufmännischen Angestellten oder einem Lehrer braucht keine größere Fähigkeit für das angestrebte Mandat zu entsprechen. Der weniger Qualifizierte auf höherer Stufe der Prestigehierarchie behält zudem seinen Vorsprung vor dem aufsteigenden Hochqualifizierten, der sich noch auf einer niederen Sprosse

seiner Karriere befindet. Eine Fülle von Kriterien beruflicher Bewährung entziehen sich zudem der Beurteilung einer schlecht vorbereiteten Wahlkreiskon-
ferenz nicht weniger als die Möglichkeiten, parlamentarische Fähigkeiten abzuschätzen. Nur im Außenverhältnis der Partei haben solche Argumente Gewicht. Der uninformierte Wähler wird mehr noch als die sich wenigstens ad
hoc informierenden Mitglieder der Wahlkreiskonferenzen nach dem Augen-
schein des Prestiges und der beruflichen Bewährung urteilen und daher nach
ähnlichen Prima-vista-Kriterien vorgehen wie die Delegierten, soweit sie
überhaupt die Person des Abgeordneten oder des Kandidaten zur Kenntnis
nehmen, was erfahrungsgemäß nur eine Minderheit der Wähler tut.

(3) Die Kandidatenrekrutierungsforschung hat nun auch im Ausland neben der Berufsrolle die Fähigkeit, *Gruppenunterstützung* zu mobilisieren, als
die wichtigste Variable für den Karrierestart herausgestellt (Czudnowski,
1970, S. 23). Die Stellung eines Kandidaten im Kommunikationssystem ist
daher relevant für die Chancen der Rekrutierung auf der Ebene der Kandidatenauslese. Nur im Außenverhältnis der Partei von Bedeutung ist das
Kriterium der *Anziehungskraft auf bestimmte Wählerschichten,* während die
Gruppenbindung auch aus Proporzgesichtspunkten der Partei und ihrer Flügel eine Rolle bei der Nominierung spielen kann. Zeuner (1970, S. 86) ermittelte, daß bei der SPD stärker regionale Gruppen und Kreisverbände, bei
den Unionsparteien hingegen funktionale Gruppen und die Jugendorganisationen, wie die ›Junge Union‹, Vorteile bei der Kandidatenaufstellung eingeräumt bekamen. 1965 hatten bei der CDU die Mittelstandsvertreter (Einzel-
handel und Handwerk) geringeren Erfolg als andere ökonomische Interessengruppen, während bei der SPD nur gewerkschaftliche Vertreter deutlichen
Erfolg aufwiesen und die Zugehörigkeit zu anderen Gruppen keinen nennenswerten Einfluß auf die Nominierung hatte (ebd., S. 111).

(4) Die Bundesrepublik – oft als »unechter Föderalismus« mit unzureichen-
der »grass roots democracy« kritisiert – erweist sich auf dem Felde der Kandidatenaufstellung stark lokal orientiert. Zentrale Steuerung bei der Aufstellung findet kaum statt, und ohne *regionale Bindungen* wird man nur in einer
Minderzahl von Fällen erfolgreich kandidieren können. Im internationalen
Vergleich ist der Lokalismus am stärksten in den USA, dort noch durch stren-
ge Kandidaturvorschriften geschützt. Ranney (1965, S. 116) hat aber vor allem für die Konservative Partei Englands nachweisen können, daß die Bedeutung des Lokalismus kaum geringer ist als in den USA. Auch in Italien
waren lokalistische Traditionen stark. Über die Hälfte der Kandidaten für
Wahlkreise waren in ihrem Wahlkreis geboren, am höchsten war der Pro-

zentsatz auch hier bei konservativen Gruppen wie der Liberalen Partei (88,8 %), die überwiegend von Lokalhonoratioren vertreten wurde (Filippo Barbano: Partiti e pubblica opinione nella campagna elettorale. Turin 1961, S. 155; vgl. dazu Beyme, 1970, S. 119 f.). Nur in Frankreich hat die UNR/ UDT trotz des Widerstandes der örtlichen Gruppen Kandidaten in die Provinz geschickt, die keine regionalen Bindungen hatten und als sogenannte »Parachutés« (Fallschirmspringer) in den Wahlkreis kamen, der sie gelegentlich mit Eiern und Tomaten empfing (Kempf, 1973, S. 80 ff.).

Ein Vergleich der Geburtsorte und der Wahlkreise deutscher Parlamentarier zeigt, daß die Bundesrepublik in der Kandidatenaufstellung lokalistischer verfährt als einst die Weimarer Republik:

Parlament	Zahl der im Land (in Preußen der Provinz) Geborenen, in dem ihr Wahlkreis lag	im Ausland geboren
1907 (v. 397)	93 (23,4 %)	2 (0,5 %)
1928 (v. 417; ohne Reichsliste)	165 (39,6 %)	7 (1,7 %)
1965 (v. 518)	156 (30,1 %)	6 (1,1 %)

Die größte Mobilität fand sich bis 1928 innerhalb von Preußen. Eine Reihe von Ostdeutschen kandidierten in Preußens westlichen Gebieten und umgekehrt. Die geringste Zahl von Abgeordneten, die nicht in der Gegend ihres Wahlkreises geboren waren, gab es im Elsaß und in Bayern. Die Zahl der Abgeordneten in der Bundesrepublik, die nicht aus dem Land ihres Wahlkreises stammen, verringert sich aber dadurch in ihrer Bedeutung, weil sie viele (79) Repräsentanten enthält, die als Vertriebene oder DDR-Flüchtlinge in ihren Wahlkreis kamen und zum großen Teil von den Einheimischen im lokalen politischen Engagement und beruflichen Prestige kaum noch zu unterscheiden sind.

Für die Bundesrepublik hat Zeuner (1970, S. 95) auch gezeigt, daß die Mehrzahl der siegreichen Bewerber nicht nur persönlich, sondern durch Ämter im Wahlkreis auch institutionell ortsverbunden war. Wer als auswärtiger Bewerber in einen Wahlkreis kam, mußte deutlich höhere Qualifikationen mitbringen als die lokalen Konkurrenten, um Aussicht auf Nominierung zu haben. Oft kamen solche Kandidaturen nur zustande, weil rivalisierende Kreisvereine sich nicht auf einen einheimischen Kandidaten einigen konnten. Der

Lokalismus des Ausleseverfahrens droht jedoch ebenfalls die Führungsauslese zu verschlechtern, und die Gefahr vergrößert sich, daß Lokalhonoratioren
mit vielen »Spezis« – Abgeordnete vom Typ Unertl – einen Vorsprung erhalten.

(5) Eines der brauchbarsten Kriterien für die Kandidatenaufstellung ist die
bisherige lokale politische Bewährung, obwohl ein guter Stadtrat nicht auch
ein guter Bundestagsabgeordneter zu werden braucht. 1965 hatte die Hälfte
aller gewählten Wahlkreiskandidaten vor ihrer ersten Wahl in den Bundestag *kommunalpolitische Ämter* inne, und 19–25 % hatten *Landtagsmandate*
wahrgenommen (ebd., S. 106). Das geforderte kommunalpolitische Engagement fördert zugleich die Fixierung auf lokale Interessen und erleichtert eine
lokalistische politische Sozialisation, die der Schaffung von Hinterbänklertum
förderlich ist.

(6) Vor allem bei straff organisierten Mitgliederparteien – wie der SPD –
spielt die *parteipolitische Bewährung* bei der Kandidatenaufstellung eine
wichtige Rolle. Nur ausnahmsweise wurden Kandidaten aufgestellt, die nicht
Parteimitglieder waren – vor allem auf Grund von Wahlabsprachen mit
kleineren Gruppen –, obwohl die meist verdeckt gemeinsamen Wahlvor-
schläge gegen den Verhältniswahlgedanken des Wahlsystems verstießen
(Christoph Peter: Wahlabsprachen politischer Parteien und ihre rechtlichen
Grenzen. Berlin 1964, S. 100). Zeuner (1970, S. 101) ermittelte, daß die Bewerber der beiden großen Parteien im Durchschnitt mindestens vier Jahre
Parteimitglieder waren, ehe sie sich um eine Kandidatur bemühten. Bei der
SPD ist die Parteimitgliedschaft vor einer Kandidatur im Durchschnitt länger
als bei der CDU, was den britischen Erfahrungen entspricht, wo vier Fünftel
aller Labourkandidaten zwischen 1950 und 1966 durchschnittlich 11 Jahre Parteimitglied waren, ehe sie sich einer Wahl stellten (Rush, 1969, S. 209). In der
Regel bekleideten die Kandidaten auch Parteiämter. Für Leute mit Ambitionen sind diese jedoch rasch zu gewinnen, da einsatzfreudige Aktivisten in allen Parteien knapp sind. In beiden Parteien waren etwa die Hälfte aller Bewerber wenigstens Kreisvorsitzende gewesen. Wer es nicht einmal bis zum
Ortsvorsitzenden gebracht hatte, war in der Regel bei der Kandidatenaufstellung wenig erfolgreich (Zeuner, 1970, S. 103). Hingegen bestand – trotz
des populären Vorurteils, daß sich Parteibonzen die politischen Posten reser-
vierten – keine große Neigung, hauptamtliche Angestellte der Partei als Kandidaten aufzustellen.

(7) Das durchschlagendste Auswahlkriterium war das *Prestige des Man-
datsträgers*, vor allem, wenn der Wiederbewerber sich um die Wahlkreis-

pflege gekümmert hatte. Fleiß und Präsenz im Wahlkreis, überzeugendes öffentliches Auftreten und die Bereitschaft, sich für Interessen des Wahlkreises zu verwenden, untermauern nach den Ermittlungen von Zeuner (1970, S. 119) das Prestige des Abgeordneten, der sich zur Wiederwahl stellt. Kaack stellte für die Wahlen von 1969 fest, daß nur 117 von 496 Abgeordneten vor der Wahl nicht fest mit dem Einzug ins Parlament rechnen konnten (Kaack, 1969 a, S. 77). Unter diesen befand sich eine große Zahl von Abgeordneten, die sich angesichts so hoher Berechnungsmöglichkeiten für den Erfolg wieder der Nominierung stellten. Die Wiederaufstellung von Abgeordneten ist auch in England häufig. Ranney (1965, S. 74, 181) ermittelte über 90 % Wiederaufstellungen, in der Untersuchung von Rush (1969, S. 95) war ihre Zahl geringer, aber die Tendenz ist ähnlich wie in der Bundesrepublik. Hier wurden 72 % der Abgeordneten wieder aufgestellt. Bei nur 3 % der anderen konnte Zeuner jedoch ein unfreiwilliges Ausscheiden aus dem Amt feststellen. 1969 wurden 88 % der Wiederaufgestellten wiedergewählt (Rangol, 1969, S. 609).

Für die Frage der Elitenrekrutierung ist die Tatsache besonders bedenklich – neben der mangelnden Rotation –, daß bei der Beurteilung der Verdienste eines Abgeordneten, seine Funktionen in der Fraktion weniger beachtet wurden (Kaack, 1969 b, S. 83). Gerade der Aufstieg in die Ministrablengruppen wird dadurch erschwert, weil dieser ohne Bewährung in der Fraktion unmöglich ist. Die Arbeitskraft, die in Bonn investiert wird, schlägt jedoch unterhalb der Schwelle einer gewissen Prominenz für die Beurteilung eines Kandidaten im Wahlkreis kaum positiv zu Buche.

(8) Zeuners Studie behandelt die Kandidatenaufstellung überwiegend so, als ob sie isoliert von jeder einzelnen Partei vorgenommen werde. Selbst die Partei eines Wahlkreises, die als erste ihren Kandidaten bestimmt, versucht jedoch die Kraft der Gegner zu antizipieren und stellt Überlegungen an, wer die Konkurrenten ihres Kandidaten sein werden. In der Regel werden Kandidaten und Gegenbewerber eine Zeit vor der Wahlkreisdelegiertenkonferenz »propagandistisch aufgebaut«, so daß die personale Konstellation in etwa überschaubar wird. Bei der Diskussion um die persönliche Qualifikation spielt *der potentiell stärkste Konkurrent* eine gewisse Rolle. Rhetorische Fähigkeit, Kontaktfähigkeit in der Öffentlichkeit, Prestige und andere Faktoren können nicht isoliert am eigenen Kandidaten beurteilt werden, sondern müssen in Bezug zu der ganzen Wahlkampfkonstellation gesetzt werden. Das Kriterium der Attraktivität eines Kandidaten für bestimmte Wählerschichten ist ebenfalls zusammen mit dem Image der Gegner zu sehen, je nachdem, ob der Gegner attraktiv auf die gleichen oder auf andere Wählerschichten wir-

ken könnte. Bei Abwägung dieser Auslese sind die Parteien bisher über ein paar Faustregeln nicht hinausgekommen. Das ist nicht verwunderlich, da nicht einmal die Forschung sich des Problems angenommen hat. Nur eine Reihe von Fallstudien könnte hier Regelmäßigkeiten aufdecken. Die Theorie der Koalitionen und die Spieltheorie ist auf diesem Gebiet bisher bedauerlicherweise nicht angewandt worden.

Die Kriterien der Kandidatenauswahl lassen bereits vermuten, daß die Elitenrekrutierung auf der wichtigen Initialstufe für die Bundesebene nicht befriedigend ist. Eine Untersuchung der Auslesemechanismen bestätigt dieses Urteil:

(1) Die *Parteimitglieder haben wenig Einfluß* auf die Kandidatenauswahl. Die Kreisvorstandsoligarchien beherrschen das Feld und setzen überwiegend – auch gegen stattliche frondierende Minderheiten und ihre Gegenkandidaten – ihre Vorstellungen durch.

(2) Die *Mehrstufigkeit des Verfahrens*, die Einschaltung von ein bis zwei Delegationsstufen zwischen Parteimitgliedern und Kandidaten, ermöglicht eine zusätzliche Filterung. Zeuner (1970, S. 47) konnte bei der CDU/CSU sogar in 12, bei der SPD nur in 2 Fällen ein zweistufiges Verfahren feststellen, obwohl die staatsrechtliche Publizistik teilweise zwei Stufen für nicht zulässig hält (Wilhelm Henke: Das Recht der politischen Parteien. Göttingen 1964, S. 148). Aber auch bei einem einstufigen Delegationsmechanismus – oder gar wenn Kreiskonferenzen ohne spezielles Mandat die Kandidatenaufstellung vornehmen – sind die innovatorischen Flügel der Parteien zugunsten etablierter Parteihonoratioren benachteiligt.

(3) Die *Rotation der Mandate* ist gering. In kleinen Ländern ist die Chance des Kandidatenwechsels noch geringer als bei großen Ländern (Kaack, 1969 a, S. 82). Selbst ein Wechsel von einem Drittel der Plätze des Bundestags ist schwer zu erreichen, obwohl diese Zahl als optimal angesehen wird (Kaack, 1969 b, S. 95). Das Mandatsprestige war auch 1969 noch so groß, daß die Ablösung trotz vermehrter Kampfabstimmungen mißlang.

(4) *Kampfabstimmungen* mit mehreren Bewerbern sind nicht die Regel, sondern die Ausnahme, und schon in dem Namen wittert Zeuner (1970, S. 27) eine gewisse Diskriminierung. Für 1965 ermittelte Zeuner 48 Kampfabstimmungen bei 225 Kandidatenwahlen der CDU (21 %) und nur 23 von 228 bei der SPD (10 %). Die Zahl der Bewerber wächst in der Regel – mit Ausnahme der SPD – mit der Chance, einen Wahlkreis zu gewinnen. In Baden-Württemberg wurden aber ausschließlich die aussichtslosen Wahlkreise hart

84

umkämpft (Kaufmann u. a. 1961, S. 101 f.). In solchen Fällen wird die Bundestagsnominierung zuweilen auch nur als Sprungbrett für landes- oder kommunalpolitische Karrieren benutzt, oder man hofft darauf, daß trotz der Aussichtslosigkeit, den Wahlkreis zu gewinnen, die Anstrengungen bei der Verteilung der Plätze auf der Landesliste honoriert werden. Zeuner (1970, S. 37) hat die organisatorische Schwäche der SPD in Südwestdeutschland und den mangelnden Ausbau der Filterung als weitere Erklärung für dieses Phänomen herangezogen. In parteiorganisatorisch heterogenen Wahlkreisen steigen die Chancen für Kampfabstimmungen. Im Vergleich mit den USA sind sie in der Bundesrepublik relativ selten, aber es zeigte sich bei der Bundestagswahl 1969, daß die organisatorischen Kriterien alle nicht ausreichen, um das Phänomen der fehlenden Alternativabstimmungen zu erklären. Die Ergebnisse Zeuners, daß Kampfabstimmungen 1965 häufiger bei der CDU als bei der SPD vorkamen, haben ihre Parallele in Großbritannien, wo die konservative Nominierung ebenfalls kompetitiver zu sein scheint und der »turnover« an Kandidaten im Durchschnitt größer ist als bei der Labour Party (Rush, 1969, S. 6).

1969 schnellte die Zahl der Kampfabstimmungen durch die Politisierung in der Zeit der Außerparlamentarischen Opposition 1967/68 sprunghaft in die Höhe. Vor allem in der SPD haben linke Parteiflügel – zum Teil als Allianzen von Jungsozialisten und Gewerkschaften – versucht, selbst der Parteiprominenz die Wiederwahl zu erschweren. Das Verhältnis der Kampfabstimmungen bei den großen Parteien drehte sich um: 1969 gab es bei der SPD 74 und bei der CDU-CSU 46 (Kandidaten, 1969, S. 33). Auf Gegenkandidaten stieß auch ein Teil der Parteiprominenz, so bei der CDU Theo Blank und Heinrich Köppler, andere wurden sogar nicht wieder nominiert, wie Gerstenmaier, v. Merkatz und Kopf. Stärker noch war die Konkurrenz bei der SPD, wo einige führende Politiker sich nur in Kampfabstimmungen behaupten konnten, wie Leber, Schiller, Ehmke, Börner, Schoettle, Egon Franke und Friedrich Schäfer.

In den Fällen, in denen die Kandidaten der Jungen Union (z. B. in Freiburg, Heidelberg) oder der Jungsozialisten (z. B. in Lübeck, Göttingen, Münster, Waldshut) siegten, hatten die Herausforderer meist keine Politiker der Spitzengarnitur als Gegner. Die Revolte von unten war überwiegend nur in Universitätsstädten mit einer geistig und politisch regeren Parteimitgliedschaft erfolgreich. Selbst im Falle des Sieges sind jedoch die Möglichkeiten der Frondeure im Bundestag begrenzt, wie die Beispiele spektakulärer Neuzugänge im Bundestag von 1965 zeigten, z. B. Günther Müller (SPD), Egon

Klepsch (CDU) (Kaack, 1969 b, S. 51). Günther Müller rückte innerhalb von vier Jahren als Folge der Radikalisierung der Jungsozialisten in Bayern in der Perzeption von innen stark nach »rechts« und endete 1972 als CSU-Abgeordneter.

Während bei der CDU die Kampfabstimmungen meist Folge der Generationenprobleme waren und häufig den jüngeren Bewerbern zugute kamen, konnte Zeuner (1970, S. 130) eine ähnliche Korrelation bei der SPD nicht feststellen. Immerhin ist insofern ein Fortschritt erzielt worden, als selbst die SPD beginnt, die verhängnisvolle Symbiose des alten proletarischen Solidaritätsgedankens mit der Einigkeitsparole der mittelständischen Volkspartei zu durchbrechen und Kampfabstimmungen als »normal« und nicht »wider die guten Sitten« in der Partei gerichtet zu empfinden. Auf Grund dieser Entwicklung darf man hoffen, daß die kompetitive Gesinnung dazu führen wird, daß geschlagene Bewerber wieder kandidieren, wie in England, wo 20 % der Bewerber frühere Kandidaturversuche unternommen hatten (Ranney, 1965, S. 94). In der Untersuchung von Rush (1969, S. 95) war der Prozentsatz sogar sehr viel höher, obwohl dem aussichtslosen Kandidaten in Großbritannien, dem sogenannten »standard bearer«, keine Kompensation bei der Verteilung der Landeslistenplätze oder Möglichkeiten, sich nach fehlgeschlagener Kandidatur in der Landespolitik zu versuchen, geboten werden können wie in der Bundesrepublik. In der Bundesrepublik ist zur Zeit Landwirtschaftsminister Ertl der prominenteste Fall eines Politikers, der seine bundespolitische Laufbahn 1957 mit einem Mißerfolg bei der Kandidatur begann.

(5) Es gibt in Deutschland zwar *Vorschriften* im Parteiengesetz, welche die Parteien auf *innerparteiliche Demokratie* verpflichten, es fehlt aber im Gegensatz zu den USA und Norwegen eine Kontrolle durch die Vornahme der Wahl unter Leitung staatlicher Beamter (Valen, 1966). Die Kontrolle innerparteilicher Demokratie beschränkt sich in der Bundesrepublik im allgemeinen auf die Prüfung von Verbotsanträgen gegen totalitäre und autoritäre Parteien durch das Bundesverfassungsgericht und überläßt die Kontrolle der übrigen Parteien diesen selbst, wodurch die Diskrepanz zwischen den Rechten (Privilegierung gegenüber anderen Organisationen bei der Kandidatenaufstellung, politischen Willensbildung und staatlichen Finanzierung) und den staatsbürgerlichen Pflichten der Parteien immer größer zu werden droht.

(6) Eine *zentrale Fraktionsplanung* zur Verbesserung der parlamentarischen Arbeit, wie sie einst Wildenmann angenommen hatte, findet so gut wie nicht statt. Dadurch ist jedoch die Gefahr der Oligarchisierung der Kandidatenauswahl nicht gebannt. Es treten lediglich an Stelle der einen zentralen Oligarchie eine Vielzahl kleiner lokaler Oligarchien, deren Kern die engeren

Kreisvorstände bilden (Zeuner, 1970, S. 84). Von der rechtlichen Möglichkeit eines Vetos der Landesvorstände wurde fast nie Gebrauch gemacht. Auch wurde vor dem Zusammentreten der Wahlkreisdelegiertenkonferenzen meist keine Initiative ergriffen. Wenn der Landesvorstand Bedenken gegen einen Bewerber hatte, wurde meist kein formeller Beschluß gefaßt, sondern man versuchte, informellen Einfluß zu nehmen (ebd. S. 81). Weit stärkere Möglichkeiten der zentralen Steuerung zeigen sich in Frankreich mit den »Parachutés« (vgl. S. 81) und selbst in England, obwohl dort (Ranney, 1965, S. 272 f.) der direkte Einfluß der zentralen Parteiorganisationen übertrieben wurde. Meist waren die lokalen Parteivorstände so konformistisch, daß die Zentrale gar nicht einzugreifen brauchte.

Die dezentralisierte und unkoordinierte Auswahl bei zentralisierter Führung der »Backbencher« in den parlamentarischen Körperschaften wirkt in dieser Zusammenstellung doppelt schädigend für die Heranbildung eines Parlamentarierstammes mit mehr als Hinterbänkler-Qualitäten.

(b) Listenplatzverteilung

Die zweite Hürde, die der Kandidat zu passieren hat, der im Wahlkreis nominiert wurde, ist die Listenplatzverteilung. Nur wenigen Kandidaten bleibt dieses zweite Hindernis erspart. Bei allen Bundestagsparteien hat sich das Gewohnheitsrecht herausgebildet, daß nur solche Kandidaten gute Listenplätze bekommen, die in einem Wahlkreis direkt nominiert worden sind. Kaack (1969 a, S. 78) hat von den 496 Abgeordneten des 5. Bundestages nur 50 ermittelt, die lediglich auf einer Liste kandidierten. So hat bei der FDP nur der Bundesgeschäftsführer Hans Fridrichs 1969 ausschließlich über die Liste kandidiert. Da die FDP in den letzten Wahlen keine direkten Mandate mehr gewann, mußte sie allen Bewerbern das Opfer einer aussichtslosen Direktkandidatur auferlegen. Bei der SPD haben von 202 Abgeordneten des 5. Bundestages nur 9 über die Liste ein Mandat erhalten, die nicht zugleich im Wahlkreis kandidierten. Zu diesen Ausnahmen gehörten dabei einige Honoratioren, wie Helmut Schmidt, der als damaliger Innensenator in Hamburg bei der Wahlkreiszuteilung nicht berücksichtigt worden war, der Präsident des Bundes der Vertriebenen, Wenzel Jaksch, und der Vorsitzende der IG Bergbau, Walter Arendt, sowie zwei Mitglieder der Gesamtdeutschen Partei, die auf Grund einer Vereinbarung der beiden Parteien auf Listen der SPD kandidierten.

Zu den Ausnahmen gehörten auch drei Frauen, denen die Parteiapparate zu Unrecht wenig Aussichten bei einer direkten Kandidatur gaben, weshalb ihre schwächere Berücksichtigung im ersten Siebungsgang bei der Listenplatzverteilung auszugleichen versucht wurde. Die größte Zahl wies Kaack (1969 a, S. 79) bei der CDU mit 40 reinen Listenkandidaturen nach, 22 davon in Nordrhein-Westfalen. Auch hier überwogen prominente Verbandsvertreter, wie Birrenbach, Dichgans, van Delden, Gerhard Philipp, Vertreter der Sozialausschüsse der Arbeitnehmerschaft, Vertreter der Landwirtschaft und Frauen. Andererseits überging die CDU/CSU 1965 bei der Listenaufstellung 83 Direktkandidaten, die in stabilen Wahlkreisen nominiert waren, die SPD hingegen nur sieben. In den meisten Fällen ist die Parteiprominenz doppelt abgesichert (vor allem bei der SPD). Ein Motiv dafür ist, eine attraktive Liste anzubieten. Die Listenplatzverteilung, die für die Etablierten als eine Art »Schwimmgürtel« gegen politischen Abstieg wirkt, ist für die Neulinge hingegen eine Barriere des Aufstiegs.

Unterschiede im Verhalten der großen Parteien bestanden vor allem darin, daß die SPD mehr einen regionalen Proporz, die CDU stärker den Gruppenproporz berücksichtigte (Zeuner, 1970, S. 197 ff.). Bei der CDU war die Fluktuation unter den Listenabgeordneten größer als unter den Wahlkreisabgeordneten, während für 1965 bei der SPD keine nennenswerten Unterschiede festgestellt werden konnten (ebd., S. 218). Bei der zweiten Hürde kommen im ganzen die Fragen der persönlichen Qualifikation für das parlamentarische Mandat stärker zur Sprache, schon weil ein Teil der Parteiprominenz aus Bonn bei der Aufstellung zugegen ist. Im Gegensatz zu den Wahlkreisdelegiertenkonferenzen können solche Gesichtspunkte mit Kenntnissen aus eigener Anschauung untermauert werden. Erstaunlich bleibt aber auch auf dieser Ebene die Zufälligkeit der Auswahlkriterien. Ein Bemühen, die Bewerber um Listenplätze systematisch zu klassifizieren, wie es der ›Tübinger Kreis‹ in einem Kandidatenspiegel vor der Bundestagswahl 1969 für Baden-Württemberg und die Jungsozialisten in Nordrhein-Westfalen bei der Landtagswahl 1970 versuchten, bildet bisher die Ausnahme.

Um die Diskrepanz zwischen den Auslesemechanismen und Kriterien auf lokaler Ebene und auf parlamentarisch-fraktioneller Ebene auszugleichen, wurden mehrere Verbesserungen vorgeschlagen:

(1) *Wahlrechtsänderung*. Die Einführung eines absoluten Mehrheitswahlrechts mit zwei Wahlgängen, wie es im Kaiserreich bestand, wurde nicht mehr ernsthaft erwogen. De Gaulle hatte es in der Fünften Republik eingeführt, um die Parteien zu schwächen, weil im 2. Wahlgang meist Koalitionen

quer durch die Parteien notwendig werden (Kempf, 1973, S. 12 ff.). Die Einführung des relativen Mehrheitswahlrechts nach britischem Muster hingegen wurde immer wieder empfohlen und auch von zahlreichen Politologen (Th. Eschenburg, W. Hennis, F. A. Hermens, D. Sternberger) im Hinblick auf die Kandidatenauslese befürwortet. Meist liegt dieser Ansicht jedoch eine altliberale und individualistische Konzeption von »Politik durch Persönlichkeiten« zugrunde. So begründete Hermens seinen jahrzehntelangen Feldzug zugunsten eines relativen Mehrheitswahlrechts unter anderem mit der Behauptung, daß das Proporzsystem zu einer »Verschlechterung der politischen Elite« geführt habe und die Interessengruppen bei der Rekrutierung stärke, während ein Mehrheitswahlrecht dem beruflich Erfolgreichen, dem fähigen Außenseiter und Selfmademan große Chancen einräumen würde (Ferdinand A. Hermens: Demokratie oder Anarchie? Untersuchung über die Verhältniswahl. Köln/Opladen ²1968, S. 31). In den USA hat das Mehrheitswahlrecht dagegen – allerdings in Zusammenwirken mit anderen Variablen wie Föderalismus, Parteienstruktur und dem dualistischen System der Parlamentsorganisation, die die Hauptarbeit vom Plenum in die Ausschüsse verlagerte – durchaus den Interessenvertreter, der sich als »Botschafter seines Wahlkreises in Washington« fühlt (vgl. Lewis A. Froman Jr.: Congressmen and their Constituencies. Chicago ²1964, S. 5 ff.) als häufigen Abgeordnetentyp ermöglicht. Zeuner (1970, S. 84 f.) befürchtet mit Recht, daß die Oligarchien der Kreisverbände und die Gruppen der Kommunalpolitiker – vor allem, wenn die Wahlkreiseinteilung sich stärker mit der Verwaltungseinteilung decken würde als bisher – durch die Einführung eines mehrheitsbildenden Wahlrechts an Einfluß gewinnen würden. Dennoch hat auch der Beirat des Innenministeriums für Fragen der Wahlrechtsreform in Verbindung mit Empfehlungen zur Stärkung des Einflusses der Parteizentralen bei der Kandidatenaufstellung sich mehrheitlich diesem Argument angeschlossen (Zur Neugestaltung, 1968, S. 28). Durch einen Gesinnungswandel in der SPD – verstärkt durch die Übernahme der Macht auch ohne Wahlrechtsänderung 1969 – sind jedoch zur Zeit selbst die abgeschwächten Varianten für die Einführung mehrheitsbildender Wahlrechte (Dreier- oder Viererwahlkreis) nicht mehr aktuell. Zeuner (1970, S. 236) hat davor gewarnt, die Debatte um das Wahlrecht mit Argumenten über die Kandidatenaufstellung zu führen, da sie sich gegenseitig aufheben und keine klare Korrelation zwischen den Methoden der Kandidatennominierung und dem Wahlrecht gefunden werden kann. Eine Reihe von weiteren Variablen – vor allem die politische Kultur eines Landes – müßte vor einem endgültigen Urteil berücksichtigt werden.

(2) *Bundesliste.* Schon Adenauer hatte einst die Einführung einer Bundesliste zur Verbesserung der Möglichkeiten der Fraktionsplanung propagiert. Ohne Verbesserung der innerparteilichen Demokratie würde jedoch nur eine andere – die zentrale – Oligarchie die lokalen Oligarchien beerben. Gleichwohl ist der Vorschlag noch heute erwägenswert, weil er die Chancen der Rotation und Mobilität in den kleinen Ländern verbessern würde, da dann nicht mehr die Proporzgesichtspunkte in jedem einzelnen Land zur Verzerrung der Möglichkeiten optimaler Auslese führen würden. Das Auswahlkriterium der Eignung für den Bundestag könnte bei der Verteilung der Listenplätze auf einer Bundesliste stärker ins Spiel gebracht werden als beim heutigen System.

Die Wahlrechtskommission des Innenministeriums plädierte jedoch nicht für eine Bundesliste, sondern mehrheitlich für eine Neufassung des Artikels 22 Abs. 4 des Bundeswahlgesetzes: »Der Bundesvorstand hat das Recht, der zuständigen Delegiertenversammlung einen Kandidaten vorzuschlagen. Gegen die Entscheidung der Delegiertenversammlung kann der Bundesvorstand Einspruch einlegen. Über den Einspruch entscheidet die Delegiertenvesammlung in einer besonders einberufenen Sitzung.« Die Professoren Ellwein, Hermens und Scheuch waren dagegen, den Bundesvorständen ein Nominationsrecht zu geben, und wollten ihnen nur ein suspensives Veto einräumen (Zur Neugestaltung, 1968, S. 48).

(3) *Nominierungskomitees.* Neben der Möglichkeit eines zentralen Nominierungskomitees – ohne das die Vorschläge zum Vorschlagsrecht der Bundesvorstände nicht realisierbar wären – ließen sich Wahlkreisnominierungskomitees denken, die verpflichtet wären, eine Vorschlagsliste von mehr als einem Namen zu erarbeiten, um die Einmann- und Wiederwahlzeremonien der meisten Delegiertenkonferenzen aufzulockern und den innerparteilichen Wettbewerb zu stärken. Die Konservative Partei Englands hat in den Komitees, die eine »short list« erarbeiten, eine Variante geschaffen (Ranney, 1965, S. 273), die bei einer Imitierung jedoch demokratischer zustande kommen müßte.

(4) *Vorwahlen.* Von Vorwahlen versprechen sich manche Betrachter einen verstärkten Einfluß der Parteimitglieder in allen Parteien, ein wachsendes Interesse für die Parteien im Volk und eine Überwindung der Introvertiertheit der Auswahlgesichtspunkte, die vor allem in der SPD zu beobachten ist. Die Mehrheit der Wahlrechtskommission des Innenministeriums hat sich jedoch gegen »primaries« in Deutschland ausgesprochen, da sie befürchtete, daß »wegen der ohnehin herkömmlichen schwachen Stellung der Parteien im

deutschen Verfassungsdenken die Vorwahlen die Verfügung der Parteien über eine ihrer wichtigsten verfassungsrechtlichen Befugnisse, die Kandidatenauswahl für das Parlament, ungebührlich schwächen würde. Ferner bleibt die Besorgnis, daß starke lokale Gruppen bei der Auswahl der Bewerber ein unangemessenes Übergewicht erhalten« (Zur Neugestaltung, 1968, S. 49). Die Professoren Dürig, Ellwein und Scheuch sprachen sich als Minderheit für die Einführung von »primaries« aus. Sie unterbreiteten dazu zwei Vorschläge: für Vorwahlen nach amerikanischem Vorbild oder für Urabstimmung der Parteimitglieder (ebd., S. 64). Als Vorgriff auf eine Art innerparteilichen Plebiszits – wie es in Holland durch briefliche Stimmabgabe der Mitglieder üblich ist – hat die CDU in Rheinland-Pfalz auf Initiative von Kultusminister Bernhard Vogel, der selbst als Spezialist für Wahlforschungsfragen gelten kann (vgl. B. Vogel – P. Haungs: Wahlkampf und Wählertradition. Köln/Opladen 1964; D. Sternberger – B. Vogel: Die Wahl der Parlamente. Berlin 1969), begonnen, die Parteimitglieder nach ihrer Meinung vor der Kandidatenaufstellung zu befragen. Die Aussichten einer fakultativen Antwortmöglichkeit werden jedoch bisher skeptisch beurteilt.

(5) *Verbesserung der innerparteilichen Demokratie.* Keine der vorgeschlagenen institutionellen Maßnahmen kann Früchte tragen, wenn die kompetitive Gesinnung, der verbesserte Konfliktaustrag, die Tolerierung von Flügelbildung, die Neuorganisation der Parteien nicht Fortschritte machen. Strategien des begrenzten Konflikts mit den Parteioligarchien, wie sie die innerparteilichen Oppositionen nach dem Scheitern der Außerparlamentarischen Opposition erprobten, könnten die Kommunikation von unten nach oben und die Verantwortlichkeit von oben nach unten stärken.

3. Parlamentarische Erfahrungen

Der angehende Politiker, der zum erstenmal durch Erringung eines Mandats in der Bundespolitik Fuß gefaßt hat, steht vor zwei Aufgaben, die schwer miteinander vereinbar sind: Er muß einmal seine Stellung im Wahlkreis festigen und sich zugleich in der Fraktion bewähren. Ein großer Teil der Abgeordneten bescheidet sich mit einer Hinterbänklerrolle, baut seine Stellung im Wahlkreis aus und verbessert eventuell seine Chancen für eine spätere berufliche Karriere. Im Gegensatz zu Großbritannien sind die Mobilitätsaussichten bei uns gering, weil die Zahl der Ämter begrenzter ist. In England wuchs die Ämterzahl bei 630 Abgeordneten auf über 100. Bei einer normalen Mehrheit kann etwa jeder dritte Abgeordnete der Fraktion versorgt werden, und es besteht bereits das Problem, in der Fraktion genügend qualifizierte Männer für die Exekutivämter zu finden, die dabei aber die parlamentarische Arbeit und die Wahlkreisbetreuung nicht vernachlässigen (v. Beyme, 1973, S. 612).

Wenn die Gewohnheitsregel respektiert wird, daß die höchsten Exekutivämter an Parlamentarier vergeben werden, so erscheint in England der Pool der Ministrablen sehr gering. Von der Mehrheitsfraktion kommen eine ganze Reihe von Politikern von vornherein für ein Amt nicht in Frage: Abgeordnete, die nicht nach höheren Ämtern streben, sondern sich mit der Rolle eines Hinterbänklers zufriedengeben, der sich als »Gesandter seines Wahlkreises« in London versteht, radikale Außenseiter und Männer, die auf Grund persönlicher Eingenschaften oder ihrer Vergangenheit nicht geeignet erscheinen. Diese Gruppe schätzt Rose (1970, S. 12) auf ein Drittel bis zwei Fünftel der Mehrheitsfraktion. Die Chancen für Männer mit Ambitionen erschienen daher in England größer als in der Bundesrepublik. Es fehlt bei uns vor allem an Übergangsposten in der Ämterhierarchie. Selbst in einem kleineren Land wie in Italien gibt es über 50 Unterstaatssekretäre, den Ämterhunger der Führungsgruppen zu stillen (v. Beyme, 1970, S. 62). Mit der Schaffung der parlamentarischen Staatssekretäre ist immerhin eine Zwischenstufe, die als Lehrzeit für Ministrable dienen kann, eingerichtet worden. Früher war die Chance eines Abgeordneten, Minister zu werden, 1:28, wenn man vom Gesamtplenum, und etwa 1 : 16, wenn man von der Mitgliederzahl der Regierungsfraktionen ausging (Eschenburg, 1959, S. 73). Durch die Ämtervermehrung bei Verringerung der Ressorts stieg die Chance auf etwa 1:10. Der lange Marsch zur Führungsspitze gelingt jedoch nur selten innerhalb einer Legislaturperiode. Im Durchschnitt muß man mit 8 Jahren rechnen (Kaack, 1969 b, S. 50).

Aber nicht nur die Regierungsstruktur und damit die Chancen des einzelnen Parlamentariers bedingen Karrieremobilität, sondern auch das Rollenverständnis der Parlamentarier beeinflußt die Aufstiegschancen. Barber (1967, S. 214 ff.) unterschied für die USA vier Typen von Parlamentariern: den überwiegend passiven *Zuschauer*, den *Advertiser*, der eine politische Karriere in erster Linie zur Förderung seiner beruflichen und wirtschaftlichen Interessen sucht und durch politische Erfolge persönliche Mißerfolge ausgleichen will, den *Widerwilligen*, der politische Partizipation als lästige öffentliche Pflicht aus Protest absolviert, und den *Gesetzgeber* im engeren Sinne, der durch einen politiknahen Sozialisationsprozeß von Anfang an politisch interessiert war und dem Ideal des rationalen und konfliktfreudigen Politikers, der nicht den Weg des geringsten Widerstandes in sicheren Wahlkreisen ohne Kampfabstimmungen geht, am nächsten kommt. Barbers Zahlen für die Häufigkeit der einzelnen Typen haben jedoch auf Bundesebene in Deutschland kaum eine Parallele. Sie wurden für die USA anhand der Untersuchung einer Staatenlegislatur (Connecticut) gewonnen und haben ihr Pendant in vergleichbaren Proportionen allenfalls in den deutschen Ländern. Man wird davon ausgehen können, daß der Typ des Law Makers, der langfristigere Karrieren sucht, häufiger im Bundestag zu finden ist als in den Landtagen. Leider fehlt es noch an quantitativen Untersuchungen zum Rollenverständnis deutscher Parlamentarier, um exakte Aussagen über Aufstiegserwartungen im Verhältnis zum Rollenverständnis als Parlamentarier machen zu können.

Lange parlamentarische Erfahrung ist Voraussetzung für eine ministerielle Karriere in der Bundesrepublik. 96 % aller politischen Führungspositionen sind aus der Abgeordnetentätigkeit erwachsen. Schon der Aufstieg in die einflußreiche Elite der Ausschüsse verlangt eine lange parlamentarische Erfahrung. Das Mandatsalter der Mitglieder des Außenpolitischen Ausschusses liegt mit 11,2 über dem Bundestagsdurchschnitt von 9,7 Jahren. Während die Ausschußelite im Durchschnitt jünger ist als der Rest der Ausschußmitglieder und somit auf eine raschere Karriere als der Durchschnittsabgeordnete zurückblicken kann (vgl. S. 122), ist die Mandatsdauer höher und liegt etwa im Verteidigungsausschuß bei 10,8 Jahren, während sie bei den restlichen Ausschußmitgliedern bei 9,3 liegt (Schatz, 1970, S. 42).

Selbst bei den beamteten Staatssekretären ließen sich bis 1969 18 % mit parlamentarischen Erfahrungen nachweisen. Ähnliches gilt für die Ministerpräsidenten, von denen die meisten Landtagsabgeordnete gewesen sind. Einzelne Ministerpräsidenten, wie Brandt, Hellwege, Kiesinger, Kühn, Meyers, Röder, Schütz, Zinn, waren vor Erlangung dieses Amtes bereits Bundestagsabgeordnete, andere, wie Maier, Hoegner – die beide schon Reichstagsmitglieder gewesen waren –, Schmid, Brauer, Steinhoff, Diekmann, wurden nach ihrer Ministerpräsidentschaft in den Bundestag gewählt. Die parlamentarische Arbeit ist in ihrer Wichtigkeit anerkannt, wenn ehemals in Land und Bund regierende Männer als Abgeordnete weiterarbeiten. Alle Ex-Bundeskanzler sind nach ihrem Rücktritt Bundestagsabgeordnete geblieben.

Bei den Staatssekretären ist ein leichtes Absinken der parlamentarischen Erfahrungen auf Landes- und Ortsebene festzustellen. Parlamentarischer Tätigkeit auf Gemeindeebene (2) und Landesebene (7) in neun Fällen steht eine parlamentarische Tätigkeit auf Bundesebene in acht Fällen gegenüber.

In der Bundesrepublik hat sich im Vergleich zur Weimarer Republik ein starker Wandel vollzogen. Von den Regierungsmitgliedern hat Knight (1955, S. 15) ermittelt, daß schon im Kaiserreich 30,3 % Mitglieder von Parlamenten gewesen sind, obwohl Inkompatibilität zwischen Amt und Mandat bestand und vor allem in der Frühzeit eine gewisse Aversion dagegen vorhanden war, Parlamentarier zu Staatssekretären zu erheben. Mehr als doppelt so viele (65,8 %) waren ernannte Mitglieder des Bundesrates gewesen. In der Weimarer Republik stieg die Zahl der Minister mit parlamentarischen Erfahrungen auf 62,2 %, und selbst im NS-Regime sank sie nur auf 51,5 %. In der Bundesrepublik hingegen lassen sich nur wenige Nichtparlamentarier als Ausnahmen nachweisen, während noch in der Weimarer Zeit zwischen 1919 und 1928 in den Kabinetten Scheidemann-Müller 22 % der Ressortchefs »Fachminister« waren, wenn man Geßler als Wehrminister nicht mehr zur DDP rechnet, was vom 2. Kabinett Wirth an in der Regel nicht mehr getan wurde (Erik Arrhén: Den tyska parlamentarismens utveckling under kejsardöme och riksrepublik. Uppsala, 1929, Anhang). Der Nichtparlamentarier, der in der Weimarer Republik häufig nicht einmal formelles Parteimitglied war, sondern höchstens einer Partei nahestand, spielt in der Bundesrepublik kaum eine Rolle. In der ersten Regierung Adenauer sah es noch so aus, als ob die Weimarer Usancen wiederkehren würden. Von vierzehn Ministern waren vier Nichtparlamentarier: Heinemann, Lukaschek, Niklas und Schuberth. Linus Kather (1965, Bd. 1, S. 85), ein Konkurrent Lukascheks um das Amt des Vertriebenenministers, hat diese Ernennung unter anderem auch mit der Begründung scharf kritisiert, daß Lukaschek nicht dem Bundestag angehörte. Von den vier Nichtparlamentariern im Ministeramt trat Niklas zwei Jahre später, 1951, in den Bundestag ein, ihm folgte bei der Neuwahl 1953 Schuberth. Heinemann schien dem Typ des Ex-Bürgermeisters zu entsprechen, der in Weimarer Regierungen eine gewisse Rolle spielte. Aber gleichwohl war Heinemann kein »Nichtparlamentarier«, da er 1947 bis 1949 MdL in Nordrhein-Westfalen war und dort 1947-48 als Justizminister amtiert hatte. Nach seinem Austritt aus der CDU wurde er 1957 – nach dem Zwischenspiel der Begründung der GVP – auch Mitglied des Bundestages und später des Fraktionsvorstandes der SPD. Lukaschek hatte eine Karriere in der Administration als Landrat von Rybnik, als Oberbürgermeister in Hindenburg und Oberpräsident von Oberschlesien hinter sich. Das Vertriebenenressort, das er leitete, wurde zunächst als eine Art Fachmannsressort angesehen, ähnlich wie das Landwirtschafts-, das Post- und das Justizministerium. Eine ausgesprochene Fachmannsideologie stand jedoch nicht dahinter. Es wurden auch keineswegs unpolitische Männer ausgesucht. Fast alle Nichtparlamentarier hatten Parteiarbeit hinter sich: Schuberth war Mitbegründer der CSU, Niklas Mitglied der CSU, wenn auch seine Position in der Partei nicht als sehr stark galt. Lukaschek war Mitbegründer der CDU in Berlin und Thüringen. Bei der Bildung der zweiten Regierung Adenauer war nur Postminister Balke kein Parlamentarier, aber auch er kam 1957 in den Bundestag. Einzelne Minister waren durch die besonderen Umstände, die der deutsche Föderalismus schuf, vorübergehend nicht im Bundestag, wie Kai-Uwe von Hassel (1962), der die Ministerpräsidentschaft von Schleswig-Holstein mit dem Verteidigungsministerium vertauschte. Aber auch er war vorher bereits ein Jahr im Bundestag gewesen (1953/54) und erhielt bei der nächsten Wahl wieder ein Mandat, bis er 1969 sogar zum Bundestagspräsidenten gewählt wurde. Ähnlich lag der Fall bei Lauritzen (SPD), der vorher Landtagsabgeordneter in Hessen gewesen war. Er kam dann 1969 in den Bundestag; nachdem er als Minister seit Dezember 1966 amtierte, stand er an der Spitze der hessischen Landesliste zur Bundestagswahl.

Der einzige Fall eines typischen Fachministers in der Bundesregierung war paradoxerweise nicht in den Regierungen der CDU anzutreffen, wo eine größere Anzahl der Parteibosse daran weniger Anstoß genommen hätte, sondern in der SPD-FDP-Koalition unter Brandt: Wissenschaftsminister Leussink gehörte weder einer Partei noch dem Bundestag an. Diese Entscheidung von Brandt war nicht nur vom Sachlichen her umstritten, weil der ehemalige Präsident des Wissenschaftsrates sowohl von den Studentenverbänden als auch von einigen Gewerkschaften nicht als ein fortschrittlicher, sondern allenfalls als »technokratischer« Bildungspolitiker angesehen wurde. Die Entscheidung, Leussink mit diesem wichtigen Amt zu betrauen, war vor allem auch wegen der parteilichen Kommunikationsschwierigkeiten umstritten, die mit einem Parteilosen in der SPD entstehen konnten. Als beamteter Staatssekretär wurde ihm Frau Hamm-Brücher beigegeben, die zwar der FDP angehörte, aber als Staatssekretärin im Wiesbadener Kultusministerium ihre Fähigkeit zur loyalen Zusammenarbeit mit der SPD bewiesen hatte. Diese Entscheidung war letztlich innerparteilichen Streitigkeiten zu danken, weil die am häufigsten genannten Prätendenten für diesen Posten: Evers, v. Dohnanyi, Ulrich Lohmar und Carlo Schmid, der für den Verlust des Bundesratsministeriums nach Entschädigung Ausschau hielt, in den verschiedenen Gruppen umstritten waren. Eine Fachministerideologie konnte sich auch in diesem Fall schwerlich herausbilden. Leussink hätte sich vermutlich besser halten können, wenn er dem Vorbild früherer Minister ohne Mandat gefolgt wäre, und sich in der Partei und als Mandatsbewerber einen Rückhalt verschafft hätte. Er wählte jedoch Anfang 1972 den Weg der Resignation.

Die Ressorts, die sich mit Erziehung und Wissenschaft befassen, zeigen auch in den Ländern zunehmend die Tendenz, als »Fachministerien« verstanden zu werden, wie sich vor allem Ende 1970 bei der Besetzung des bayerischen Kultusministeriums mit dem der CSU nahestehenden Politikwissenschaftler Hans Maier zeigte. Aber selbst seit die Kultusminister bevorzugte Zielscheibe der Kritik geworden sind, so daß diese Ressorts für typische Parteikarrieremänner nicht mehr so attraktiv erschienen wie vor der öffentlichen Diskussion über die »Bildungskatastrophe«, hat man überwiegend solche Hochschullehrer rekrutiert, die auch gelegentliche Parteiarbeit nicht scheuten wie Ludwig von Friedeburg, Wilhelm Hahn, Paul Mikat, Peter von Oertzen, Werner Stein und Bernhard Vogel. Parteipolitisch am profiliertesten waren von den Genannten Oertzen und Vogel.

Es wäre wenig sinnvoll, die parlamentarischen Erfahrungen aller Minister der Bundesrepublik quantitativ zusammenzuzählen, um einen Durchschnitt zu errechnen. Nach der Gründung der Bundesrepublik gelangten relativ wenige erfahrene Politiker der Weimarer Republik in die höchsten Exekutivämter, so daß ihre Zahl der parlamentarischen »Dienstjahre« nicht repräsentativ für die Bundesrepublik und sinnlos im Vergleich zu anderen Ländern mit größerer politischer Kontinuität wäre. Mit der Regierung Brandt kam erstmals eine Generation ins Amt, der nur wenige Jahre durch Kriegs- und Nachkriegszeit von einer potentiell »normalen« politischen Karriere verloren gegangen waren. Die bisherigen SPD-Minister haben im Durchschnitt knapp 10 Jahre im Bundestag gesessen, ehe sie ein Ministeramt erlangten. Zählt man die parlamentarische Erfahrung in Landtagen hinzu, so erhöht sich der Zeitraum durchschnittlicher parlamentarischer Aktivität fast um die Hälfte. Bei CDU-Ministern ergab sich schon deshalb geringere Spannung im Kampf um die Ämter, weil es im Vergleich zum Ambitionspotential zwanzig Jahre relativ viele Posten zur Verteilung gab und in den ersten Jahren die Spitzenpolitiker nur eine kürzere parlamentarische Aktivität vorzuweisen brauchten.

Die parlamentarischen Staatssekretäre waren im Durchschnitt 7,2 Jahre im Bundestag. Zählt man die wenigen Fälle ab, in denen keine Bundestagstätigkeit und meist nur geringe Landtagsabgeordnetentätigkeit beim Eintritt in das Amt vorlag (Dahrendorf, v. Dohnanyi, Focke, Hauff, Rosenthal), so reicht der Durchschnitt ohne die »Senkrechtstarter« (zu denen mit kurzer parlamentarischer Tätigkeit auch Köppler [CDU] und Bayerl [SPD] mit zwei Jahren Bundestagserfahrung gezählt werden können) nahezu an die Aufstiegszeiten der Minister heran. Es kann angenommen werden, daß der jetzige Trend die Durchschnittsdauer des Weges zu einer politischen Spitzenposition in der Zukunft widerspiegelt. Da bei den parlamentarischen Staatssekretären überwiegend nur SPD-Politiker gezählt werden konnten, muß man sich beim internationalen Vergleich auf England und auf die Labourpolitiker mit vergleichbaren Karrieremustern beschränken. In Großbritannien – wo das Amt des parlamentarischen Staatssekretärs zuerst entstand – gelangten zwischen 1935 und 1955 nur 3 Labour-Minister direkt in ein Kabinettsamt, während es zwischen 1916 und 1935 noch 24 gewesen waren. 18 hingegen hatten ein »junior office«, das dem parlamentarischen Staatssekretariat vergleichbar wäre, ehe sie ins Kabinett kamen, und 9 hatten sowohl ein »junior office« als auch die Leitung eines Ressorts vor dem Eintritt ins Kabinett (Guttsman, 1965, S. 245). Wenn man unterstellt, daß sich das Amt in der Bundesrepublik im gleichen Maße wie in Großbritannien zur nahezu obligatorischen Zwischenstufe zwischen Abgeordnetenmandat und Ministeramt entwickelt (was sich 1974 stärker abzeichnete als 1972), dann wird sich die Zeit von zehn Jahren Vorbereitung auf ein Ministeramt vermutlich noch verlängern.

Ein weiterer Trend, der sich nach der Kabinettsbildung von 1969 erstmals deutlich zeigte, war die zunehmende parlamentarische Erfahrung vieler beamteter Staatssekretäre. Von den Staatssekretären der 1. Regierung Brandt und den der SPD nahestehenden Staatssekretären der Regierung Kiesinger hatten 8 parlamentarische Erfahrungen – oder sich wie v. Dohnanyi vor Annahme des Amtes in den Bundestag wählen lassen. Einige Staatssekretäre sind sogar ungewöhnlich erfahrene Parlamentarier, wie Hildegard Hamm-Brücher (im Bayerischen Landtag), Friedrich Schäfer, Emde, Gscheidle und Wittrock im Bundestag, Fingerhut, Grabert und Spangenberg auf lokaler oder auf Kreisebene. Unter den Bewerbern für ein Mandat 1969 fanden sich Friedrich Schäfer und Udo Hein. Bei der FDP kandidierte Hans Schäfer, ehemaliger Staatssekretär im Bundesinnenministerium, der wegen eines Konflikts mit Lücke in der Wahlrechtsänderungsfrage zurückgetreten war. Zu den ehemaligen Staatssekretären muß auch noch Walter Hallstein, der frühere EWG-Kommissionspräsident, zu der CDU-Prominenz gerechnet werden, die 1969 kandidierte. Professor Hettlage, Staatssekretär im Bundesfinanzministerium, versuchte im Wahlkreis Meppen mit dem Einverständnis seines Ministers, Strauß, zu kandidieren. Auf Grund starker Konflikte im Wahlkreis und einer Abstimmung mit Formfehlern, die wiederholt werden mußte, verzichtete er

97

schließlich auf die Kandidatur (Kaack, 1969 b, S. 54, 74). Von den Gegnern eines politischen Beamtentums wird diese Entwicklung ebenso bedauert wie die Entlassung bewährter Beamter beim Regierungswechsel (vgl. S. 134 ff.). Im Sinne der Grundsätze des parlamentarischen Regierungssystems, das auf einer engen Verklammerung von Parlamentsmehrheit und Exekutive basiert, und im Sinne einer guten Zusammenarbeit zwischen Bundestag und Regierung (die allenfalls den Anhängern einer konstitutionell-dualistischen Theorie des Parlamentarismus suspekt sein muß) ist diese Entwicklung jedoch durchaus zu begrüßen.

Lange parlamentarische Erfahrung ist keine Garantie für einen Aufstieg in die Führungsspitze, so sehr das Anciennitätsprinzip bei der Besetzung einiger Posten eine Rolle zu spielen scheint. Zwar bildeten die »Männer der ersten Stunde«, die »Neunundvierziger«, 1969 noch einen Teil, aber keineswegs »den Kern« der Führungsspitze, wie Kaack (ebd., S. 38) behauptet. Zu den Neunundvierzigern, die Minister wurden, gehören Frau Brauksiepe, Jaeger, Schröder, Schmücker, Frau Strobel, Carlo Schmid, Wehner, Strauß und Stücklen, und unter den Fraktionsführungsspitzen zählten zu ihnen Struve, Mommer und Schoettle. Am Ende der Legislaturperiode des 5. Bundestags saßen jedoch noch fast 70 Neunundvierziger im Bundestag, 17 von ihnen jedoch mit Unterbrechung. Nur 20 von ihnen rechnete Kaack (ebd.) zu den Hinterbänklern, die Mehrzahl von ihnen gehörte aber auch nicht zur Führungsspitze, und die meisten hatten es nicht zu einem Regierungsamt gebracht.

Die Erklärung für die große Zahl der Politiker, die zur Führungsgruppe im weiteren Sinne aufstieg und dennoch kein wichtiges Exekutivamt erhielt, liegt nicht nur in der Knappheit der Ressorts. Bei der Flexibilität der Organisationsgewalt im Kanzlersystem ist diese Knappheit ziemlich variabel und hängt vom Druck der Führungskonkurrenten und Gruppen ab. Unter Adenauer hat man dieses Phänomen gern mit der autokratischen Führung des Kanzlers erklärt, der alle bei der Kabinettsbildung überging, die ihm zu widersprechen wagten, wie Pünder, Köhler, Schlange-Schöningen oder Hilpert. Man hat sogar von der »Exilierung der Frondeure« durch Ernennung zu Botschaftern gesprochen, wie bei Holzapfel, der nach Bern geschickt wurde (Heidenheimer, 1960, S. 186). Einer der übergangenen Amtsanwärter, Linus Kather (1965, Bd. 2, S. 25), sah den Grund für seine Zurücksetzung in Adenauers herrschsüchtiger Natur: »Es ist sogar meine Überzeugung, daß ich nur deshalb immer wieder übergangen wurde, und nur darum nicht Minister wurde, weil Adenauer genau wußte, daß ich meine Forderungen zur Sache mir durch nichts abkaufen lassen würde. Man erinnere sich an sein Wort von der ›Störung des Kabinettsfriedens‹, die er von mir befürchtete.« Der Fall Kather eignet sich indessen weniger gut als andere Fälle, Adenauers Drang nach Ruhe im Kabinett zu demonstrieren, da mit seiner Position und Aktivität die Grenze erreicht war, an der ein notorischer »troublemaker« für den Kabinettsfrieden nur schwer tragbar erschien. Solche Erklärungen sind jedoch auch für die Adenauer-Zeit nicht ausreichend, da selbst Adenauer nicht jeden übergehen konnte, der ihm bisweilen widersprach, wie Kaiser oder Ehlers, Schröder oder Strauß. Kein Kanzler nach Adenauer hatte eine Stellung, die stark genug war, die Parteispitze nach Belieben zu manipulieren, schon weil kein Kanzler – wie auch Adenauer selbst nicht – sich genügend Zeit für die Parteiarbeit nahm. Daher war – entgegen der Volksmeinung, die sich um das Kanzlerregime bildete – das Veto des Kanzlers nur in Ausnahmefällen eine Erklärung für mangelnde politische Karriere. Weit häufiger zwang der Kampf von Flügeln und Gruppen in der CDU einzelne Politiker zur Hintansetzung persönlichen Ehrgeizes.

Trotz einer gewissen personalen Elitenkonkurrenz beim Kampf um die wichtigsten Ämter ist bis heute die Führungsauslese auf höchster Ebene so wenig demokratisch wie der Karrierestart bei der Kandidatenaufstellung. Durch die Mystifizierung der Richtlinienkompetenz und der starken Stellung des Kanzlers bei der Ministerauswahl ist die Frage der Auslese von Ministeranwärtern häufig der Diskussion entzogen worden. Nur in wenigen Ländern – wie in Australien – haben Arbeiterparteien nicht nur den Regierungschef – oder in der Opposition den Schattenpremier – in der Fraktion gewählt, sondern auch die einzelnen Minister. Die vorherrschende britische Praxis, die in vielen parlamentarischen Ländern des Kontinents nachgeahmt wurde, überläßt die Ministerauswahl dagegen dem Premier. Nach einem bissigen Wort von Schumpeter empfängt er seinen Auftrag vom Monarchen, »findet sich zum Handkuß ein« und legt ihm seine Ministerliste vor (Schumpeter, 1950, S. 436). In der Bundesrepublik spielen die »dignified parts« der Verfassung (Bagehot) eine geringere Rolle, aber von einer demokratischen Führungsauslese kann auch im Rahmen der Fraktion keine Rede sein. Demokratisierungsvorschläge werden vorerst sogar von manchen Staatsrechtlern als grundgesetzwidrig hingestellt, weil sie der oligarchischen Kabinettsbildungsprozedur widersprechen.

Gravierender als solche Bedenken ist, daß die Koalitionsarithmetik des Mehrparteiensystems auf dem europäischen Kontinent die demokratisch-repräsentative Ministerbestellung gar nicht zuläßt, da die Koalitionsverhandlungen in noch oligarchischerer Weise mit wenig Publizität und unter harten Patronageforderungen vor sich gehen. Dieses System wird zwar in der neu-

eren Parlamentarismuskritik angegriffen, aber meist versucht sich die Forschung mit der Befürwortung eines mehrheitsbildenden Wahlrechts und der Hoffnung auf ein klares Zweiparteiensystem aus der Affäre zu ziehen. Ein Zweiparteiensystem erleichtert die repräsentativ-demokratische Ministerwahl durch die Fraktion zweifellos. Solange aber die oligarchische Struktur der Fraktionen selbst nicht abgebaut ist, würde auch dieses Wahlsystem günstigenfalls stark angepaßte Politiker, schlimmstenfalls plebiszitäre Demagogen fördern, bei denen stärker ihr »appeal« auf die Backbencher als ihre sachliche Befähigung für ein Amt den Ausschlag gibt. Da parlamentarische Erfahrung im System der Bundesrepublik nahezu unerläßliche Voraussetzung politischer Karrieren geworden ist, bliebe zu fragen, ob die gleiche Spannung zwischen divergierenden Rollenerwartungen, die zwischen Wahlkreisebene und parlamentarischer Ebene für den Politiker beim Karrierestart entsteht, sich auf höherer Stufe, wenn er in den Kreis der Ministrablen einrückt, wiederholt. Das könnte in einem gewaltenteiligen System mit scharfer Trennung von Exekutive und Legislative der Fall sein, trifft aber kaum für das parlamentarische System zu. Zu den Voraussetzungen für eine gute Amtsführung gehören die Fähigkeit des Umgangs mit anderen Menschen und analytisches Denken, das rasch das Wesentliche bei politischen Problemen erkennt. Beide Eigenschaften werden durch die parlamentarische Tätigkeit gestärkt. Selbst die dritte wichtige Fähigkeit, sich rasch in große Mengen von Akten einzuarbeiten, wird mit dem Abbau der oralen Traditionen des Parlamentarismus durch die parlamentarische Tätigkeit – vor allem bei der Ausschußarbeit – gefördert. Nur für Großbritannien mit seiner noch nicht ganz überwundenen Orientierung am Ideal eines »Redeparlaments« ist der Nutzen parlamentarischer Tätigkeit für die Ausbildung der Fähigkeit im Umgang mit Akten bestritten worden (Rose, 1970, S. 24). Die Angleichung der Arbeitsweisen von Parlament und Verwaltung durch Bürokratisierung des Parlamentsbetriebs einerseits und durch Ausbau und Bejahung politischer Denk- und Handlungsweisen in der Verwaltung andererseits läßt die parlamentarische Tätigkeit zunehmend zu einer wichtigen Vorschule für politische Eliten werden. Diese Sozialisationsfunktion für spezialisierte politische Rollen ist in den meisten Studien über den Bundestag bisher vernachlässigt worden. Erste Untersuchungen (Grube u. a., 1970, S. 161) konnten für Parlamentarier noch keine verallgemeinerungsfähigen Aufstiegskriterien mit festen Laufbahnstationen ausmachen – im Gegensatz zu den Regelmäßigkeiten, die sich schon heute für exekutive Eliten aufzeigen lassen.

4. Erfahrungen in Länderexekutiven

Der Föderalismus wirkt nicht nur durch die parlamentarischen Landtagserfahrungen auf die Karrieremuster deutscher Ministrabler ein. Ein kleiner Teil der Minister wurde in Notfällen aus den Länderexekutiven rekrutiert. Es zeigte sich jedoch, daß Ministerpräsidenten der Länder ungern ihr Amt für ein Bonner Ministerium aufgeben, es müßte denn das Kanzleramt angeboten werden wie im Fall Kiesinger. Kai-Uwe von Hassel hat das Verteidigungsministerium mit wenig glücklicher Hand geleitet und hätte seine Übersiedelung nach Bonn vielleicht zu bereuen gehabt, wenn er nicht als Bundestagspräsident neuen Prestigezuwachs erfahren hätte. Hellwege ging nach seiner Tätigkeit als Bundesratsminister 1955 nach Niedersachsen zurück und wurde dort Ministerpräsident, und Stoltenberg zog sich in das Amt des Ministerpräsidenten von Schleswig-Holstein zurück. Selbst bei dem Regierenden Bürgermeister Brandt hatte man zunächst das Gefühl, daß er sich als Parteiführer in Bonn weniger wohl fühlte denn als Regierungschef in Berlin. Die Überwindung seiner Abneigung gegen Bonn wurde jedoch durch das Außenministerium 1966 und die Kanzlerschaft 1969 hinreichend honoriert. Nicht selten war der Fall, daß Landesminister ein Ministerium in Bonn ausschlugen, um im Lande zu bleiben, wie Paul Mikat und Willy Weyer in Nordrhein-Westfalen oder Evers in Berlin. Auch dem Innensenator von Hamburg, Helmut Schmidt, wurde die Übersiedlung nach Bonn nicht leicht: 1966 widerstand er der Versuchung, ein Ministerium zu übernehmen, sondern zog den Fraktionsvorsitz vor (1967), und erst 1969 nahm er als Verteidigungsminister die Position ein, auf die er sich als »Schattenverteidigungsminister« lange genug vorbereitet hatte. 1972 wurden für die 2. Regierung Brandt zwei der neuen Minister aus den Ländern rekrutiert. Beide hatten in ihren Ländern ein wenig auf verlorenem Posten gestanden: Hans Friderichs (FDP) als Staatssekretär der CDU-Regierung Kohl in Rheinland-Pfalz nach der Auflösung der Koalition von FDP und CDU und Hans-Jochen Vogel, Ex-Oberbürgermeister von München, dem durch ständige Konflikte mit der SPD-Linken der Wechsel auf die Bonner Bühne innerlich erleichtert worden sein dürfte. Der Elitenaustausch zwischen Ländern und dem Bund auf parlamentarischer Ebene wie auf der Ebene der Exekutive zeigt, daß der deutsche Föderalismus im Rahmen der Rekrutierungsfunktion im politischen System eine wichtige Rolle spielt, die bei der Beurteilung der bundesstaatlichen Struktur meist übersehen wird.

5. Ämterkumulation

Es besteht bei den politischen Führungsposten ein eindeutiger Zusammenhang zwischen dem Rang eines Amtes und der Zahl der Ämter eines Positionsinhabers. Mehr als zwei Drittel (69 %) aller Politiker bis 1969 hatten mehr als drei Ämter inne. Ämterkumulation bei Staatssekretären ist hingegen selten. Drei Ämter und mehr vereinten nur 5 % der Staatssekretäre in ihrer Hand.

Am häufigsten ist die Kumulation von Regierungs- und Parteiämtern. Bei Parteien wie der SPD, in denen das Gravitationszentrum der Willensbildung im Parteivorstand liegt, besteht die Tendenz, alle Inhaber hoher Staatsämter zugleich auch wichtige Parteiämter besetzen zu lassen. Parteien, die – wie die CDU – eine größere Unabhängigkeit der Fraktion von den außerparlamentarischen Führungsgremien kennen, haben dagegen Fraktionsämter in weit größerem Umfang als Belohnungen oder Trostpreise eingesetzt; einen anschaulichen Fall berichtete Ernst Lemmer nach seiner Übergehung bei der Kabinettsneubildung durch Adenauer (vgl. S. 148).

Der SPD wird von der Opposition manchmal vorgeworfen, sie habe eine quasitotalitäre Tendenz zur Einheit von Staat und Partei. Scharfe Kritik erhebt sich vor allem, wenn Regierungsangehörige als Parteiamtsträger wichtige politische Fragen außerhalb der legalen staatlichen Organe erörtern. Die ideologische Tradition sozialistischer Parteien kennt für den Fall der Regierungsübernahme tatsächlich einen gewissen Drang der engen Verknüpfung von Staat und Partei. Bei der SPD macht sich jedoch – zum Kummer der linken Anhänger der Partei – seit der Übernahme von Regierungsfunktionen eher die entgegengesetzte Tendenz bemerkbar: Partei- und Regierungsrollen werden stärker differenziert, und einzelne Politiker mit starker Stellung in den Exekutivämtern können es sich auf Grund dieser Rollendifferenzierung bereits leisten, nicht für ein Amt des Parteivorstands zu kandidieren, wie Horst Ehmke auf dem Parteitag in Saarbrücken. Ehmke hat gezeigt, daß der Mißerfolg bei einer Wahl zu hohen Parteiämtern, wie er ihn auf dem Parteitag in Nürnberg erlebte, nicht notwendigerweise ein Handikap für eine steile politische Karriere darstellt, was noch vor einigen Jahren für die SPD undenkbar erschien. Je mehr die innerparteiliche Demokratie zunimmt, um so stärker ist mit wachsender Rollendifferenzierung zu rechnen, und um so geringer könnte der Zwang zur Ämterkumulation werden. In allen Parteien wird heute mit Recht die Forderung laut, überlastete Spitzenpolitiker nicht mit anderen Ämtern zu überhäufen, um die Parteiarbeit effektiver zu gestalten. In der baden-württembergischen SPD gab es daher auf dem Parteitag von 1970 eine Tendenz, Alex Möller nicht für den Parteivorstand kandidieren zu lassen. Dieser sinnvolle Vorschlag wurde jedoch durch die alte Gewohnheit der Ämterhäufung vereitelt. Zur Verbesserung der Parteiarbeit und der Kontrolle in den Spitzengremien und zur Verbreiterung der Rekrutierungsbasis erscheint es jedoch sinnvoll, die Ämterkumulation abzubauen und die Rollendifferenzierung von Staats- und Parteiämtern fortzusetzen. Nur für den Parteivorsitzenden wird bei der größten Regierungs- und Oppositionspartei eine Ämter-(bzw. Schattenämter-)Konzentration im Interesse einer besseren Koordinierung von Partei- und Regierungsarbeit unvermeidbar bleiben. Der plebiszitäre Trend des Systems läßt es für keine der großen Parteien in der Bundesrepublik ratsam erscheinen, verschiedene Personen als Kanzlerkandidaten und Parteivorsitzende herauszustellen. Bei den Unionsparteien ergaben sich bereits zahlreiche Rollenkonflikte aus dem Umstand, daß der Fraktionsvorsitzende Barzel Oppositionsführer war, Kiesinger dagegen auch nach 1969 Parteivorsitzender bis 1971 blieb, aber von einer wachsenden Zahl von Unionspolitikern nicht mehr als Kanzlerkandidat gewünscht wurde. Der Dualismus zwischen Kohl und Carstens seit 1973 steht noch vor der Bewährung.

6. Parteiaktivität

Politische Führungsposten werden heute in der Regel nicht ohne langjährige Parteiaktivität erworben. Die Kooptation von Honoratioren, wie sie vor allem für das Bundespräsidentenamt immer wieder erwogen wurde, ist heute eine Ausnahme – trotz des Falles Leussink (vgl. S. 95). Auch in der CDU ist heute eine rasche Karriere ohne lange Parteizugehörigkeit kaum noch denkbar, wie der Versuch lehrte, Richard von Weizsäcker an Stelle von Schröder als Kandidaten für das Bundespräsidentenamt zu lancieren. Obwohl Weizsäcker als Präsident des Kirchentages bekannt geworden war, reichte sein Renommee nicht aus, um ihn der Partei für ein so wichtiges Amt akzeptabel zu machen. Inzwischen scheute auch Weizsäcker, der sich im Bundestag 1969 mit einer vielgelobten Jungfernrede einführte, den Weg der Parteitätigkeit nicht und wurde mit hoher Stimmenzahl in den Kreis der 20 Vorstandsmitglieder der CDU aufgenommen (Henkels in: FAZ, 10. Mai 1970).

89 % aller Politiker in führenden Positionen bis 1969 hatten zugleich höhere Parteiämter inne. Sogar ein knappes Fünftel der Staatssekretäre waren

Parteimitglieder (18 %) und hatten Parteiämter inne. Bei weiteren 13 % waren Sympathien für eine Partei nachzuweisen. Unter der Rubrik »keine Angaben« verbargen sich bis 1969 zahlreiche Staatssekretäre mit Sympathien für die Unionsparteien, da die Präferenzen der Staatssekretäre, die anderen Parteien nahestanden, meist bekannt sind.

Der Regierungswechsel von 1969 hat klarer hervortretende parteiliche Konturen in den Staatssekretariaten deutlich werden lassen, obwohl auch damals eine Reihe von Staatssekretären sich nicht mit einer Partei öffentlich identifiziert hat (z. B. v. Braun, Haller, Harkort, v. Heppe, Mommsen, Schöllhorn). Einige galten als »Nahesteher« (z. B. Duckwitz – er soll inzwischen in die SPD eingetreten sein – und Frank). Von den 13 Staatssekretären dieser Regierung, deren parteipolitisches Engagement bekannt ist, konnte nur in 11 Fällen das Datum des Parteieintritts ermittelt werden. Diese 11 Fälle zeigten eine durchschnittliche Parteimitgliedschaft vor Erreichung des Amtes von 13 Jahren. Aber im Gegensatz zu den »Politikern« gehörten auch die langjährigen Parteimitglieder nicht zu ihrer Führungsspitze, mit Ausnahme vielleicht von Friedrich Schäfer. Eindeutig ist der Zusammenhang zwischen Parteizugehörigkeit und Karrieremobilität unter den Staatssekretären: Parteimitglieder wurden vor 1969 im Durchschnitt drei Jahre früher als andere zum Staatssekretär befördert und konnten sich in der Regel länger in diesem Amt halten.

Die SPD ist durch die Entlassung vieler Staatssekretäre der ehemaligen CDU-Ressorts im Jahre 1969 in den Ruf gekommen, parteipolitisch aktive Staatssekretäre zu bevorzugen. Schon bei der Bildung der großen Koalition berief die SPD mindestens drei ausgesprochene Parteipolitiker als Staatssekretäre: Ehmke, Schäfer und v. Dohnanyi (vgl. Th. Eschenburg in: ›Die Zeit‹, 31. 3. 1967). Von ihnen hat 1969 nur Friedrich Schäfer keinen politischen Aufstieg erlebt, sondern mußte sich mit einem Ausschußvorsitz und dem Posten eines stellvertretenden Fraktionsvorsitzenden zufriedengeben. In der Literatur wird bereits gefragt, ob eine Funktionalisierung des Amtes im Sinne eines Durchgangsstadiums für Ministeranwärter bevorsteht und wünschenswert ist (Wahl, 1969, S. 331). Bis 1969 konnte sich die SPD immer mit dem Personalmangel entschuldigen, der entstand, als die Partei wider Erwarten rasch Führungsposten zu besetzen hatte, ein Mangel, der auch bei der Bildung der Regierung Brandt noch nicht ganz behoben war. Ob diese Bevorzugung »politischer Staatssekretäre« jedoch einen dauerhaften Trend einleitet, wird sich erst nach einigen Jahren SPD-Herrschaft beurteilen lassen.

Ungefähr die Hälfte der Staatssekretäre bis 1969 waren typische Laufbahnbeamte, 16 % waren allerdings stark von einer Partei gefördert, 34 % galten als »Experten«, die in erster Linie auf Grund ihrer Sachkenntnisse Karriere machten und bei denen die Stellung in einer politischen Partei keine Rolle spielte. In den von der SPD besetzten Ressorts seit 1966 und in den beiden Regierungen Brandts war der berufliche Werdegang der Staatssekretäre, soweit feststellbar:

Verwaltungslaufbahn	13
Richter	2
Anwalt	1
Wirtschaftliche Tätigkeit	4
Professoren	3
Publizistik	4
Gewerkschaftskarriere	2

Schon die (im Vergleich zur Zeit der CDU-Regierungen) unorthodoxeren Karrieren dieser Staatssekretäre leisten einer gewissen Politisierung des Amtes Vorschub.

Bei den Politikern waren bis 1969 typische Parteikarrieren mit 46 % eindeutig in der Überzahl. Reine Beamtenkarrieren sind relativ selten (1 %), kommunal- und landespolitische Karrieren machen etwa 14 % und Expertenkarrieren rd. 13 % aus, während Verbandskarrieren mit fast einem Viertel (22 %) neben der Parteikarriere den zweitwichtigsten Karrieretyp darstellen.

Der Berufung in hohe politische Ämter geht in der Regel eine langjährige Mitgliedschaft in der Partei voraus. Am längsten war diese bei den Amtsträgern der SPD. Es ist wiederum nicht sinnvoll, die Parteimitgliedschaften der Parteien quantitativ gegeneinander aufzurechnen. Einmal, da die CDU erst seit 1945 besteht, während einzelne SPD-Minister, wie z. B. Möller, schon auf eine langjährige Mitgliedschaft vor 1945 zurückblicken konnten. Möller hält den Maximal-Rekord mit 47 Jahren vor Amtsantritt, Heinemann mit 9 Jahren den Minimal-Rekord, der aus dem Umweg von der CDU über die GVP zur SPD zu erklären ist. Zum anderen kamen SPD-Minister später ins Amt, und durch die lange Wartezeit wurden eine Reihe von älteren Politikern Minister, deren Wartezeiten mit denen der CDU-Politiker nicht zu vergleichen sind. Bei den neueren FDP-Ministern ergibt sich ein Durchschnitt von über 17 Jahren Parteimitgliedschaft vor Erreichung des höchsten Amtes. Bei den SPD-Ministern bis 1969 betrug die Zeit einer Parteimitgliedschaft vor Übernahme eines Ressorts durchschnittlich etwas über 24 Jahre. Parallel zu dem Befund über parlamentarische Erfahrungen verläuft der parteipolitische Werdegang der parlamentarischen Staatssekretäre. Die SPD-Mitglieder unter ihnen waren im Durchschnitt etwas über 17 Jahre in der Parteiarbeit.

Die meisten Politiker hatten seit langem Parteiführungsämter inne. Bei der CDU mit ihrem stärkeren Faktionalismus spielte dabei der Rückhalt in einer Gruppe oder auf den verschiedenen Flügeln eine Rolle (etwa den Protestanten [z. B. Ehlers, Gerstenmaier, Schröder oder Stoltenberg], bestimmten Erwerbsgruppen wie dem Mittelstand [Schmücker] oder dem Gewerkschaftsflügel [z. B. Blank oder Katzer], in regionalen Gruppen oder bei der jüngeren Generation [z. B. Kohl, Wörner]). In der SPD spielten die Flügel bis vor kurzem eine geringere Rolle, abgesehen von den »Kanalarbeitern« (z. B. Franke), und in der FDP schließlich waren sie meist nur von vorübergehender Bedeutung, weil es entweder zur Spaltung kam (wie bei der Verselbständigung der FVP) oder eine dauerhaftere Umorientierung vorgenommen wurde, wie unter dem Vorsitz Scheels, wobei mit Ertl und einigen anderen in den niederen Rängen sogar die teilweise Integration der potentiellen konservativen Fronde gelang, wie sie etwa von v. Kühlmann-Stumm und bis zu seinem Übertritt zur CDU im Oktober 1970 von Mende repräsentiert wurde. Auf Landesebene hat dieser Konflikt allerdings zum Teil zu Personalverlust der Partei geführt.

Bei der SPD waren die wichtigsten organisatorischen Karrierevehikel:

(a) die Jugendorganisationen (Börner, Wischnewski)

(b) die gewerkschaftliche Hausmacht (z. B. Leber, Arendt, Börner, Gscheidle, Matthöfer)

(c) die Arbeit in wichtigen Ausschüssen (Schiller) und die Profilierung als Spezialist, schließlich

(d) die führende Rolle in Landesverbänden (Ehmke, Franke, Möller, Vogel).

Vor allem unter den parlamentarischen Staatssekretären finden sich eine Reihe von Politikern, die vorher nur auf Kreis-, Bezirks- oder Unterbezirksebene Ämter innegehabt hatten (Börner, Berkhan, v. Dohnanyi, Focke, Herold, Ravens, Reischl u. a.) und erst nach dem Aufstieg in Exekutivämter in Spitzengremien der Partei gewählt wurden. Es ist jedoch keineswegs sicher, daß diese Karrieremuster sich nicht in Zukunft ändern, da die parlamentarischen Staatssekretäre in den ersten Jahren des Bestehens des Amtes teilweise noch ziemlich individuell von einzelnen Ministern außerhalb Bonns gesucht wurden und in Einzelfällen eine Ernennung sogar auf starken Widerstand von Teilen der Partei stieß, denen die Kandidaten in der Parteiarbeit auf Bundesebene nicht hinreichend profiliert erschienen.

Politischer Aufstieg ohne Parteitätigkeit ist heute in der Bundesrepublik nahezu unmöglich, und auch der Tendenz zur Professionalisierung der Politik kann sich nur noch eine Minderheit von Parlamentariern entziehen. Professionalisierung im Sinne einer frühzeitigen Überspezialisierung in der Parteibürokratie erweist sich jedoch eher als aufstiegshemmend. Bei der Kandidatenaufstellung wurde deutlich, daß die Parteien nur in Ausnahmefällen hauptamtliche Angestellte zu Kandidaturen ermuntern (vgl. S. 82). Die Macht der Parteibürokratie und ihrer hauptamtlichen Geschäftsführer, Sekretäre, Referenten und Sachbearbeiter, deren Zahl Zeuner (1969, S. 85) auf etwa 410 bei der CDU, 405 bei der SPD und 148 bei der FDP schätzte, wird häufig übertrieben dargestellt. Es zeigte sich, daß die mangelnde Sicherung der Stellung, die Konkurrenz zu den Parteiführern, im Fachwissen das fehlende Informationsmonopol und andere Variablen den Einfluß der Parteibürokratie begrenzen. Allenfalls als Vetogruppe für den Aufstieg anderer spielen sie gelegentlich eine Rolle. Für die Bundesrepublik fehlt es an »survey«-Studien über den Karrierebeginn von Politikern in ihrer Partei. Für die Vereinigten Staaten hat man jedoch nachgewiesen (Eldersveld, 1966, S. 126 ff.), daß das Bild der oligarchischen örtlichen Parteiapparate, in denen die Parteibürokraten den Einstieg in die Politik kontrollieren und den Aufstieg zu manageriellen Tätigkeiten in der Politik kanalisieren, zu simpel ist, obwohl gerade in den USA ein hoher Prozentsatz von Politikern gleichsam durch Kooptation der lokalen Parteielite Zugang zur Politik fand.

Die Selektionsfunktion der Partei dient in der politischen Arena dazu, den Kandidatenmarkt übersichtlich zu halten (Wurster, 1969, S. 182), schafft jedoch zugleich eine oligopolistische Stellung einiger Parteien, die jeder politischen Mobilität von Politikern entgegensteht, die sich den Zielen der wenigen privilegierten Gruppen nicht beugen wollen. Sozialistische Länder bestehen – wie die SED in zahlreichen Vorschlägen zur Deutschlandpolitik – auf einer Egalisierung der Chancen durch Vergabe des Rechts der Kandidatenaufstellung an demokratische Massenorganisationen. In sozialistischen Ländern wurde das Problem damit jedoch auch nicht gelöst. Es wurde nur verlagert und auf weitere – von einer Partei mit Monopolstellung im System lenkbare – Organisationen ausgedehnt. Die rechtliche Regelung der Kandidatenaufstellung ist auch nicht die einzige Variable, die den Einfluß von Parteien auf die Rekrutierung der Politiker determiniert, sondern ihre innere Organisation, das Ausmaß der innerparteilichen Demokratie, das Verhältnis zwischen Parteimitgliedern, Sympathisanten und Wählern, das Verhältnis der Partei zu nahestehenden Interessengruppen und andere Variablen beeinflussen die Rekrutierungsmechanischmen innerhalb von Parteien.

Der psychologische Ansatz in der Elitenforschung hat sich in der Frühzeit – etwa bei Lasswell in ›Psychopathology and Politics‹ – häufig mit ein paar abstrakten Klassifikationen von Persönlichkeitstypen begnügt oder gar generelle Aussagen über die Persönlichkeit des Politikers zu machen versucht. Das Hauptmotiv für politische Aktivität wurde nicht selten in der Nachfolge Alfred Adlers als Machtstreben angesehen und die Politiker entweder als starke Persönlichkeiten, die ihren Willen zur Macht ausleben, oder als schwache Persönlichkeiten hingestellt, die in der Politik Frustrationen anderer Lebensbereiche zu kompensieren versuchen. Frühere empirische Messungsversuche anhand von Lokalpolitikern in den USA haben gezeigt, daß das Machtmotiv bei Politikern im Vergleich zu Wirtschaftsmanagern nicht so eindeutig dominant für politische Aktivitäten war, wie man oft unterstellt hatte, und daß der Machtdrang weitgehend von Variablen außerhalb der Person – z. B. der Rolle der politischen »issues« in Gemeinden und den Möglichkeiten des Aufstiegs – abhängig war (Browning-Jacob, 1964, S. 81 ff.). Später führte der psychoanalytische Ansatz zur Erforschung autoritärer Politiker zu einer Unterscheidung von autoritären Persönlichkeiten, die ihre Macht vor allem als persönliche Macht über Anhänger verstehen, und von demokratischen Persönlichkeiten, die Macht weniger um dieser manifesten Funktionen willen suchen als wegen der latenten Funktionen, die stärker problemorientiert gesehen werden (DiRenzo, 1967, S. 99). Diese grobe Zweiteilung ist jedoch für das Studium der Nuancen von Persönlichkeitsstruktur und ideologischer Orientierung in Vielparteiensystemen, in denen offen autoritäre Parteien nur eine marginale und nicht koalitionsfähige Rolle spielen, wenig ergiebig. Daher hat sich dieser Ansatz zur Erforschung parlamentarischer und exekutiver Eliten zunehmend der Messung von Attitüden und dem ideologischen Engagement demokratischer Parteipolitiker zugewandt, um diesen »approach« aus seiner alten Präokkupation für »abweichendes Verhalten« herauszuführen. DiRenzo (1967, S. 185) hat für Italien nicht nur Persönlichkeitstypen mit dem Grad des ideologischen Dogmatismus korreliert, sondern auch Verbindungslinien zu sozialen Hintergrundsdaten der Persönlichkeiten und Parteistrukturen zu ziehen versucht. Es wird dabei zwischen politischen Führern und Anhängern differenziert. Manche schieben zwischen sie noch die Kategorie der Aktivisten ein, die häufig den stärksten Grad an Idealismus, verbunden mit der größten ideologischen Linientreue und der stärksten Internalisierung der Regeln innerparteilicher Demokratie mitbringen. Für die Bundesrepublik steht eine solche Untersuchung noch aus. Der Grad des ideologischen Engagements des Durchschnitts von Parteieliten beeinflußt bis heute die Rekrutierungsmuster in den Parteien. Dies gilt selbst für Systeme, in denen das ideologische Engagement der Parteieliten geringer zu sein scheint als in Italien, das DiRenzo untersucht. Field und Higley (1972, S. 8) haben gezeigt, daß die These vom »Ende der Ideologie« auch für Norwegen nicht zutrifft, obwohl man die Einstellungen der Elite immer weniger den klassischen ideologischen Systemen, wie Konservatismus, Liberalismus oder Sozialismus, zuordnen kann. Ähnliches dürfte auch für die Bundesrepublik zutreffen, wie die Zahlen der Wildenmann-Studie (1968) und die erste Auswertung durch Uwe Schleth (1971, S. 99 ff.) vermuten lassen. Der Einfluß der Parteiorganisationen, der Ideologien und Führungsstrukturen ist jedoch bisher in der Bundesrepublik von der Parteienforschung vernachlässigt worden, so daß jede Aussage auf diesem Gebiet nur den Charakter von informierten »Spekulationen« haben kann.

7. Professionalisierung der Politiker

Die politische Elite im engeren Sinne besteht heute in der Regel aus Berufspolitikern, die – soweit sie nicht großes Privatvermögen haben – den überwiegenden Teil ihres Einkommens aus der Politik beziehen und fast ihre gesamte Arbeitskraft in die Politik investieren. Die Inhaber der höchsten Exekutivämter sind fast ausnahmslos Berufspolitiker, größtenteils schon vor Antritt des höchsten Amtes. Zu den Ausnahmen gehören vor allem die »Senkrechtstarter« und Fachmänner, die aus der Wissenschaft oder der Wirtschaft in die Politik kamen (z. B. Dahrendorf, Rosenthal). Die Elite der Ausschüsse – soweit sie untersucht worden sind – setzt sich ebenfalls überwiegend aus Berufspolitikern zusammen. Schatz (1970, S. 40) ermittelte etwa 50 % bei der SPD und 30 % bei den Unionsparteien und der FDP, während der Gesamtanteil der Berufspolitiker unter den MdB nur etwa 20 % ausmacht. Die Berufspolitiker haben nach der Studie von Schatz doppelt so viele parlamentarische Ämter inne, wie es ihrem Anteil an der Gesamtzahl der Abgeordneten entspräche.

In dem sehr begehrten Außenpolitischen Ausschuß waren sie mit 41 % stärker als in allen anderen Ausschüssen vertreten. Auch in der Beteiligung an Plenardebatten und Ausschußberatungen zeigten sich die Berufspolitiker den übrigen Abgeordneten überlegen, und auch ihre Wiederwahlquote beträgt nach Loewenberg 84 %, im Gegensatz zum Durchschnitt aller Abgeordneten, wo sie bei 70 % liegt.

Der Ambitions-Ansatz in der Elitenforschung versucht nicht nur statistische Daten über politische Mobilität zu ermitteln, sondern bemüht sich auch um eine Klassifikation der Karrierewünsche. Diese lassen sich in drei Gruppen einteilen (Schlesinger, 1966, S. 10):

(1) Die Ambitionen sind *diskret*. Ein Politiker strebt ein bestimmtes Amt an und zieht sich dann zurück. Dieser Typ kommt häufig auf den unteren Rängen der politischen Laufbahn vor.

(2) Ambitionen sind *statisch*. Der Politiker versucht, eine langfristige Karriere aus einem bestimmten Amt zu machen. Dieser Typ kommt häufig in Konflikt mit dem Wahlkreis, der langfristige Ambitionen ungern sieht und in jedem Aufstieg überwiegend die Vernachlässigung der Wahlkreisinteressen wittert.

(3) Ambitionen sind *progressiv*. Ein Amt wird nur als Wartestand für das nächste angestrebt. Widerstände bei diesem Typ können nicht nur vom Wahlkreis, sondern auch vom angestrebten Amt ausgehen. Ein Politiker mit langer Laufbahn wird in der Regel nicht sein ganzes Leben zu einem bestimmten Ambitionstyp gehören, nicht selten folgten vielmehr die drei Typen zeitlich aufeinander, oder Politiker verwandelten sich – je nach Chancenlage – in einen anderen Typ. Generelle Typologien für alle Politiker lassen sich kaum aufstellen, weil es von der Höhe des politischen Karrierestarts abhängt, zu welchem Typ ein Politiker gehört. Ein Politiker, der von der Pike auf dient und simultan mit einem gewissen beruflichen Vorwärtskommen an seiner politischen Karriere arbeitet, wird voraussichtlich zunächst dem ersten Typ zuzuordnen sein. Ein Mann, der auf der Höhe des beruflichen Erfolges oder als Mitglied der Spitzen der Prestigehierarchie (z. B. Weizsäcker) in die Politik einsteigt, wird vermutlich zum zweiten Typ gehören. Er kann auf langfristige Karriereaussichten nicht verzichten, da er in seiner bisherigen Lebenssphäre Vorteile aufgeben mußte. Schließlich hängt die Erwartung auch von der Möglichkeit ab, sich zurückzuziehen. Beamte und Professoren, aber auch einige selbständige Berufe mit gutgehenden Geschäften oder Anwaltspraxen haben es leichter, sich wieder aus der Politik zurückzuziehen, Angestellte in der Wirtschaft hingegen – vor allem in den Spitzenpositionen, die gemeinhin nur mit Männern in der Blüte ihrer Jahre besetzt werden und wo ältere kaum noch eine Chance haben – schädigen ihre berufliche Karriere nachhaltig, wenn sie den Verlockungen politischer Ambitionen nachgeben. Sie können sich »diskrete« und punktuelle Ambitionen kaum leisten. In Systemen mit einem lebendigen Föderalismus und einer gewissen Gemeindeautonomie ist es zudem unzulässig, das politische System als einheitliche

Hierarchie von potentiellen Ambitionssprossen zu sehen. Persönlichkeiten, die ein starkes Machtstreben entwickeln, werden oft mehr von dem Posten eines Ministerpräsidenten oder dem des Oberbürgermeisters einer großen Stadt angezogen als von den Exekutivposten, die in der Bundeshauptstadt erreichbar erscheinen.

Mit den Mitteln des Interviews ist es kaum möglich, über den Grad der Ambitionen von Politikern Auskunft zu erhalten, zumal sich mancher Politiker die Ambitionen nicht einmal selbst hinreichend eingesteht, geschweige denn, sie einem Interviewer anvertraut. Ambitionen werden daher meist ex post facto rekonstruiert, wenn Politiker leichter bereit sind, über ihre vergangenen Wünsche Auskunft zu geben.

Selten gestehen die Politiker in ihren Rückblicken ihre nicht erfüllten Karrierewünsche ein. In der freimütigsten Form geschah dies etwa in den Erinnerungen von Linus Kather (1965, Bd. 2, S. 25 f.), der seine Enttäuschung darüber, daß ihm 1949 Lukaschek und 1953 Oberländer als Vertriebenenminister vorgezogen wurden, mit harter Kritik über Adenauers Wortbruch und seine Neigung, bequeme Männer um sich zu sammeln, verband (vgl. S. 98 f.), eine Kritik, die sicher nicht bar jeden Wahrheitsgehalts ist. Unglaubhaft klingt jedoch in dieser stark egozentrischen Darstellung die Äußerung: »Der negative Ausgang der Regierungsbildung hat mich persönlich nicht besonders schwer getroffen. Ich bin meiner sicher genug, um einer Bestätigung durch äußere Ehren entraten zu können. Es kommt hinzu, daß ich den Persönlichkeiten, die über diese Ehrenstellen und Ehrenzeichen verfügen, auch nicht die geringste Überlegenheit mir gegenüber zuerkennen kann, und da gibt es keine Ausnahme. Der Wert der Ministerwürde z. B. liegt in ihrer Wirkung auf die Menschen. Die Deutschen leiden nun einmal an dieser Krankheit, und die Vertriebenen bilden keine Ausnahme. Die größten Versager waren und sind für sie bedeutende Männer, wenn sie sich nur mit dem Nimbus eines Landesministers umgeben können.« Die Einschätzung von Politikern in der Prestigehierarchie der Bundesrepublik bestätigt diese Annahme Kathers kaum (vgl. S. 182). Allzu deutlich trägt die Feststellung den Ärger über die Zurücksetzung zur Schau. Wesentlich würdiger klingt da das Bekenntnis Lemmers (1968, S. 347), der gegen Gerstenmaier als Kandidat für das Amt des Bundestagspräsidenten vorgeschlagen wurde und in der Fraktion unterlag: »Ich bekenne freimütig, daß das Amt des Bundestagspräsidenten für mich die Krönung meiner langen politischen Laufbahn gewesen wäre«; er enthielt sich jedoch im Gegensatz zu Kathers Darstellung jeder Herabsetzung des siegreichen Gegners. Die meisten Politiker verschweigen ihre vergangenen Ambitionen selbst in ihren Memoiren, und wenn sie Auskunft darüber geben, so ist die Verläßlichkeit ihrer Aussagen nicht eben groß. Häufig sehen Politiker ex post facto ihre Karriere als zu zielstrebig und folgerichtig an und beginnen, Legenden um ihren Aufstieg vor sich selbst und anderen zu ranken.

Umgekehrt neigt der Ambitions-Ansatz in der Elitenforschung dazu, die Nichterreichung eines potentiell erreichbaren Amtes mit einem »Mißerfolg« des betreffenden Politikers zu identifizieren. Am ungerechtesten wurde dieser Ansatz in der Elitenforschung wohl von Lewis Edinger (1965, S. 313 f.) in der Biographie Kurt Schumachers gewählt. Edinger schloß aus dem Umstand, daß Schumacher nicht Kanzler wurde, daß der SPD-Führer sich als frustriert und gescheitert ansah, wozu Schumacher durch seine exzentrische Selbstdarstellungsweise und seinen Machtinstinkt vielleicht besonders viel Anlaß gegeben hat. Es besteht jedoch angesichts gewisser unbestrittener Verdienste Schumachers (Wahrung der Unabhängigkeit der SPD von der KPD, Abbau des Images von den »vaterlandslosen Gesellen«, Konsolidierung der Demokratie in Westdeutschland) kein Anlaß, von einem politischen Scheitern schlechthin zu sprechen. Was für einen unzweifelhaft ehrgeizigen Mann wie Schumacher gilt, muß in noch größerem Maße für die Politiker gelten, deren Ziele man nicht so hoch ansetzen kann wie die des großen SPD-Führers und bei denen die Erreichung eines Ministeramtes nur Dolus eventualis ist.

Die groben Typologien, die man für die Parlamentarier gefunden hat, können einen gewissen Aufschluß über die Art von politischen Ambitionen bieten. Rainer Barzel sah aus der Doppelaufgabe des Abgeordneten (Bonn – Wahlkreis) zwei Typen hervorgehen: den Parlamentsstar und den Wahlkreiskönig. Beim zweiten Typ könnte man unterstellen, daß er keine weiteren politischen Ambitionen mehr hat. Die Aussichten, die sich Parlamentarier im Durchschnitt ausrechnen, sind gering. Der Abgeordnete Dichgans (1968, S. 81) schrieb darüber: »Wer Minister werden möchte, muß als politische Führungskraft auffallen. Er muß in den Fraktionssitzungen überzeugende Formulierungen finden, damit ihn die Fraktion in großen politischen Fragen zu ihrem Sprecher bestellt. Er rückt dann nach einiger Zeit in den Fraktionsvorstand vor und gelangt, wenn er sich auf dieser Ebene durchsetzt, im günstigsten Fall in das oberste Gremium, das aus seinem Kreise die Kandidaten für das Kabinett nominiert. Die Chance, Minister zu werden, beträgt für den Abgeordneten etwa 4 %. Diese Laufbahn ist somit reich an Enttäuschungen. Viele Abgeordnete verzichten deshalb von vornherein auf solchen Ehrgeiz und suchen andere Formen der Parlamentsarbeit. So gibt es den Wahlkreisspezialisten, der sich ganz auf die Arbeit für seinen Wahlkreis konzentriert, dort häufig spricht und in Bonn seine Hauptaufgabe darin sieht, die Interessen seines Wahlkreises zu vertreten: durch mündliche Fragen in der Fragestunde, durch Besuche in Ministerien.« Die jüngeren Politiker werden von den älteren Routiniers immer wieder gewarnt, die politische Fachkarriere – die andere Alternative – zu gering zu achten. Ihr Kampf um einen Sitz im Auswärtigen Ausschuß erscheint den »alten Hasen« wenig sinnvoll, weil die Möglichkeit unmittelbaren Einflusses in solchen Ausschüssen, die nur »Meinungen«, aber »keine Gesetze« produzieren, relativ gering ist (ebd., S. 81). Nach der Rollentypologie von Thomas Ellwein (Das Regierungssystem der Bundesrepublik Deutschland. Köln/Opladen ²1965, S. 199) haben von den Hinterbänklern, den Spezialisten, den Interessenvertretern, den Stars für Parlamentsdebatten und dem politischen Führungskern der Fraktionen nur die beiden letzten Gruppen Aussicht, ministrabel zu werden.

Spezialisten sind für eine Reihe von Ressorts unerläßlich. Für das Justizministerium oder das Wirtschaftsministerium sind gewisse fachliche Grundkenntnisse Voraussetzung, die bestimmte Studien- und Berufsgänge unter den Amtsbewerbern von vornherein disqualifizieren. Aber selbst für das Finanzministerium haben sich gelegentlich begabte Dilettanten wie Strauß interessiert. Selbst ziemlich technische Ressorts, wie das Postministerium, sind immer wieder mit Dilettanten besetzt worden. Lemmer beschrieb seinen Amtsantritt als Postminister mit schöner Offenheit: »Man wird mir daher nachfühlen können, daß ich mich mit einem gewissen Bangen an die Spitze eines Ministeriums stellen ließ, von dessen Struktur ich keine Ahnung hatte. Adenauer hatte mich allerdings getröstet, indem er mir bei der Bestallung versicherte: ›Herr Lemmer, Sie brauchen gar keine Sorge zu haben; es stehen Ihnen ja großartige Staatssekretäre zur Verfügung. Um Einzelheiten brauchen Sie sich wirklich nicht zu kümmern. Von denen verstehen Sie ja übrigens sowieso nichts. Die große Linienführung müssen Sie natürlich verantworten.‹ Um die Last der Verantwortung noch weiter zu bagatellisieren, fügte der Kanzler hinzu: ›Ich denke da auch an die Briefmarken. Meine Kinder und Enkel beklagen sich dauernd bei mir. Sie behaupten, die Marken wären miserabel. Auch von Briefmarkensammlern bekomme ich immer wieder Zuschriften. Sie jammern über die allzu moderne Kunstauffassung der Markentypen. Nun machen Sie dat mal mit jesundem Menschenverstand.‹« (Lemmer, 1968, S. 351). Lemmer richtete sich in dieser Frage offenbar mehr nach Adenauer als nach dem Rat des Bundespräsidenten, den Heuss (1970, S. 215) in seinen Tagebuchbriefen festgehalten hat: »Ich warnte ihn auch vor den graphischen

Anschauungen des Kanzlers, dem die Landschäftlein der Berliner Post offenbar besser gefallen als die anständige Graphik, die wir seit Preetorius' Ausschuß gekriegt haben.« Heuss bescheinigte Lemmer, daß er »spezifisch politisch« dachte, was jedoch im Umgang mit Fachleuten gelegentlich zu Komplikationen führte. Lemmer gab in seinen Erinnerungen ein Gespräch mit dem Kunstbeirat wieder, mit dem es zu Konflikten wegen der künstlerischen Richtung der Briefmarken kam: »Einmal erklärte ich zu einem Entwurf kurzerhand: ›Das ist doch Blödsinn!‹ Einer der Professoren ließ das nicht auf sich sitzen, sondern konterte mit den gereizten Worten: ›Herr Minister, Sie sind in künstlerischen Dingen ein Banause.‹ Worauf ich ihm freundlich zurückgab: ›Meinetwegen. Lieber will ich ein Banause sein als für Briefmarken verantwortlich, die von der Masse der Bevölkerung mißverstanden und abgelehnt werden. Ich will Marken sehen, die den Leuten etwas sagen und die ihnen gefallen.‹ Diesen Kunstbeirat habe ich nach einer Zeit schlicht verabschiedet...« (Lemmer, 1968, S. 353). Dieses Beispiel wäre – wenn es nicht gerade um künstlerische Geschmacksfragen ginge, die man schwerlich nach plebiszitärer Akklamation entscheiden kann – keineswegs negativ zu bewerten, sondern als Zeichen, daß auch der fachliche Dilettant auf Grund seiner politischen Verantwortung sich gelegentlich über enge Spezialistengesichtspunkte hinwegsetzen muß. Ein solches Beispiel dient jedoch nicht der generellen Rechtfertigung der Übernahme von Ressorts durch Dilettanten. Ein Vergleich der Positionsinhaber zeigt, daß in der Regel Spezialkenntnisse und allgemeine politische Begabung zunehmend wichtiger werden, um Ressortchefs im Parlament und in der Partei tragbar erscheinen zu lassen.

Loewenberg (1969, S. 162) stellte eine weitere Typologie nach der Quelle des vorwiegenden Einkommens auf und ermittelte für den 3. Bundestag folgende Zahlen für vier Gruppen von Parlamentariern in Führungspositionen:

Teilzeitliche Berufstätigkeit	Interessenvertreter	Berufs- politiker	im öffentlichen Dienst Beschäftigte
31,9 %	23,4 %	36,1 %	7,8 %

Immerhin waren nach seiner Aufstellung auch schon 18,6 % der Hinterbänkler »Berufspolitiker«. Je höher der Rang in der Fraktion, um so größer wurde der Prozentsatz der Berufspolitiker; bei den Ausschußvorsitzenden wurden 50 %, bei den Angehörigen des Ältestenrates 54,4 %, beim Fraktionsvorstand 37,0 % und den Vorsitzenden 100 % Berufspolitiker festgestellt.

Der politische Aufstieg der Ministrablen erfolgt selbst in einem Parlament, das nicht dem Typ des britischen Redeparlaments zuzuordnen ist, teilweise durch die Beteiligung an der Debatte. Loewenberg (ebd.) stellte dazu fest, daß der Typ des Interessenvertreters den höchsten Prozentsatz an Nichtbeteiligung (42,9 %) aufwies, während die Berufspolitiker am stärksten in der Debatte engagiert waren. Hingegen ist bei der Beteiligung an Fragestunden – die besonders geeignet sind, Sonderinteressen zu fördern oder wenigstens in der Öffentlichkeit den Eindruck zu erwecken, daß sich ein Abgeordneter für ein bestimmtes Interesse einsetzt – der Anteil der Interessenvertreter ungleich höher. Es zählen für das Vorankommen jedoch nicht in erster Linie die Zahl und Dauer, sondern die Gewichtigkeit und Publizität von Reden, die Beteiligung in Ausschüssen, in Arbeitskreisen, in der Fraktion und (vor allem bei der SPD) die Arbeit in zentralen Parteigremien.

In einigen Parlamenten ergab sich bei den Berufspolitikern nicht nur eine höhere Partizipationsrate, sondern auch eine größere Bereitschaft zur Innovation. Vor allem in Großbritannien mit seinem vergleichsweise archaischen Arbeitsstil waren die Teilzeitabgeordneten am wenigsten innovationsfreudig. Sie befürchteten, daß eine Parlamentsreform, die vor allem spezialisierte Ausschußarbeit verlangte, sie immer stärker in professionalisierte politische Rollen hineindrängen würde (Barker-Rush, 1970, S. 375). Vermutlich könnte ähnliches in der Bundesrepublik nachgewiesen werden; leider hat die Untersuchung von Hans Maier und seiner Arbeitsgruppe (1969) die Innovationsfreudigkeit deutscher Politiker in erster Linie mit der Parteizugehörigkeit und dem damit verbundenen Parlamentsverständnis, nicht aber auch mit der Gruppenzugehörigkeit und der Erwerbsstruktur korreliert.

Zur Rollentypologie der Politiker hat man für repräsentative Gremien auch folgende Einteilung gefunden: *Ritualisten*, welche die Routinetätigkeiten unter dem Aspekt der Pflichterfüllung stark hervorkehren, die *Tribunen*, welche sich als Volksvertreter sehen, die *Initiatoren*, welche den Entscheidungsprozeß zu beeinflussen suchen, und die *Koordinatoren*, die sich um einen Interessenausgleich und eine Rangordnung für die Maßnahmen der Verwaltung bemühen (Gerlich-Kramer, 1969, S. 179). Nach dieser Einteilung würden in erster Linie die Initiatoren Aussicht haben, in die politische Elite im engeren Sinne aufzusteigen. Die Koordinatoren werden vermutlich bei Verwendung des »decision making-approaches«, der von einzelnen Gesetzgebungsprozessen ausgeht, als Teil der politischen Elite erscheinen, auch wenn sie nicht zu den Ministrablen gehören.

Während die Theorie der Machtelite davon ausgeht, daß der Zugang zu

den Schalthebeln der Macht in »spätkapitalistischen« Systemen durch Mono-
polisierungstendenzen einer immer kleiner werdenden »strategischen Clique«
kontrolliert wird, zeigt die Mobilitätsforschung, daß im Gegenteil die Zahl
der potentiell Einflußreichen vergleichsweise größer geworden ist – nicht zuletzt durch die Etablierung eines Berufspolitikertums. In der Zeit des Honoratiorenparlamentarismus waren die Ministrablen tatsächlich kleine Cliquen,
und Außenseiter hatten geringe Chancen, in ihren Kreis zu dringen (Weber,
1958, S. 519). Selbst bei extremer Kabinettsinstabilität war die Zahl der Füh-
rungspersonen keineswegs sehr groß, so daß die Bedeutung der »chasse aux
portefeuilles« für die Erhöhung der Regierungsinstabilität übertrieben worden ist.

Der Ambitionsansatz fragt selten nach den persönlichen Eigenschaften, die
ein Politiker zum Aufstieg braucht, sondern untersucht die Chancen mit quantitativen Mitteln und scheint zu unterstellen, daß »der Mensch mit seinen
höheren Zwecken« wachse. Die Typologien der Rollen im Parlament versuchten hingegen ein kompliziertes Bild zu zeichnen. Die Suche nach allgemeinen Voraussetzungen, wie sie von der alten Fürsten- und Bürgerspiegel-
literatur bis hin zu Max Webers ›Politik als Beruf‹ (1958, S. 533) immer wieder unternommen worden ist, wurde weitgehend aufgegeben. Max Weber
verlangte noch Leidenschaft im Sinne von Sachlichkeit: leidenschaftliche Hingabe an eine Sache –·nicht jedoch »sterile Aufgeregtheit« (G. Simmel) –,
Verantwortungsgefühl und Augenmaß. Das Verantwortungsgefühl beruhte
im Gegensatz zu einer revolutionären Gesinnungsethik auf einer Verantwor-
tungsethik, welche die Folgen einberechnet, und die Distanz, die Weber for-
derte, sollte sich vor allem auch auf den Politiker selbst richten und ihn vor
Eitelkeit bewahren. Alle drei Eigenschaften mußten für Weber zum bloßen
Machtinstinkt hinzutreten. Ohne wieder dem alten Streben nach substanz-
haften Werteliten zu verfallen, kann man diese drei Forderungen Webers
auch heute noch gelten lassen – in dem Bewußtsein, daß sie zunächst nur
Leerformeln darstellen, die auf der Basis eines modernen Demokratiebegriffs
mit zeitgemäßem Inhalt gefüllt werden müssen. Kritiker des Systems der
Bundesrepublik, die noch immer nach substanzhaft gedachten Werteliten suchen, sprechen der politischen Elite in Deutschland den Elitencharakter rund-
weg ab. Karl Jaspers (a. a. O. [S. 70], S. 182) urteilte, daß die führenden Persönlichkeiten »nicht die besten« seien und daß »die Menge« sich durchgesetzt
habe. In der Parteiensoziologie von der Heydtes (Friedrich August Frhr. v. d.
Heydte – Karl Sacherl: Soziologie der deutschen Parteien. München 1955,
S. 44) wird sogar von »einer Abtreibung der Eliten« gesprochen.

Das altliberale Eliteprädikat, das sich aus einer Vielzahl heterogener Faktoren wie Beruf, Bildung, Besitz, Alter, politische und schulische Vorbildung zusammensetzte (Knoll, 1957, S. 170), wird heute nicht mehr als verbindlich betrachtet. Alter und Besitz sowie Beruf haben abnehmende Bedeutung, Ausbildung, politische Tätigkeit und Gruppenzugehörigkeit hingegen steigende Bedeutung gewonnen.

Einzelne Elitentheoretiker – wie Nadel (1956, S. 416 f.) – sehen es als Merkmal des Elitenbegriffs an, daß die Überlegenheit der Eliten über die Nichteliten auf sehr allgemeinen Qualitäten, die nachahmbar sind, beruhen muß. Hoher Status, der nicht imitierbar ist, und Prestige, das an allzu spezielle Begabungen und Fähigkeiten gebunden ist, konstituiert nach dieser Ansicht keine Elite. Nun hat der Spitzenpolitiker trotz einer gewissen Spezialisierung in der Regel allgemeine Fähigkeiten. Mit Abnahme der Identität einer homogenen Oberschicht und der politischen Elite ist jedoch die Vorbildrolle einer politischen Elite immer weniger als »spill-over quality« auf andere Bereiche übertragbar. Politiker spielen heute in der Regel in den Status- und Prestigehierarchien außerhalb des politischen Bereichs der Gesellschaft keine Vorbildrolle mehr (vgl. S. 188 ff.).

Die persönlichen Eigenschaften des Politikers können jedoch nicht ontologisch deduziert werden und sind nicht ins Belieben des einzelnen mit politischen Ambitionen gestellt, sondern werden als Rollenerwartungen an ihn herangetragen. Diese werden um so spezifischer, je stärker der Trend zur Professionalisierung in der Politik wird. Professionalisierung in der Politik bedeutet jedoch mehr als eine bloße Annäherung an die Merkmale der akademischen Berufe, die im Englischen mit dem bezeichnenden Ausdruck »professionals« klassifiziert werden: Bewußtsein einer Berufsgemeinschaft, Anerkennung einer Berufsethik und Erwerb und Praxis spezialisierter Fachkenntnis (Hartmann, 1964, S. 23). Gerade in bürokratisierten Systemen bedeutet Herrschaft neben dem Fachwissen auch Dienstwissen, »die durch Dienstverkehr erworbenen oder ›aktenkundigen‹ Tatsachenkenntnisse« (Max Weber: Wirtschaft und Gesellschaft. Tübingen ⁴1956, 1. Halbbd., S. 129). Beim Politiker in der parlamentarischen Demokratie beschränkt sich dieses jedoch nie auf das Dienstwissen im engeren Sinne, wie es Beamte entwickeln müssen, die aufsteigen wollen. Es muß sich mit einem »know how« in weniger formalisierten Umgangsbereichen verbinden, wie parlamentarischer Tätigkeit, Umgang mit Massenkommunikationsmitteln und vor allem Umgang mit der Partei, und zwar auf sehr verschiedenen Ebenen vom Ortsverein bis zur Parteispitze. »Professional authority« ist für den Politiker angesichts der divergierenden Erwartungen von Wahlkreisbürgern, Parteibürokraten, Parlamentskollegen, Interessenvertretern, Pressekorrespondenten weit schwieriger zu erwerben als in jeder Leistungshierarchie, die in sich abgeschlossener ist als der politische Raum, vom wirtschaftlichen Betrieb bis zur Kirche oder Universität.

Während es in bürokratischen Organisationen und Hierarchien unterschiedliche Reaktionsweisen gibt, wie sie Presthus in einer Typologie der *Aufsteigenden*, der *Indifferenten* und der *Ambivalenten* gezeichnet hat (1966, S. 25 ff.), kann es in politischen Karrieren keine Indifferenten geben, die nicht positiv auf die Anforderungen der Hierarchie reagieren. Jedenfalls auf Wahlkreisebene ist diese Haltung nicht möglich, solange ein Bewerber den Kampf um ein Mandat bestehen oder sich als Abgeordneter gegenüber Herausforderern in Kampfabstimmungen behaupten muß. Höchstens in der Fraktionshierarchie weisen eine Reihe von Hinterbänklern ohne weiteren Ehrgeiz Züge des Indifferenten auf. Als Merkmale des Aufsteigenden stellt Presthus (1966, S. 174 ff.) heraus: die Bejahung des Systems, in dem der Aufstieg erfolgt, Fähigkeit der Identifizierung, Schaustellungen der Anpassung an den Markt, eine manipulative und im Sinne Riesmans »außengeleitete« Ethik, potentiell autoritäre Züge und eine Neigung, überwiegend in strategischen Begriffen zu denken.

In den USA ließ sich für den manageriellen Typ des Aufsteigenden sogar noch eine Neigung aufzeigen, physisch große und stattliche Männer mit Führungsposten zu betreuen. Die von der Filmindustrie betriebene Idealisierung des virilen Mannes, der notfalls alle Probleme mit einem Kinnhaken löst, spielt auch in der amerikanischen Politik eine gewisse Rolle und hat europäische Pendants. Mindestens im Kaiserreich und zum Teil in der Weimarer Republik war der Hüne als martialische Gestalt von Bismarck bis Hindenburg stark gefragt und galt dem kleinen quecksilbrigen Intellektuellen als überlegen – Ansichten, die bis in die Gerstenmaier-Witze der Adenauer-Zeit fortlebten. Bis heute spielt in Amerika wie in der Bundesrepublik das Image der Stärke vor allem bei Fragen der Gesundheit eine Rolle. Kein Politiker kann sich leisten, als kränklich zu gelten. Kurt Schumacher (Edinger, 1965, S. 276 f.) hat seine Gebrechen ständig durch den Anschein gesteigerter Vitalität und physischer Leistungsfähigkeit zu überspielen versucht. Sein Gegenspieler Adenauer hat dagegen den Kult seiner physischen Unverwüstlichkeit planmäßig gefördert. Gerhard Schröder andererseits leidet bis heute seit seinem Unfall unter dem Image nachlassender physischer Leistungsfähigkeit.

In der Kleingruppenforschung hat man versucht, Führungsrollen zu klassifizieren und kam auf deren acht (Michael S. Olmsted: The Small Group. New York 1959, S. 139; vgl. Hartmann, 1964, S. 98):

Sozialstruktur	Sozialkultur

Instrumentelle Tätigkeit

1) Dimension der sozialen Funktionen	2) Dimension der kulturellen Symbole
a) Arbeitsteilung	Wissen, Information
b) Struktur d. soz. Einflusses	
Führerrollen:	Führerrollen:
a) Technischer Experte	a) Ideenspender
b) Geschäftsführer	b) Zusammenfasser

Gefühlsäußerung

3) Netz emotionaler Verbindungen	4) Dimension der kulturellen Symbole: Wertvorstellungen
Führerrollen:	Führerrollen:
a) »Nettester«	a) Stilgeber
b) Ausgleicher	b) Symbolisches Oberhaupt

Kein Politiker kann alle diese 8 Führungsrollen in sich vereinigen. Die Rollen, die aus dem Netz emotionaler Verbindungen resultieren, spielen nicht die gleiche Rolle wie in der Kleingruppe, obwohl sie im Innenverhältnis – etwa auf verschiedenen Stufen der Parteiorganisation – ebenfalls wichtig sind. Im Bereich der instrumentellen Tätigkeit hat eine starke Rollenspezialisierung stattgefunden. Der Bedarf an jeweiligen Rollen wird den Aufstieg einzelner Politiker stark mitbestimmen.

Die generalistische Orientierung, die Czudnowski (1970, S. 14) als Kennzeichen des Politikers im Vergleich mit anderen Berufsrollen hingestellt hat, läßt sich die Mehrzahl der Politiker kaum noch halten (vgl. S. 176 ff.). Es läßt sich jedoch sagen, daß allzuhohe Spezialisierung sich als Nachteil bei karriererelevanten Vorgängen wie Ämterkumulation, Positionsaustausch oder Ämterrotation erweist.

Funktionale Schichtungstheorien gehen von der »funktionalen Seltenheit« von Positionen aus, um das Ausmaß der Belohnung zu bestimmen, das ihr Erwerb bedeutet. Auf der höchsten Ebene der Politik kann der Seltenheitswert der Führungspositionen jedoch flexibler gehalten werden, als das häufig in Bürokratien oder Betrieben der Fall ist. Die Patronagemacht der Organisationsgewalt mit der Möglichkeit der Schaffung von Sonderposten, wie Minister ohne Portefeuille, Sonderbeauftragte, Sonderbotschafter, oder der Verdoppelung der Zahl der Staatssekretäre gestalten die Knappheit einzelner Positionen variabel. Je nach parteilicher Grundlage und nach dem Ausmaß der Fragmentierung von Regierungsparteien in ihren Flügeln variieren die statistischen Mobilitätschancen für Spitzenpolitiker von Regierungsbildung zu Regierungsbildung.

In der amerikanischen Mobilitätsforschung (Jaffe-Carleton, 1954, S. 59) ist ein großer Teil des Aufstiegs weniger auf die individuelle Tüchtigkeit der einzelnen als auf den wachsenden Bedarf an höheren Positionen in einer Wirtschaftsgesellschaft mit zunehmender Differenzierung und Komplexität zurückgeführt worden. Diese Beobachtung kann für den politischen Bereich in noch größerem Umfang gelten. Durch die Ausdehnung der Spitzenposten in der Bundesrepublik, vor allem aber durch die Vermehrung von politischen Karrierestartposten, wie Fraktionssekretären oder Stabsposten in parteilichen Organisationen und Ausbildungsstätten, vermehren sich die Möglichkeiten des politischen Karrierestarts. Andererseits sind allein durch das angestiegene Prestige der politischen Tätigkeit und der zunehmenden ökonomischen Sicherung der Berufspolitiker die Ambitionen gestiegen, so daß sich Angebot und Nachfrage auf dem »Ambitionsmarkt« der Bundesrepublik seit 1949 nicht nennenswert verändert haben dürften.

IV. Position und Lebensalter

1. Eintritt in das höchste Amt

Die altliberale Führungsauslese, die dem klassischen Parlamentarismus zugrunde lag, hatte stark gerontokratische Züge. Sich im Alter von 30 Jahren als Kandidat zu präsentieren galt als »unschicklich«. Auch dynamische jüngere Politiker beugten sich diesen Spielregeln, wie sie in klassischer Weise von Karl Ludwig Ägidi in einem Brief an Max Duncker formuliert wurden, in dem er begründete, warum es »tollkühn und gedankenlos« wäre, sich mit seinen kaum überschrittenen 30 Jahren zur Wahl zu stellen: »Ich hoffe in nicht allzu langer Zeit, bei den nächsten oder übernächsten Wahlen 1858 oder 1861 reif zu sein. Jetzt ziemt sich's zu lehren, was ich weiß, und zu lernen, was ich nicht weiß ... Späteres Wirken könnte mein jetziges Schweigen und scheinbares Nichtstun rechtfertigen« (zit. Knoll, 1957, S. 173).

Noch in der modernen Literatur wurden Sozialisation und Rekrutierung, politische Erziehung und politische Partizipation etwas zu schematisch geschieden. Für Seligman (1964, S. 612) beginnt die Rekrutierungsfunktion erst dort, wo die Sozialisationsfunktion im politischen System endet. Gerade die partielle Integration protestierender Gruppen und innerparteilicher Oppositionen und die weltweiten Protestbewegungen der Jugend zeigen, daß frühzeitige Rekrutierung manchmal die einzige Möglichkeit einer flexiblen Sozialisation ist. Der erweiterte Pluralismus einer Gesellschaft, die den Konflikt nicht ächtet, wird sich auch daran gewöhnen müssen, daß Rekrutierung beginnt, ehe die Sozialisation nach altliberalen Vorstellungen abgeschlossen ist.

Selbst die sozialistischen Parteien haben durch ihren Aufstieg nicht den beschleunigten Abbau gerontokratischer Vorstellungen nach sich gezogen, den man von ihnen erhoffte. Der sozialdemokratischen Gerontokratie lag jedoch weniger die liberale Ideologie der Lehrjahre, die keine Herrenjahre sein dürfen, zugrunde, als vielmehr die Filterwirkung eines bürokratischen Apparats und die langen Wartezeiten in parlamentarischen Systemen, in denen ein

Regierungswechsel sich nur schleppend und bis zum Zweiten Weltkrieg nur
selten zugunsten sozialistischer Parteien vollzog.

Ein Vergleich der Abgeordneten deutscher Parlamente zeigt, daß die Alters-
struktur gerontokratische Züge aufweist, die sich über den mehrfachen Regimewechsel hinweg konservierten:

Parlament	Altersstruktur			
	20–29	30–39	40–49	50–59
		(Klammer: in %)		
1907 (v. 397)	1 (0,2)	39 (9,8)	125 (31,5)	142 (35,7)
1928 (v. 490)	4 (0,8)	79 (16,1)	176 (35,9)	171 (34,8)
1965 (v. 518)		72 (13,8)	156 (30,1)	189 (36,4)

	60–69	70–79	80 und älter
1907 (v. 397)	73 (18,3)	15 (3,7)	2 (0,5)
1928 (v. 490)	50 (10,2)	9 (1,8)	1 (0,2)
1965 (v. 518)	96 (18,5)	4 (0,7)	1 (0,1)

Da schon die überwiegende Zahl von Abgeordneten zwischen 40 und 60
ist, man aber im Durchschnitt 8–10 Jahre rechnen muß, ehe ein Parlamentarier »ministrabel« wird, ist es nicht verwunderlich, daß sich auch bei den
Spitzenpositionen der Bundesregierung ein relativ hohes Durchschnittsalter
findet.

Der Eintritt in das höchste Amt mußte sich in der Bundesrepublik – im
Vergleich zu anderen Ländern – noch verspäten, weil

(1) die Bundesrepublik mit nur 8 Kabinetten in 21 Jahren außer Schweden und Norwegen die größte Regierungsstabilität von allen parlamentarischen Systemen in Europa aufwies – Kabinettsinstabilität hingegen begünstigt eine raschere Rotation des Führungspersonals, wenn sich auch an
Hand von Frankreich und Italien zeigen läßt, daß die Ämterrotation in Ländern mit starken Ministrablencliquen nicht in direkter Abhängigkeit von der
Zahl der Kabinette steht (v. Beyme, 1973, S. 884) – und weil

(2) die relativ seltenen Kabinettsneubildungen in den 20 Jahren CDU-Herrschaft von einer vergleichsweise hohen personellen Stabilität gekennzeichnet
waren.

Im historischen Vergleich hat sich das Durchschnittsalter bei Eintritt in höchste Ämter in der Bundesrepublik erhöht. Im Kaiserreich betrug es nach Knights Berechnungen (1955, S. 26) 52,1 Jahre, während das Durchschnittsalter der Bevölkerung 37,8 Jahre betrug (1910).

In der Weimarer Zeit lag das Eintrittsalter bei 50,9 und selbst unter Hitler noch bei 51,3 Jahren, obwohl revolutionäre Eliten meist jüngere Politiker an die Macht bringen.

Das Durchschnittsalter der Positionsinhaber bei Eintritt in das höchste erreichte Amt in der Bundesrepublik liegt bis 1969 (Regierung Kiesinger) bei 53 Jahren. Bei den Politikern war es im Durchschnitt geringfügig höher (53,3 Jahre) als bei den Staatssekretären (52,9); Staatssekretäre, die Parteimitglieder waren, traten im Durchschnitt drei Jahre früher in ihr Amt ein. Die Parteizugehörigkeit förderte ganz offensichtlich die Karrieremobilität (vgl. S. 104). Das etwas höhere Alter der Politiker bei Eintritt in das höchste Amt ist nicht für alle Parteien typisch. Bei der CDU/CSU mit der größten Anzahl von politisch führenden Funktionen liegt das Eintrittsalter in das höchste Amt bei 50 Jahren deutlich unter dem Durchschnitt der SPD (53,3 Jahre).

Die geringere Karriereakzeleration bei der SPD deckt sich mit den Befunden in anderen Ländern. Für Großbritannien etwa wurde nachgewiesen, daß die ersten Labourregierungen durchschnittlich ältere Politiker aufwiesen als die konservativen Kabinette, ein Unterschied, der sich jedoch nach mehrfachen Machtwechseln verlor (Guttsman, 1965, S. 212 ff.). Einen ähnlichen Entwicklungstrend könnte man für die SPD vermuten, falls sie einmal für längere Zeit die führende Partei im Kabinett bliebe.

Die 1. Regierung Brandt insgesamt spiegelte einen leichten Trend zur Verjüngung wieder. Die Kabinettsmitglieder waren beim Amtsantritt 1969 im Durchschnitt etwa 51 Jahre. Dabei ist zu berücksichtigen, daß einige von ihnen das erste Mal in eine Regierung eintraten und deshalb im Durchschnitt jünger waren. Bei einer längeren Führung der Regierung durch die SPD könnte jedoch der gleiche Fall wie bei den Unionsparteien eintreten, daß man aus Gründen der Image-Pflege an bewährten Politikern festhält und dadurch dem Drang nach Verjüngung der Führungsposten zuwiderhandelt.

Obwohl die Bundesrepublik – im Gegensatz zu Italien – weniger auf Führungspersonal zurückgriff, das schon vor der Diktatur im Amt gewesen war, erscheint das Durchschnittsalter der Nachkriegspolitiker relativ hoch. Zum Teil waren gerade die Jüngeren belastet und die entscheidenden Jahrgänge durch den Krieg stark dezimiert.

Demographische Variablen werden auch in Zukunft noch einen gewissen Einfluß auf die Elitenrekrutierung haben, da die wellenartige Ablösung der

älteren Generation – der Männer der »ersten Stunde«, die in der Wieder-
aufbauphase erstmals hervortraten und sich im Durchschnitt erstaunlich lange an der Macht halten konnten – am Ende der sechziger Jahre in einem größeren Umfange erfolgte als je zuvor und sicher auch ohne den Machtwechsel
beträchtlich gewesen wäre. Die Gruppe der Vierzig- bis Fünfzigjährigen, die
mit dem zweiten großen Elitenschub der Bundesrepublik in die höchsten Ämter kommt, wird vermutlich die stoßartige Rekrutierung der Zeit von 1947
bis 1949 in abgeschwächter Form noch ein- bis zweimal reproduzieren, falls
nicht durch neue Elitenzirkulationsmuster dieser Rhythmus unterbrochen
wird.

Trotz der Eigenarten des Rekrutierungsprozesses in einem Land mit un-
terbrochener politischer Kontinuität zeigt es sich im internationalen Vergleich,
daß die deutschen Politiker nicht älter als in anderen Ländern sind, wenn sie
in das höchste Amt eintreten. Auch in den USA – wo es keine Kontinuitätsbrüche seit Beginn des Staatswesens gab – werden die höchsten administrativen Posten erst Ende 40 oder Anfang 50 erreicht. Die Truman- und die
Kennedy-Administration taten sich durch die jüngsten Equipen hervor (46
bzw. 47 Jahre im Durchschnitt). Die CDU-Regierungen könnten im Amtsver-
ständnis eher mit der Eisenhower-Regierung verglichen werden, in der der
Durchschnitt 51 Jahre alt war – ein wenig älter noch als der Durchschnitt der
CDU-Politiker in Deutschland (Stanley, 1967, S. 27). Warner und seine Mitarbeiter (1963, S. 13) geben das Durchschnittsalter amerikanischer Politiker
mit 49 Jahren an, was nur geringfügig unter dem deutschen Durchschnitt
liegt und nicht recht zu dem Image einer mobilen Gesellschaft mit verjüngtem
Management passen will, das man sich in Deutschland häufig von den USA
macht. Wenn man gerontokratische Institutionen wie den amerikanischen Senat zum Vergleich heranzieht, so kommt die Bundesrepublik vergleichsweise
noch gut weg, denn dort lag das Durchschnittsalter in den fünfziger Jahren
bei 56 Jahren (Matthews, 1960). Mit zunehmender Ausdehnung der Bildungschancen zeigt sich jedoch in allen Industriegesellschaften ein Trend zur Verjüngung der Spitzenkader (Lenski, 1966, S. 407). Amerikanische Erforscher
der deutschen politischen Elite kamen im Vergleich mit den USA nicht zu dem
Schluß, daß Deutschland von »alten Männern« regiert werde (Deutsch-Edinger, 1959, S. 127). Generell läßt sich zeigen, daß die Tendenz der Parlamente,
relativ alte Kandidaten zu rekrutieren, sich nicht in eine zusätzliche Überalterung des Kreises der Ministrablen umsetzt. Diese rekrutieren sich vielmehr
überwiegend aus den vergleichsweise jüngeren Altersgruppen der Parlamentarier, während die Hinterbänkler am stärksten überaltert erscheinen.

Daß zukunftsreiche Politiker im allgemeinen eher jünger sind als die Hinterbänkler, zeigt sich auch auf der Ebene zwischen Parlamentsmandat und Exekutivamt – bei der Arbeit in den Ausschüssen, die ein wichtiges Vehikel der Profilierung sind. Schatz (1970, S. 42) hat dabei im Verteidigungsausschuß ein Durchschnittsalter ermittelt, das 6 Jahre unter dem der anderen Ausschüsse liegt.

Bei den Ministerpräsidenten ergibt sich ein höheres Antrittsalter als bei den Bundespolitikern (55 Jahre). Von 57 Untersuchten waren 36 zwischen 50 und 65 (darunter sieben über 60), sechs waren über 65 und 12 unter Fünfzig, davon nur drei unter Vierzig (Hauptmann, 1969, S. 2). Das Image des Landesvaters und die langen Amtszeiten einzelner Ministerpräsidenten in einigen Ländern haben vermutlich zu dieser Überalterung beigetragen.

Bei der Forderung nach jüngeren Politikern gilt es jedoch, der repräsentativen Demokratie keine unrealistischen Ziele zu setzen. Sowohl aristokratische Eliten, bei denen die Auslese auf Grund ererbter Qualitäten vor sich geht, als auch revolutionäre Eliten, die sich durch die Ideologie einer neuen Gesellschaft legitimieren, sind im Durchschnitt jünger als demokratische Delegationseliten, denen ein langwieriger Bewährungsaufstieg abverlangt wird. Demokratische Elitenauslese muß daher zwischen der Scylla eines gerontokratischen Anciennitätsdenkens und der Charybdis einer impulsiven Selbstrekrutierung auf Grund von politischem Erlösungswissen hindurchsteuern.

2. Amtsdauer im höchsten Amt

Zur Ermittlung der Amtsdauer mußten zunächst die noch amtierenden Rollenträger ausgeschieden werden. Durch den Regierungswechsel von 1969 haben sich jedoch einige Berechnungsschwierigkeiten auch für die nicht mehr amtierenden Positionsinhaber ergeben, weil nicht mit Sicherheit vermutet werden kann, wer von den unfreiwillig ausgeschiedenen Spitzenpolitikern der Unionsparteien bei einem neuerlichen Machtwechsel Chancen hat, wieder ein Amt zu bekommen. Nur bei wenigen lassen Alters- oder Gesundheitszustand kein Comeback vermuten, wie etwa bei Schröder, eine Vermutung, für die auch die faire Gelassenheit spricht, mit der der sonst menschlich eher zurückhaltende letzte Verteidigungsminister seine Wahlniederlage und den Amtswechsel hinnahm. Bei einem raschen Regierungswechsel hätte jedoch selbst Schröder noch gewisse Chancen gehabt.

Die bis 1969 ausgeschiedenen Politiker waren durchschnittlich 5,5 Jahre und die Staatssekretäre durchschnittlich 5,6 Jahre im Amt. Parteimitglieder unter den Staatssekretären kamen nicht nur früher ins Amt, sondern konnten sich auch länger in ihm halten und erreichten einen Durchschnitt von 7,9 Jahren. Die CDU-Politiker halten bis 1969 die Amtsrekorde mit 6,5 Jahren im Durchschnitt, bei der SPD sind es im Durchschnitt 4,6 Jahre und bei der FDP nur 3,5 Jahre. Wenn die bestehende Koalition sich länger als 4 Jahre halten kann, werden sich die Amtszeiten in den Parteien vermutlich angleichen.

3. Abgang aus der Politik

Die Bundesminister, die bis 1974 ausschieden, traten aus sehr verschiedenen Gründen ab:

Freiwilliger Abgang	
Aus Protest gegen eine politische Maßnahme der Regierung	7
Um ein anderes Amt anzunehmen	7
Unfreiwilliger Abgang	
Verkappte Entlassung bei formal freiwilligem Rücktritt	2
Entlassung durch den Kanzler	–
Konflikte mit der eigenen Partei und Amtsmüdigkeit	8
Krankheit und Tod	5
Übergehung bei Kabinettsneu- oder -umbildung	35
Ausscheiden der Partei aus der Regierungskoalition	13

Unter den wenigen freiwilligen Abgängen und auch bei zwei Rücktritten, die vor allem mit gesundheitlichen Rücksichten begründet wurden (Kaiser, Lenz), spielte eine gewisse Frustration im Amt eine Rolle. Selten gelingt ein freiwilliger Abgang aus der Politik anläßlich einer Kabinettsneubildung, wie der Rückzug in den Ruhestand von Käthe Strobel 1972. In der ersten Regierung Brandt häuften sich die freiwilligen Rücktritte teils aus Amtsmüdigkeit (Leussink), teils, weil einzelne Minister bei Konflikten im Kabinett zu hoch gepokert hatten und den Kanzler nach mehrfachen Rücktrittsdrohungen in die Lage manövrierten, ein Demissionsangebot anzunehmen (Möller, Schiller). Es zeigte sich – wie in anderen parlamentarischen Demokratien – daß bei Regierungen, die mit einem starken innovatorischen Programm antreten, die Konflikte im Kabinett stärker aufbrechen und die halbfreiwilligen Rücktritte sich häufen. Diese Rücktritte sind gleichsam die sozialen Kosten der Anpassung des innovatorischen Programms an die Realitäten. Einige treten zurück, weil die neue Regierung ihnen zu weit geht (Schiller), andere, weil sie die innovatorischen Erwartungen einzelner Amtsinhaber enttäuscht (Rosenthal).

Obwohl der unfreiwillige Abgang aus der Politik häufig ist, spielt das Entlassungsrecht, das die Väter des Grundgesetzes dem Kanzler in die Hand gaben, so gut wie keine Rolle. Ähnlich wie in Großbritannien – wo selbst starke Premierminister lieber mit der Taktik der Androhung des eigenen Rücktritts als mit der Entlassung von Ministern die Kabinettsdisziplin wahrten (Alderman-Cross, 1967, S. 20 ff.) – wurde eine Entlassung nur selten in Erwägung gezogen. Die Flügelbildung in der CDU ließ nicht einmal immer gegenüber CDU-Ministern eine harte Ausübung des Entlassungsrechts des Kanzlers zu, und gegenüber Ministern anderer Parteien mußte dieser erst recht Rücksicht nehmen, wenn er die Koalition nicht gefährden wollte. Der Kanzler handhabte das Entlassungsrecht eher zu milde als zu brutal. Mehrfach hat der Bundestag von sich aus versucht, den Kanzler zur Aktivierung der Entlassungsmöglichkeiten zu bringen. Ein parlamentarischer Antrag auf Entlassung eines Bundesministers gilt zwar als unzulässig und rechtlich bedeutungslos (Münch, 1954, S. 187), wurde aber gleichwohl gelegentlich versucht, wie 1950 gegen Erhard und Schäffer oder 1970 gegen Möller.

Aussichtsreicher war die Mobilisierung von Opposition gegen einen Minister in einer Koalitionspartei oder gar in der Partei des Kanzlers. Wirkungslos ist dieses politische Mittel nur, wenn die Koalition mit einer Partei, die auf Entlassung bestimmter Minister dringt, nicht notwendig ist, um die stärkste Regierungspartei an der Macht zu halten. 1955 verlangte beispielsweise der BHE die Entlassung Oberländers und Krafts aus der Regierung, weil sie aus der BHE-Fraktion ausgeschieden waren. Diesem Ansinnen gegenüber konnte sich Adenauer hinter den formellen Regeln des parlamentarischen Systems verschanzen. Er schrieb der Partei: »Die Bundesminister werden gemäß Artikel 64 GG auf Vorschlag des Bundeskanzlers vom Bundespräsidenten ernannt und entlassen. Der Bundeskanzler ist – unter Vorbehalt seiner parlamentarischen Verantwortlichkeit – in der Auswahl seiner Mitarbeiter in der Bundesregierung frei. Das gilt auch für den Fall, daß eine Koalition gebildet ist. Die Mitglieder der Bundesregierung sind daher nicht von dem Vertrauen der Fraktion abhängig, die sie bei der Regierungsbildung in Vorschlag gebracht hat. Der Bundeskanzler hat vielmehr bei Differenzen zwischen einem Minister und seiner Fraktion in eigener Verantwortung gegenüber dem gesamten Bundestag über das Verbleiben eines Ministers in der Bundesregierung zu entscheiden« (›Archiv der Gegenwart‹, 1955, S. 5564 A). Es war nicht nur der BHE, der die Verfassungsmäßigkeit dieses Vorgehens bestritt. Auch die SPD äußerte damals die Ansicht, Artikel 64 könne die Grundregeln der parlamentarischen Demokratie nicht außer Kraft setzen. Dies aber geschehe, wenn Adenauer ohne Rücksicht auf die Parteien die Zusammensetzung der Regierung bestimme. Diese Ansicht ist problematisch. Die parlamentarischen Spielregeln ergeben sich aus der Kunst des Möglichen. Nur in einer Pseudokoalition war dieses Verhalten eines Kanzlers denkbar. In den Fällen, in denen die CDU auf die Unterstützung einer Partei unbedingt angewiesen war, konnte der Kanzler sich auch dem Ruf nach Entlassung bestimmter Minister nicht einfach verschließen. Der Fall Strauß zeigte jedoch, daß der Kanzler bei den Wünschen des Koalitionspartners nach Entlassung einzelner Minister in eine Zwickmühle gerät und daß er keineswegs einen starken Minister auf Wunsch einer anderen Partei einfach entlassen kann, wie dies rechtlich möglich wäre. Adenauer zog daher den freiwilligen Rücktritt zur Ausbootung des durch die ›Spiegel‹-Affäre kompromittierten Ministers vor. Statt der schlichten Entlassung wählte er die Kabinettsneubildung, um Strauß in weniger spektakulärer Form loszuwerden.

Selbst einen Überläufer aus einer anderen Partei wie Oberländer, der durch seine Nazi-Vergangenheit kompromittiert war, konnte und wollte Adenauer nicht einfach entlassen, obwohl der Minister keine starke Stellung in der Partei hatte und nur von einem Verband gestützt wurde. Er erklärte nach dem Abgang Oberländers im April 1960 vor dem Presseclub: »Ich habe mich instinktiv dagegen gewehrt, auf Kommando der SPD einen Minister zu entlassen« (ebd., 1960, S. 8371 D). Selbst Krüger wurde 1964 – als er wegen seiner Vergangenheit als Richter im Nationalsozialismus unter Beschuß kam – formell auf eigenen Wunsch entlassen (ebd., 1964, S. 11020 B). Was im Erwerbsleben längst üblich ist, hat sich auch für Ministerlaufbahnen durchgesetzt.

Ein Lobredner Erhards hat aus dem Fall Krüger den voreiligen Schluß gezogen: »Daß Erhard aber notfalls in der Lage ist, einen unerwünschten Bundesminister schneller und entschlossener von seinem Posten zu entfernen als Adenauer, dafür sind die Fälle Oberländer und Krüger der klare Beweis« (Caro, 1965, S. 211). Der Fall Oberländer ist jedoch kein klarer Beweis für Adenauers Schwäche, sowenig wie der Fall Krüger. Erhards Entschlossenheit dokumentierte nur, daß es parteipolitisch und verbandspolitisch risikolos erschien, dem Minister den Rücktritt nahezulegen. Adenauer hat oft mit dem Starrsinn des großen alten Mannes an vertrauten Gesichtern wie Globke oder Oberländer festgehalten. Oft nur – wie er einmal zugab –, um sich nicht an neue Gesichter gewöhnen zu müssen. Er hat umstrittene Mitarbeiter gedeckt, auch wenn er ihre Vergangenheit mißbilligte, und hat dabei erhebliche Widerstandskraft gegen die Pressionen von Parteien und Verbänden bewiesen. Schließlich kann man auch bei Adenauer, den man oft als kalten Rechner darstellt, menschliche Rücksichten nicht ganz ausschließen, die ihn mit Entlassungen zögern ließen. Adenauers Pressesprecher, Felix von Eckardt, berichtet über ein Gespräch mit Adenauer, in dem er Verteidigungsminister Blank und andere Minister für untragbar hielt. Selbst ein so enger Mitarbeiter wie Eckardt wunderte sich über die Zähigkeit, mit der Adenauer – wider besseres Wissen – einzelne Minister verteidigte: »Doch lernte ich ihn in diesen Gesprächen von einer neuen, sehr menschlichen Seite kennen. Es war ihm zutiefst peinlich, gegen Mitarbeiter, die er selbst in die Regierung berufen hatte, in wenig schöner Weise vorgehen zu müssen. Immer wieder suchte er nach Argumenten, die es ihm ermöglicht hätten, diesen Männern nicht den ›Schierlingsbecher‹ zu reichen« (v. Eckardt, 1967, S. 441). Adenauer entließ den unpopulär gewordenen Blank nicht, sondern wartete bis zur Kabinettsumbildung im Oktober 1956, als vier FDP-Minister zurücktraten, die nach der Fraktionsspaltung ihrer Partei den Rücken kehrten. Statt einer spektakulären Entlassung kam es zu einer unauffälligen Demission: »Theo Blank trat zurück, still, würdig und pflichtbewußt, wie es seine Art ist« (ebd.). Neben dem persönlichen Faktor – der allzu leicht in der Politik übersehen wird – spielen dabei sicher die Scheu, eigene Irrtümer in der Mitarbeiterwahl publik zu machen, und Rücksichten auf bestimmte Parteiflügel eine gewisse Rolle. Daß Adenauer mannigfaltige Rücksichten nehmen mußte, wurde bei der Panne offenbar, als ein Gespräch zwischen Adenauer und Pressechef von Eckardt vor einem Presseinterview aus Versehen auf Tonband aufgenommen wurde und so in die Presse geriet. Adenauer hatte nach Meinungsverschiedenheiten mit Lemmer zu seinem Pressechef gesagt: »Wat woll'n Se, Herr von Eckardt? Ich hab' damit jetzt Ärger jenuch. Wat soll ich denn mit de' Herrn Lemmer machen? Soll ich den Kerl jetzt deswegen aus dem Kabinett rausschmeißen? Wo er Berliner ist!« (Lemmer, 1968, S. 363). Offenbar glaubte Adenauer trotz seines Ärgers über den Minister, ihn mit Rücksicht auf seine Popularität in Berlin und seine Autorität in Fragen der Deutschlandpolitik nicht entlassen zu können, weil wichtige Interessenten hinter ihm standen. Ähnliche Rücksichten nahm Adenauer auf Vertriebenenminister Lukaschek, als dieser von den Vertriebenenverbänden desavouiert wurde und vor allem Linus Kather auf einen Ministerwechsel drängte. Kather (1965, Bd. 1, S. 249) vermutete rückblickend: »Die Hauptschwierigkeit für den Kanzler lag aber meiner Ansicht nach auf der parteipolitischen Seite. Sie bestand darin, daß er (Adenauer) gegen ein Mitglied der eigenen Partei hätte vorgehen müssen, und zwar gegen einen Parteifreund, der sich in der Fraktion und auch in den sonstigen Parteigremien einer ziemlichen Beliebtheit erfreute.«

Erhard bewies auch im Streit mit Ministern weniger Widerstandsfähigkeit gegen die Wünsche der Verbände und Gruppen als Adenauer. Als Minister Seebohm sich offen illoyal in Sonntagsreden bei Sudetendeutschen Treffen verhielt, wurde er nicht entlassen. Seebohm hatte in Nürnberg erklärt, das Münchener Abkommen sei noch gültig, und widersprach damit der Mehrheitsansicht im Kabinett und desavouierte die Politik seines Kanzlers. Zur Entschuldigung, daß er nicht entlassen wurde, führte man zwei Gründe an: Seebohm war der dienstälteste Minister, dem deshalb ein abrupter Abschied erspart werden sollte; gewichtiger war jedoch die Befürchtung, die Vertriebenenverbände in die Arme der SPD zu treiben, so daß Wenzel Jacksch als SPD-Konkurrent die Vertriebenenstimmen für die Opposition sammeln könnte (Caro, 1965, S. 218). Bei verdienten alten Mitarbeitern wählte jeder Kanzler lieber den freiwilligen Verzicht des Betroffenen als die Entlassung, so auch beim Abgang Brentanos, gegen dessen Wiederaufnahme ins Kabinett die FDP Einspruch erhob (›Archiv der Gegenwart‹, 1961, S. 9441 C).

Freiwillige Rücktritte hat es in der Bundesrepublik äußerst selten gegeben. Selbst Krankheit als Rücktrittsursache gab es kaum, und Dissens im Kabinett wurde nur vereinzelt zum Demissionsgrund.

Bei Meinungsverschiedenheiten im Kabinett haben die Minister – auch einem starken Regierungschef gegenüber – in der Bundesrepublik mehr Möglichkeiten der Selbstbehauptung gehabt, als einige Kritiker der Bonner Lösung der Richtlinienkompetenz am Anfang befürchteten. Die Minister einer Koalitionspartei wie der FDP, die als Zünglein an der Waage fungierte, konnten ständig mit Koalitionsbruch drohen und haben damit praktisch zwei Regierungen zu Fall gebracht. Die Minister der CDU dagegen konnten – soweit sie eine gewisse Hausmacht hatten – Gruppen in der Partei aktivieren. Wie in England war jedoch die Rücktrittsdrohung einzelner Minister meistens nicht sehr effektiv (Alderman-Cross, 1967, S. 45). Das hat der populärste Rücktritt eines Ministers in der Bundesrepublik, der Fall Gustav Heinemann, gezeigt, der aus Protest gegen Adenauers Wiederbewaffnungspläne seinen Posten aufgab. Er hätte die Wiederbewaffnung durch seinen Rücktritt selbst dann nicht verhindern können, wenn er eine stärkere Stellung in der CDU gehabt hätte.

Neben dem Fall Heinemann gab es nur zwei Rücktritte von Ministern aus sachlichen Gegensätzen zum Koalitionspartner. 1965 trat Bucher zurück, weil er in der Verjährungsfrage eine andere Auffassung vertrat als die Mehrheit in der Regierung. Eine Karriere à la Heinemann war ihm danach nicht beschieden, obwohl er noch 1964 Kandidat der FDP für das Bundespräsidentenamt gewesen war.

Die Rücktrittsdrohung hat – wie in England – selten Erfolg gehabt. Die dilettantischste Rücktrittsdrohung – die sich weniger gegen die eigene Partei als gegen den Koalitionspartner richtete – war die von Innenminister Paul Lücke, der im Frühjahr 1968 aus Protest gegen den Beschluß des Nürnberger Parteitags der SPD, die Wahlrechtsfrage nicht mehr vor den nächsten Bundestagswahlen zu behandeln, zurücktrat. Bundeskanzler Kiesinger bat den Minister, der sich stark mit dem Vorschlag für die Einführung eines relativen Mehrheitswahlrechts identifiziert hatte, im Amt zu bleiben. Lücke schwankte erneut, gab Erklärungen ab und überprüfte seine Entschlüsse, so daß die Presse von »Umfall« sprach. Lücke hat in einer Rechtfertigungsschrift sein Verhalten entschuldigt: »An dieser Stelle eine kritische Anmerkung! Der Rücktritt vom Amte eines Bundesministers ist kein abenteuerliches Ereignis mit sensationellem Charakter, sondern ein Anlaß, der sehr wohl überlegt werden muß und bei dem man keinen Lösungsversuch und kein Gespräch ausschlagen kann, wenn es sich um ernsthafte Versuche handelt, eine Krise beizulegen. Etwas mehr Gelassenheit sollten Kommentatoren zeigen, die allzu eifrig von ›Umfallen‹ sprechen« (Lücke, 1968, S. 75). Es ist Lücke zuzugeben, daß der Entschluß zum Rücktritt wohlbedacht und verantwortlich gefaßt werden muß. Dennoch war die Art, wie er vorging, ein Paradebeispiel für den untauglichen Versuch am untauglichen Objekt, wenn wirklich nur die Wahlrechtsfrage das Motiv war. Das ist indessen bestritten worden, und daß die CDU nicht größere Anstrengungen gemacht hat, den Minister zu halten, mag mit einigen Mißgriffen – etwa im Streit um den Bundespräsidenten – zusammenhängen. Rücktrittsdrohungen müssen ihre Wirkung verfehlen, wenn sie vorzeitig an die Öffentlichkeit gelangen und mehrfach abgeschwächt werden.

Der Fall Lücke ist jedoch kein Beweis dafür, daß die Rücktrittsdrohung generell ein untaugliches Mittel darstellt. Heinemann hat mit seiner Drohung und ihrem Vollzug zumindest ein Zeichen gesetzt, das in der damaligen Zeit im In- und Ausland als noble Haltung seine Wirkung nicht verfehlte, auch wenn er die Politik in diesem Augenblick nicht ändern konnte. Zuweilen haben sogar prominente Mitglieder mit der Drohung, in eine andere Partei zu gehen, einiges erreicht. Als Paradebeispiel kann Linus Kather gelten. Im Kampf um das Lastenausgleichsgesetz hat er seine Stellung erst geschwächt, als er den mehrfach angedrohten Übertritt zum BHE im Juni 1954 auch wirklich vollzogen hatte (Fritz, 1964, S. 168). Trotz der hegemonialen Stellung der CDU im System der Bundesrepublik 1949–1969 sind die Möglichkeiten des Kanzlers, sich gegenüber seinen Ministern durchzusetzen und notfalls mit Sanktionen ihre Solidarität zu erzwingen, öfter zu wenig als zu viel ausgeschöpft worden, und viele Befürchtungen der Verfassungsväter erwiesen sich wenigstens in diesem Punkte als grundlos.

Die meisten Minister, die ausgeschieden sind, wurden durchaus gegen ihren Willen bei Kabinettsneubildungen übergangen. Öffentlich gezeigter Kummer darüber wurde in einer ganzen Reihe von Fällen sichtbar, etwa bei Brentano, Merkatz, Lemmer oder Blank. In einer Reihe von Fällen gab es zähe Verhandlungen um Entschädigungen, wie bei Lemmer, den man zum Sonderbeauftragten des Bundeskanzlers in Berlin erhob, oder bei Carlo Schmid, der seit Herbst 1969 eine ähnliche Funktion wahrnimmt. Auch andere Entlassene wurden mit Sondermissionen abgefunden, so Merkatz in der Europapolitik.

Ein Rücktrittsgrund, der erst in jüngster Zeit hinzugetreten ist, war die Übernahme wichtiger Parteifunktionen. Bruno Heck trat 1968 zurück, um als Generalsekretär der CDU den Wahlkampf vorzubereiten. Seinem Beispiel folgte Wischnewski im Bundesministerium für Wirtschaftliche Zusammenarbeit, als er vor den Wahlen die Bundesgeschäftsführung der SPD übernahm. Bei der Kabinettsbildung 1969 wurde er für dieses Opfer nicht wieder mit einem Posten honoriert, zum Teil wohl, weil sein Nachfolger Eppler sich stärker profiliert hatte und im Wahlkampf als einer der besten Köpfe der Mannschaft herausgestellt worden war.

Ministerentlassungen haben auch finanzielle Implikationen und wurden deshalb teilweise aus Pensionsaltersrücksichten unterlassen. Nur beim Regierungswechsel kann es solche Rücksichten nicht geben. Der erste Regierungswechsel von 1969 brachte jedoch verhältnismäßig geringe Belastungen für die Staatskasse. Nur drei Angehörige des ehemaligen Kabinetts Kiesinger, nämlich Kiesinger, Schröder und Höcherl, erfüllten die Voraussetzungen des Ministergesetzes in bezug auf die Pension, da sie mehr als vier Jahre Minister und über 55 Jahre alt waren. Die übrigen Minister bekommen drei Monate lang die vollen früheren Amtsgehälter und danach für den gleichen Zeitraum, wie sie Minister waren – jedoch höchstens für drei Jahre –, die Hälfte ihres Gehaltes als Übergangsgeld.

Fünf der in den Wartestand versetzten Staatssekretäre waren nahe an der Pensionierungsgrenze. Auch sie erhielten ein dreimonatiges Übergangsgeld in Höhe des vollen Gehaltes und danach bis zu 75 % vom Amtsgehalt als Pension. Wer von ihnen wenigstens 8 Jahre im Bundestag gesessen hat, erhielt außerdem eine Abgeordnetenrente von mindestens 800 DM.

Bei den Staatssekretären sehen die Abgangsgründe naturgemäß anders aus als bei den politischen Ressortchefs. Bei ihnen scheidet eine große Gruppe schon durch Erreichung der Altersgrenze aus (19,6 %). Bei einem Machtwechsel hat man die Pensionierung zum Teil vorweggenommen (›Der Spiegel‹, 1969, Nr. 45, S. 33). Freiwilligen Abgang aus verschiedenen Gründen kann man bei etwa einem Viertel der Staatssekretäre annehmen (26,8 %), und politische Meinungsverschiedenheiten bildeten die wichtigste Ursache für das Ausscheiden (34 %). Zapf (1965, S. 168) hat in den höheren Verwaltungspositionen als Hauptgrund des Amtswechsels den Aufstieg verzeichnet. Gleiches kann nicht für Staatssekretäre gelten. Nur 7 % gaben ihr Amt auf, um aufzusteigen. Gelegentlich machte die SPD Staatssekretäre zu Ministern, wie Ehmke in der Zeit der Großen Koalition oder Gscheidle 1974. Häufiger war der Aufstieg von Parlamentarischen Staatssekretären zu Ministern (im Durchschnitt pro Regierung zwei (1969/1972/1974); doch hat es den Anschein, als ob das parlamentarische und nicht das beamtete Staatssekretariat Schule der Ministrablen sein wird.

Unter der 20jährigen Herrschaft der CDU/CSU ist es zu relativ geringem Wechsel in den Ämtern der Staatssekretäre gekommen. Nur bei Regierungsneubildungen wurden mit dem Amtsantritt neuer Minister und durch Wünsche der Koalitionspartner gewisse Veränderungen ausgelöst. In Koalitionen zwischen CDU und FDP – wie unter Erhard – versuchten die Minister meist einen Staatssekretär aus ihrer Partei mit ins Amt zu nehmen, während der Koalitionspartner einen Staatssekretär aus der eigenen Partei wünschte, um eine gewisse Kontrolle ausüben zu können. Der Ausnahmefall, daß sich ein Minister für das Verbleiben des Staatssekretärs einer anderen Partei einsetzte, lag vor, als 1966 der neue CSU-Landwirtschaftsminister gegen das Votum vieler Parteifreunde und gegen den Protest des Deutschen Bauernverbandes den als allzu liberal geltenden FDP-Staatssekretär Rudolf Hüttebräuker im Amt hielt, bis er Ende 1967 aus gesundheitlichen Gründen ausschied (›Stuttgarter Zeitung‹, 30. 11. 1967). In der sozialliberalen Koalition häuften sich die Amtswechsel unter den Staatssekretären. Am meisten Aufsehen erregte die ziemlich brüske Entlassung von Günther Wetzel als Staatssekretär im Verteidigungsministerium nach der Amtsübernahme Lebers. Auch Maassens Abgang aus dem Justizministerium zeigte den Wandel der Rollenauffassung unter den stärker politisch orientierten neueren Staatssekretären. Maassens Nachfolger, Günther Erkel, definierte seine Rolle bei Amtsantritt als »politischer Partner des Ministers«, nicht wie einst als »loyaler Diener des Staates über den Wechsel der Minister hinweg«.

Damit wurde eine Vielfalt von Variablen ausschlaggebend für das Überleben der Staatssekretäre bei Ministerwechseln:

(1) Proporzgesichtspunkte der Parteien, die bei Kabinettsneubildungen nach Wahlen durch Verschiebungen in den Stimmanteilen mitbestimmt werden konnten;

(2) der parteipolitische Rückhalt eines Staatssekretärs (vgl. S. 104);

(3) das Ansehen eines Staatssekretärs in seinem Amt und in der Öffentlichkeit;

(4) sein Verhältnis zu den mächtigsten Interessengruppen, deren Adressat das Ministerium war – der Fall Hüttebräuker zeigte jedoch, daß dies keineswegs eine unabhängige Variable darstellte –, und nicht zuletzt

(5) das persönliche Verhältnis zum alten und zum neuen Minister. Zuweilen wurde das Verhältnis zwischen Minister und Staatssekretär unerträglich, so daß er sich um Versetzung in ein anderes Amt oder in den Ruhestand bemühen mußte, wie 1965 Staatssekretär Kattenstroth, der sich wegen der VEBA-Privatisierung mit Schatzminister Dollinger auseinandergelebt hatte (›Der Spiegel‹ 1965, Nr. 46, S. 33).

Gelegentlich konnte ein Staatssekretär, der aus einem Ministerium ausgeschieden war, sogar ein Comeback im gleichen Ressort feiern. So konnte Professor Karl Maria Hettlage, der 1962 vom FDP-Finanzminister Starke zur Montanunion nach Luxemburg abgeschoben wurde, 1967 wieder in das Ministerium eintreten; auf Grund des Regierungswechsels waren ihm jedoch nur knappe zwei weitere Jahre im Amt beschieden.

4. 1969 – eine personalpolitische Revolution?

In größerem Umfang mußte ein Wechsel der Partei, die den Kanzler stellte, sich auch auf die personelle Besetzung der Staatssekretariate auswirken, noch dazu, wenn die Regierungsneubildung zu einer drastischen Verkleinerung der Ressortzahl führte. Die rechtskatholische Presse verstieg sich aus diesem Anlaß teilweise bis zu der Behauptung, daß selbst beim Amtsantritt Hitlers nicht so viele Beamte ausgewechselt worden seien. Die neue Koalition wurde zugleich von einigen Blättern als »Katholikenschreck« aufgebaut, da sie bewährte katholische Sachbearbeiter zu »Dezernenten für Bekämpfung von Lärm- und Luftverschmutzung oder für Seuchen und Gift« degradiere (zit. ›Die Zeit‹, 21. Nov. 1969). Ende Dezember 1969 wurden von Genscher 72 höhere Beamte genannt, die nach der Regierungsbildung versetzt oder mit anderen Aufgaben betraut wurden (FAZ, 23. Dez. 1969).

Am schärfsten kritisiert wurde die Personalpolitik im Finanzministerium unter Alex Möller, wobei gern von einem »Blutbad« gesprochen wurde. Möller entließ die Staatssekretäre Grund und Hettlage, die beide als engagierte Verteidiger von Strauß auch im Wahlkampf hervorgetreten waren. Grund hatte noch nach den Wahlen der Hoffnung Ausdruck gegeben, daß Strauß nur für kurze Zeit außer Amtes sein werde. 4 von 7 Abteilungsleitern (Ludwig Falk, Hans Clausen, Korff und Aegidius von Schoenebeck) wurden in den einstweiligen Ruhestand versetzt. Ministerialdirektor Horst Vogel nahm freiwillig seinen Abschied, ließ sich aber auf besonderen Wunsch des Ministers umstimmen (›Der Spiegel‹, 1969, Nr. 45, S. 42) und schied erst Ende 1970 wegen Meinungsverschiedenheiten mit dem Minister aus.

Gerade die scharf kritisierte Personalpolitik von Alex Möller hatte jedoch bei weitem nicht die vermuteten Folgen für die Karrieren der Betroffenen. Im Februar 1970 war nur noch Schoenebeck nicht wiederbeschäftigt – wenn man einmal von Hettlage absieht, der die Ruhestandsgrenze überschritten hatte. Vogel wechselte lediglich die Abteilung. Falk wurde Generalsekretär für die Reformgruppe ›Steuerreform‹, Korff bekam von Möller einen Sonderauftrag für haushaltssystematische Fragen, und der Leiter der Zollabteilung, Schädel, arbeitet an einem Sonderauftrag über Fragen des Zolls in Verbindung mit den deutschen Seehäfen (›Südwest-Presse‹, 17. Febr. 1970).

Ähnlich scharf wurden die Umbesetzungen im Auswärtigen Amt und im Bundeskanzleramt kritisiert. Die Versetzung von 26 Diplomaten (davon 11 Botschaftern und Generalkonsuln) in den einstweiligen Ruhestand wurde nicht politisch begründet, aber politisch verstanden trotz Scheels Erklärung, daß eine Verjüngung des Personalbestandes angestrebt würde. Der Außenminister betonte, er halte eine Altersgrenze von 60 Jahren für nötig, was jedoch als Vorwand verdächtigt wurde und in den Augen vieler Kritiker gegen den Grundsatz der Gleichbehandlung verstieß (FAZ, 25. Nov. 1969, S. 6), obwohl man bei Diplomaten, die unter den Strapazen der Lebensbedingungen ferner Länder leben mußten, eine solche Regelung wahrscheinlich rechtfertigen könnte. Ganz so revolutionär ist die Sechzig-Jahre-Grenze auch nicht, wie sie empfunden wurde, wenn man das Pensionsalter der Militärs zum Vergleich heranzieht (vgl. S. 155). Der DGB strebt zudem die Altersgrenze von

60 Jahren für alle an, soweit es der Wunsch eines Arbeitnehmers ist, und das für Chargen, die weit weniger mit Verantwortung belastet sind als die Politiker.

Die neuen Staatssekretäre und politischen Beamten sind weder alle Mitglieder der Partei des jeweiligen Ministers, noch sind sie überhaupt alle Angehörige einer der beiden Parteien der Koalition. Unter den Nichtparteimitgliedern lassen sich jedoch eine Reihe von »Nahestehern« ermitteln. So wurde der stellvertretende Regierungssprecher, Rüdiger Freiherr von Wechmar, im koalitionsinternen Posten-Proporz auf das Konto der FDP verbucht, obwohl er nicht Parteimitglied ist und diese Partei – nach eigener Angabe – bei den Bundestagswahlen nicht einmal gewählt hat (›Der Spiegel‹, 1969, Nr. 46, S. 46).

Im ganzen war der Personalwechsel nicht so spektakulär, wie er bei einer solchen Wachablösung hätte werden können, weil die SPD bereits in der großen Koalition mit einer ganzen Anzahl von Amtsträgern vertreten war. Von den 26 beamteten Staatssekretären, die es am letzten Amtstag der alten Bundesregierung, am 19. Oktober 1969, gab, mußten von den 15 Staatssekretären jener Ministerien (einschließlich des Bundespresseamtes), die bisher von CDU/CSU-Politikern geführt wurden, 12 im Laufe des Oktober und November ausscheiden, und zwei weitere (Barth, Gesundheitsministerium; Lemmer, Postministerium) folgten bis zum Jahresende. Von ihnen wurden in den einstweiligen Ruhestand versetzt (FAZ, 6. Nov. 1969): Carstens (Bundeskanzleramt), Gumbel (Inneres), Grund und Hettlage (Finanzen), Neef (Landwirtschaft), Kattenstroth (Arbeit), v. Hase (Verteidigung), Vogel (Schatz) und Lemmer (Post). Nahm wurde mit der selbständigen Abteilung im Innenministerium betraut, die aus dem bisherigen Vertriebenenministerium gebildet wurde. Nahm wurde gleichzeitig von der FAZ (3. Nov. 1969) als einer der »bedeutendsten Staatssekretäre aus Adenauers und Erhards Zeiten« gewürdigt, und seine persönliche Gelassenheit drückte sich auch in der Rede aus, die er bei der Übergabe des Hauses hielt, da Windelen und Benda nicht erschienen. Er charakterisierte die besonderen Schwierigkeiten des Ressorts in der Vergangenheit mit den Worten: »Wir mußten ohne den berühmten Schimmel arbeiten. Uns hat gegenüber den klassischen Häusern der legitime Stallgeruch gefehlt. Nehmen Sie es mir bitte nicht übel, wenn ich persönlich ihn bis heute nicht angenommen habe. Ich werde ihn allerdings respektieren und meinen alten Kameraden zu empfehlen wissen« (FAZ, ebd.). Erst im Dezember 1970 wurde Nahm durch Wolfgang Rutschke ersetzt.

Im Verkehrsministerium wurde Gerd Lemmer verabschiedet, der seit dem

1. April 1969 Staatssekretär im Postministerium war, und durch den bisherigen Zweiten Vorsitzenden der Postgewerkschaft, Kurt Gscheidle, ersetzt, der sein Bundestagsmandat niederlegen mußte. Leber bekannte sich bei dieser Gelegenheit zur Wahrung der Kontinuität der ministeriellen Arbeit und wollte lediglich die politischsten Posten des Ressorts umbesetzen, zu denen er den persönlichen Referenten, den Pressereferenten und die Posten der politischen Planung rechnete (FAZ, 7. Nov. 1969, S. 5).

Anfang Juni 1970 gab es gleich zwei Wechsel bei den Staatssekretären im Auswärtigen Amt. Sigismund Freiherr von Braun und Paul Frank lösten Duckwitz und Harkort ab, die wegen Erreichung der Altersgrenze ausschieden. Diese Veränderung war um so spektakulärer, als zur gleichen Zeit Ralf Dahrendorf, der in die EWG-Kommission gewählt wurde, als parlamentarischer Staatssekretär durch Karl Moersch (FDP) abgelöst wurde.

Durch die personellen Umbesetzungen wurden gewisse Kosteneinsparungen ermöglicht, die vom parlamentarischen Staatssekretär im Finanzministerium, Reischl, am 6. November 1969 mit 3,5 Millionen DM im Jahr angegeben wurden. Übermäßige Hoffnungen auf Kosteneinsparungen konnte jedoch auch er nicht machen, da der Personalbestand durch die Auflösung von 5 Bundesministerien nicht wesentlich verringert werden kann. Die Projektgruppe für Regierungs- und Verwaltungsreform hat selbst bei einer radikaleren Kabinettsverkleinerung um 7 Ressorts nur den Wegfall von maximal 80 Beamtenstellen als möglich angesehen. Von den einzusparenden 3,5 Millionen wurden wiederum 1,2 Millionen für die Gehälter der acht neuen parlamentarischen Staatssekretäre gebraucht. Das Amtsgehalt der parlamentarischen Staatssekretärs betrug 1969 1 1/3 des Grundgehalts eines beamteten Staatssekretärs plus 300 DM Wohnungsgeldentschädigung (Grundgehälter zur Zeit: Minister [verheiratet, ohne Kind]: 7993,– DM, beamteter Staatssekretär: 5770,– DM, parlamentarischer Staatssekretär: rd. 5990,– DM plus Grunddiäten als Abgeordneter in Höhe von 2460,– DM; FAZ, 7. Nov. 1969, S. 5).

Von den Staatssekretären der 1966–1969 von der SPD geleiteten Ressorts schied nur Schornstein (Wohnungsbauministerium) aus, der von der SPD 1966 übernommen worden war; er wurde durch den bisherigen Leiter der Abteilung Städtebau im Ministerium, Storck, ersetzt. Durch die Wahl zum Bundestagsabgeordneten schieden drei weitere Staatssekretäre aus: v. Dohnanyi (Wirtschaft), Hein (wirtschaftliche Zusammenarbeit) und Fritz Schäfer (Bundesrat), was bei der SPD einen stärkeren Trend zur politischen Betätigung von Staatssekretären zeigt (vgl. S. 104).

Am 5. November 1969 wurde im Bundestag eine Fragestunde über die Personalpolitik der neuen Bundesregierung gehalten, in der der Innenminister Genscher auf die Vorwürfe der Opposition einging und die Zahlen der entlassenen und versetzten Referenten (18 Ministerialräte) bekanntgab. Besonders umstritten war die Frage, die der ehemalige Innenminister Benda aufwarf, ob er es mit dem Grundgesetz für vereinbar halte, daß ein beamteter Staatssekretär einen Beamten nach seiner Parteizugehörigkeit frage. Genscher hielt das ebenfalls nicht für zulässig und versprach, den Fall zu prüfen (Deutscher Bundestag, 8. Sitzung, 5. Nov. 1969, S. 248 B). Genscher konnte allerdings keine Antwort auf die Frage geben, ob es stimme, daß bereits vor der Kanzlerwahl eine vom designierten Kanzleramtsminister Ehmke aufgestellte Liste der im Kanzleramt abzulösenden Beamten existiert hatte. Obwohl die Frage nicht beantwortet wurde, da Ehmke von seinem Rederecht keinen Gebrauch machte, sondern sich nur einer »zufriedenen Heiterkeit« hingab (FAZ, 6. Nov. 1969, S. 5), ist durchaus anzunehmen, daß diese Nachricht auf Wahrheit beruhte. Es ist jedoch nicht einzusehen, warum eine Partei sich nicht bereits vor der Kanzlerwahl Gedanken über die personellen Konsequenzen einer Übernahme des höchsten Amtes machen soll, und es entspräche der ungerührten Einstellung Ehmkes in der Frage des Positionswechsels. Auf den Vorwurf von Strauß über das »Köpferollen« soll Ehmke geantwortet haben: »Das Geschrei der CDU-Leute ist kindisch. Die haben doch 20 Jahre lang die Vorteile des politischen Beamten in vollen Zügen genossen. Dann sollen sie jetzt gefälligst auch die Nachteile schlucken« (›Der Spiegel‹, 1969, Nr. 47, S. 41). Das war die saloppe Formulierung für den durchaus begründeten Standpunkt, daß die CDU selbst die Mitschuld trug, daß der Amtswechsel so tief herab in die Ministerialbürokratie sich auswirkte. Friedrich Karl Fromme (FAZ, 11. 4. 1970, S. 2) hat zwar der CDU bescheinigt, sie habe kaum parteiische Personalpolitik getrieben. Auch eine neuere Veröffentlichung (Skibowski, 1970, S. 16) gibt an, daß zum Beispiel im Bundeskanzleramt von den 66 höheren Beamten nur 16 Mitglieder der Unionsparteien waren. Nicht selten ist sogar behauptet worden, daß es karrierepolitisch bis 1969 gar nicht günstig war, förmliches Mitglied der CDU zu sein, und daß die sogenannten »Nahesteher« häufig bevorzugt wurden. Beim Vergleich der parteilichen Ämterpatronage wird die SPD vermutlich zu kritisch beurteilt werden, wenn man nicht zwei Umstände berücksichtigt: Einmal fiel die Personalpolitik der Unionsparteien weniger auf, da sie sich kontinuierlich über 20 Jahre erstreckte; zum anderen genügt es nicht, die bloße Zahl der Parteimitglieder unter den jeweiligen Regierungen auszuzählen und zu vergleichen.

Die Auswechslung von politischen Beamten wurde ja nicht lediglich aus Patronagegründen vorgenommen, sondern um in Schlüsselstellungen Beamte zu haben, bei denen die Möglichkeit eines Konsenses besteht. Der liberal-konservative Durchschnittsbeamte der Adenauer-Ära teilte in der Regel ohnehin die Werthaltungen der Regierung, auch wenn er kein förmliches Mitglied der Unionsparteien war. Gerade die Ideologie vom unpolitischen Beamtentum, die es ermöglicht, in keiner Partei zu sein und doch das Vertrauen der parteipolitischen Dienstherren zu genießen, begünstigte allenthalben die Unionsparteien. Fromme machte richtig geltend, daß auch parteipolitischer Konsens sachlichen Dissens nicht ausschließe. Bei der Finanzreform zum Beispiel könne man unabhängig von der Partei Zentralist oder Föderalist sein. Fromme unterschätzte dabei den parteipolitischen Charakter von politischen Streitfragen und dachte zu sehr in Sachzwängen. Er unterschätzte vor allem bei der SPD ganz entschieden die Parteidisziplin, die nur in Ausnahmefällen aus sachlichen Gründen einen fundamentalen Dissens an den Tag bringen würde.

Die Kritik an der Personalpolitik der Regierung von 1969 wurde zu Recht mit einem Rückblick auf die Entstehung des Bundesbeamtengesetzes zurückgewiesen. Das Gesetz von 1953, das durch eine CDU-Mehrheit geschaffen wurde, machte nicht nur die Staatssekretäre, sondern auch die Ministerialdirektoren und im Auswärtigen Amt die Beamten bis herab zu den Botschaftsräten erster Klasse, die höheren Chargen im Bundesamt für Verfassungsschutz und im Bundesnachrichtendienst, den Generalbundesanwalt beim Bundesgerichtshof und den Oberbundesanwalt beim Bundesverwaltungsgericht zu politischen Beamten.

Die CDU griff mit diesem weiten Kreis auf eine Tradition zurück, die älter ist als das parlamentarische System in Deutschland. In Preußen wurden durch Gesetz vom 21. Juli 1852 Unterstaatssekretäre, Ministerialdirektoren, Oberpräsidenten, Regierungspräsidenten, die Vorsteher königlicher Polizeibehörden und die Landräte politische Beamte. Im Reichsbeamtengesetz vom 31. März 1873 wurde dieser Katalog von politischen Beamten noch erweitert, um die »Direktoren und Abteilungschefs im Reichskanzleramte und in den einzelnen Abteilungen desselben sowie im Auswärtigen Amte, die Militär- und Marine-Intendanten, die diplomatischen Agenten einschließlich der Konsuln«. Durch Gesetz vom 17. Mai 1907 erhielt diese Bestimmung die Fassung: »Außer dem im § 24 bezeichneten Falle können durch Kaiserliche Verfügung die nachbenannten Beamten jederzeit unter Gewährung des gesetzlichen Wartegeldes einstweilig in den Ruhestand versetzt werden: der

Reichskanzler, die Staatssekretäre, die Unterstaatssekretäre, Direktoren und Abteilungschefs in den dem Reichskanzler unmittelbar unterstellten obersten Reichsbehörden, in der Reichskanzlei und in den Ministerien, die vortragenden Räte und etatsmäßigen Hilfsarbeiter in der Reichskanzlei und im Auswärtigen Amte, die Militär- und Marine-Intendanten, die Ressortdirektoren für Schiffbau und Ressortdirektoren für Maschinenbau in der Kaiserlichen Marine, die Vorsteher der diplomatischen Missionen und der Konsulate sowie die Legationssekretäre« (E. R. Huber [Hrsg.]: Dokumente zur Deutschen Verfassungsgeschichte. Stuttgart 1964, Bd. 2, S. 340). In einer Zeit, da das System noch nicht parlamentarisiert war, hatten solche Bestimmungen die Funktion einer Gesinnungssperre, damit die Beamten sich nicht zu weit nach links orientierten (Fromme, 1969, S. 1). Bismarck wurde vorgeworfen, damit nach 1862 etwa 1000 Beamte entfernt zu haben, die liberaler Neigungen verdächtig schienen (Chapman, 1966, S.31).

Erst nach der Parlamentarisierung bekamen diese Bestimmungen die moderne Funktion, eine Übereinstimmung der politischen Linie zwischen dem Minister und seinen wichtigsten Beamten zu gewährleisten. Der Minister, der de jure für jede Handlung eines Beamten seines Ressorts verantwortlich ist, muß das Recht haben, sich politisch möglichst gleichgesinnte und loyale Mitarbeiter auszusuchen, um seine Verantwortlichkeit nicht mit dem Risiko zu belasten, das aus offenem oder geheimem Dissens entstehen kann. Dies gilt, obwohl de facto die Verantwortlichkeit der Minister für jede Handlung in ihren Ministerien immer geringer wird und die Ministerverantwortlichkeit in den meisten Fällen nicht sehr extensiv interpretiert wurde. Das Problem der Verantwortung darf aber nicht nur von der Möglichkeit parlamentarischer Sanktionen her verstanden werden. Verantwortung verbindet sich mit dem Problem der Unsicherheitsabsorption, denn sie kommt nur zustande, »wenn ein gewisses Vertrauen in die Richtigkeit einer Kommunikation gewährleistet ist« (Luhmann, 1964, S. 175). Die Richtigkeit der Kommunikation ist jedoch von vornherein gefährdet, wenn es keinen politischen Konsens zwischen dem Minister und seinen wichtigsten Beamten gibt.

1937 erweiterten die Nazis diesen Katalog abermals im Reichsbeamtengesetz um den höheren Dienst vom Regierungsrat an. Obwohl die Presse im allgemeinen den Personalwechsel, der im Herbst 1969 vorgenommen wurde, für tragbar hielt, wurde dennoch gelegentlich gefragt, ob der Sinn des Beamtengesetzes bei den zahlreichen Versetzungen in den einstweiligen Ruhestand ganz richtig interpretiert wurde. Friedrich Karl Fromme sieht in der Beamtenablösung infolge von Koalitionsvereinbarung einen Mißbrauch in dem Fall, wenn eine Zusammenarbeit in einzelnen Fällen gar nicht erst versucht wird, sondern beim Regierungswechsel eine präventive Entlassung möglicher Dissenter vorgenommen wird. Außerdem sieht er die Gefahr, daß eine »besondere Sorte von Politik-Pensionären« entsteht: Parteifunktionäre, die als Ministerialdirektoren oder Staatssekretäre binnen vier Jahren eine stattliche Pension erdienen. Er empfiehlt daher eine Änderung des Beamtenrechts und eine Reduzierung des Begriffes des politischen Beamten auf ein Minimum. Er hält eine solche Initiative der neuen Regierung auch im wohlverstandenen Eigeninteresse für geboten, weil ihre »Protektionskinder« dann dem Zugriff einer neuen Unionsregierung entzogen würden (Fromme, 1969, S. 1). Diese Auffassung ist noch vom konstitutionellen Gedanken eines unpolitischen Beamtentums getragen, wie er in der deutschen Publizistik bis zu Köttgen häufig anzutreffen war, aber vor allem den angelsächsischen Ländern ziemlich fremd ist: »Die Beamtenschaft muß jedoch im parlamentarischen Staat von diesen politischen Parteien soweit wie möglich ferngehalten werden« (Köttgen, 1928, S. 109).

Daß hohe Beamte politisch neutral bleiben können, ist gerade bei der jüngsten Politisierung aller Bereiche undenkbar und entspricht auch nicht den Vorstellungen von der Übertragung parlamentarischer Verantwortlichkeitsformen, die heute von einer Avantgarde in der Verwaltungswissenschaft empfohlen wird, um Hierarchiedenken und Immobilismus in der Bürokratie zu überwinden (Grauhan, 1969, S. 21 ff.). Eine solche Auffassung ist auch angesichts der Parentela-Beziehungen, die sich zwischen organisierten Interessen vermittels etablierter Parteien und der Bürokratie herausbilden, nicht sehr realistisch. Falls es in der Bundesrepublik zu einer skandinavischen Lösung käme, nach der die SPD für lange Zeit die führende Rolle bei der Regierungsbildung spielt, könnte sich das Parentelamodell, wie es La Palombara für die italienischen Christdemokraten entwickelte und wie es für die CDU partiell anwendbar ist, auch zwischen SPD, Verwaltung und einigen Interessen (z. B. Gewerkschaften) ausbilden (vgl. Joseph La Palombara: Interest Groups im Italian Politics. Princeton 1964, S. 306 ff.). Mit einer zunehmenden Austauschbarkeit der Führungsfunktionen in der Spitzenbürokratie und in den politischen Laufbahnen, die von der SPD in Ansätzen demonstriert wurde, bringt auch die Ablösung von politischen Spitzenbeamten nicht mehr die gleichen Härten mit sich wie in einer Zeit, da die hohen Beamten weder in die Politik gehen konnten und wollten noch Unterschlupf im Wirtschafts- und Verbandsmanagement erhoffen durften, wie dies heute zunehmend der Fall ist (vgl. S. 148). Eine solche Erleichterung des Positionenwechsels fördert nicht nur die vieldiskriminierte Politisierung des Beamtentums, sondern zugleich Planungsmethoden und Existenzformen aus den Bereichen von Wirtschaft und Politik, die dem hohen Beamtentum in der Zeit des Juristenmonopols nur allzusehr fehlten und das Scheuklappendenken in Bahnen der Normenanwendung konservierten.

Die Angst vor politischen Beamten ist um so ungerechtfertigter, als die Beamten in bezug auf politische Funktionen – vor allem auf parlamentarischer Ebene – im übrigen noch immer privilegiert sind. Ausgerechnet 1969, bei den »politischsten« Wahlen seit 1949, ist die Zahl der Parlamentarier aus dem öffentlichen Dienst sprunghaft bis auf 40 % angestiegen. Diese Entwicklung wurde nicht unwesentlich durch die Regelung gefördert, daß die Beamten-Abgeordneten doppelte Bezüge aus der Staatskasse erhalten: während ihres aktiven Dienstes Diäten und das Wartegeld, und wenn sie das Pensionsalter erreicht haben, die Beamtenpension und gegebenenfalls dazu die Abgeordnetenpension. Obwohl manche Abgeordnete, die als Verbandslobbyisten Parlamentarier werden, nicht schlechter gestellt sind, sind sie doch nicht ein so massiver Block von Privilegierten wie die Beamten im Parlament (vgl. Zundel, 1969, S. 12).

Das Problem der politischen Beamten in einer komplexen Bürokratie läßt sich wahrscheinlich auch dadurch lösen, daß eine Reihe der aus ihren Posten entfernten anderweitig wiederverwendet wird, und keineswegs nur als »Schmutz- und Lärmbekämpfungsdezernenten«, wie einige katholische Blätten wähnten. Immerhin wurden angesehene Staatssekretäre wie Diehl und v. Hase im Auswärtigen Dienst als Botschafter eingesetzt, und die 1. Regierung Brandt hätte auch Carstens gern gehalten. Einige Minister waren auch sehr zurückhaltend mit Entlassungen. Helmut Schmidt wurde sogar dafür kritisiert, daß er zu wenige personelle Änderungen vornahm; in seiner Partei hat er mit starken Vorwürfen gegen die Politik von »Schmidt-Noske« zu kämpfen.

Das Ausmaß des Personalwechsels von 1969 kann nur dann gerecht beurteilt werden, wenn man die üblichen personalen Veränderungen von der Endsumme abzieht, die auch bei Kabinettsumbildungen unter CDU-Kanzlern üblich waren. Gerade der Faktionalismus der CDU hat beim Übergang von Adenauer zu Erhard und von Erhard zu Kiesinger zu einer Reihe von personalen Veränderungen unter den politischen Beamten geführt, um den Ansprüchen der »Flügel« Rechnung zu tragen. Als die Bundesregierung in der Fragestunde vom 5. November 1969 so heftig für ihre Personalpolitik kritisiert wurde, entschärfte der FDP-Abgeordnete Moersch die Stimmung durch die Heiterkeit auslösende Frage an Genscher: »Herr Minister, können Sie den

Kollegen von der CDU/CSU-Fraktion bestätigen, daß bei der Ablösung des Bundeskanzlers Erhard durch Bundeskanzler Kiesinger der CDU nahestehende Beamte aus der Umgebung des Bundeskanzlers Erhard nachher nicht mehr sachgerecht beschäftigt werden konnten, weil Bundeskanzler Kiesinger das nicht wollte?« Genscher antwortete darauf: »Herr Kollege, ich könnte den Kollegen der CDU auf jeden Fall bestätigen, daß Beamte im Bundeskanzleramt beim Kanzlerwechsel 1966 anders beschäftigt worden sind, als das vorher der Fall war. Hier sind ähnliche Vorgänge feststellbar gewesen, wie sie sich auch jetzt als notwendig erwiesen haben« (Deutscher Bundestag, 5. Nov. 1969, S. 249 C).

Von den rund 110 Ministerialdirektoren haben nur wenige eine so politische Rolle, wie der Begriff »politische Beamte« vermuten läßt, und ein großer Teil von diesen wird loyal seine Arbeit verrichten können, ohne sich politisch so zu exponieren, daß sie beim nächsten Regierungswechsel eine Entlassung riskieren.

Im ganzen wird das Ende der 20 Jahre Vorherrschaft der CDU/CSU ohnehin eine moderierende Wirkung auf das Verhalten der Beamten ausüben. Wenn einmal internalisiert wird, daß ein Wechsel in der Regierungsspitze in der Bundesrepublik nicht nur möglich, sondern auch zu wünschen ist, wird die unkritische Identifizierung und das Surplus-Engagement einiger Beamter vermutlich verschwinden. Außerdem könnte man sich vorstellen, daß einige Mißbräuche, welche die CDU-Herrschaft mit der Verfügung über Beamte getrieben hat, abgebaut werden, damit die Möglichkeiten zur politischen Exponierung von Beamten verringert werden: z. B. die ungenierte Art, wie höhere Beamte in CDU/CSU-Fraktionssitzungen referierten, ohne daß die Opposition gleiche Vorteile hatte, oder die hart am Rande der Legalität geübte Praxis, Beamte auch für den politischen Teil der Arbeit von Ministern einzusetzen, als Ghostwriter und gar als Adjutanten im Wahlkampf. Kurt Becker hat in der ›Zeit‹ (21. Nov. 1969, S. 1) mit Recht davor gewarnt, den Versuch zu unternehmen, einen »beamtenrechtlich gesicherten Naturschutzpark« zu schaffen. Man könnte jedoch erwägen, die Grenze zwischen politischen Beamten und Berufsbeamten deutlicher zu ziehen durch Rückgriff auf das britische Modell der »permanent secretaries«, die die Kontinuität der Administration verbürgen. In Großbritannien werden die höchsten Beamten nicht ausgewechselt, wenn eine neue Partei ins Amt gelangt; im Gegenteil, selbst parlamentarische Staatssekretäre haben manchmal weniger Kontakt mit dem Minister als die ständigen Beamten (Daalder, 1963, S. 256). In Amerika hingegen ist trotz der zunehmenden Ablösung des alten Beutesystems durch das

»merit system« jeder Regierungswechsel noch mit dem Wechsel Tausender von Beamten verbunden. Auch die eifersüchtige Wachsamkeit, mit der der Senat sein Bestätigungsrecht auszuüben versucht, sowie die gelegentliche Weigerung, einzelne Ernennungen des Präsidenten zu billigen, bildeten keine echte Barriere gegen umfangreichen Gebrauch der Patronagemacht des Präsidenten (Woll, 1963, S. 153).

Die Ansätze zu einem Beutesystem im höheren politischen Beamtentum werden in der Bundesrepublik heute zum Teil milder beurteilt als vor einigen Jahren, weil das vorherrschende Auslese- und Senioritätsprinzip für die Beamtenbeförderung stark unter Kritik gekommen ist. Daher haben die Beamten die Bevorzugung jüngerer Kräfte zwar murrend, aber letztlich protestlos hingenommen, wie sich am umstrittenen Fall Klaus Noé zeigte, der mit 31 Jahren Ministerialdirigent im Wirtschaftsministerium wurde und damit in die Lage kam, Vorgesetzter wesentlich älterer Beamter zu sein. Schiller rechtfertigte diesen Aufstieg mit dem Hinweis, daß sich auch andere Ressorts für den jungen Mann interessiert hätten und man daher eine unorthodoxe Lösung habe finden müssen (›Spiegel‹, 1969, Nr. 48, S. 36). Der Hinweis auf die Konkurrenz der Ministerien ist nur stichhaltig, wenn man davon ausgeht, daß die Ministerien nicht mehr ein Kartell bilden, das sich strikt an die gleichen Vorschriften hält. Davon konnte schon länger keine Rede mehr sein, da die Mobilität in den neugeschaffenen Ministerien, die sich mit unorthodoxen Materien befassen und kein so drückendes Juristenmonopol kennen wie die klassischen Ressorts, bekanntlich größer ist. Das gilt vor allem für das Bundesministerium für Wirtschaftliche Zusammenarbeit, in dem das Durchschnittsalter der Beamten schon 1967 nur 34 Jahre betrug und Referatsleiter im Range eines Ministerialrates mit 35 Jahren existierten (Grunenberg, 1969, S. 72).

Das viel beschworene Leistungsprinzip, das angeblich unserer Gesellschaft zugrunde liegt, wird bei der Einstellung zwar berücksichtigt, aber an veralteten Kriterien gemessen. Neuere Bestrebungen zielen darauf ab, es auch bei der Beförderung von Beamten über das Anciennitätsprinzip zu stellen. Das Problem der politischen Beamten wird sich letztlich nur im Rahmen einer Neuorganisation der Beförderungs- und Einstellungsvorschriften regeln lassen. Dabei wird sich das Leistungsprinzip immer auch mit parteipolitischen Gesichtspunkten verbinden und vielen Karrierebeamten verdächtig bleiben, weil die Leistung nicht auf allen Gebieten abstrakt abzuschätzen ist, sondern eben auch einen politischen Nutz- und Prestigewert hat, der bei der Karrieremobilität politischer Beamter zu Buche schlägt.

Zahlreiche Vorschläge zur Lösung der Frage des politischen Beamtentums wurden inzwischen gemacht. Vom Abgeordneten Dichgans (CDU) wurde in einer Fragestunde des Bundestages der Vorschlag wiederaufgegriffen, der auch Genscher diskutabel erschien, nach französischem Muster ein politisches Kabinett zu berufen, das mit dem Minister kommt und geht; damit würde erreicht, dem Berufsbeamtentum die gesamte Beamtenlaufbahn bis zum beamteten Staatssekretär zu erhalten (Deutscher Bundestag, 5. Nov. 1969, S. 249 D). Es wäre jedoch eine Illusion, sich von der Einführung des französischen »cabinet ministériel« eine Verringerung der Zahl politischer Beamter zu versprechen. Ein französisches Dekret von 1912 begrenzte das »cabinet« auf einen »chef du cabinet«, 2 Unterchefs, 3 Attachés und einen Sekretariatschef. Diese Zahlen wurden ständig ausgeweitet, und einige Ämter in Frankreich – wie das des Premierministers oder des Finanzministers – haben über 20 Mitglieder im »cabinet« (Siwek-Pouydesseau, 1969, S. 93 f.). Es wäre auch kaum möglich das französische »cabinet ministériel« in allen Einzelheiten zu imitieren; etwa der »attaché parlementaire« hat nach der Einführung des parlamentarischen Staatssekretärs keine Funktion mehr. Die Erfahrungen mit dem politischen Kabinett der Minister in Frankreich sind zudem sehr unterschiedlich. In einigen Ressorts waren sie nicht mehr als »Briefkästen« (R. Catherine: Cabinet et Services. In: La revue administrative, 1953, S. 347). Die Einrichtung entstand, als parlamentarisch verantwortliche Minister einer zu starken und in Sachzwängen denkenden Bürokratie gegenübertreten mußten und sich daher mit einem Kreis politisch gleichgesinnter Beamter zu umgeben versuchten. Die Bürokratie hat jedoch in vielen Fällen das Kabinett isoliert und frustriert, und nicht selten war es mehr ein Vehikel zur Karriereakzeleration einzelner Beamter als ein effektives Instrument politischer Verwaltungsführung. Bei der Vorherrschaft der »grands corps traditionnels« in Frankreich (Conseil d'Etat, Cour des comptes, Inspection des finances) und bei der elitären Rekrutierung vieler hoher Beamter aus den »grandes écoles« hatte das politische Kabinett der Minister jedoch eine wichtige Bedeutung für die Rekrutierungsfunktion, die es in Deutschland nicht in gleichem Maße gewinnen könnte. Darüber hinaus bleibt die Frage, ob nach Einführung des parlamentarischen Staatssekretärs nach britischem Vorbild das französische Modell mit dieser Vorentscheidung noch kompatibel ist.

Werner Thieme hat zur gleichen Frage in einem Referat (1968, S. 165 f.) vorgeschlagen, den Staatssekretär unabsetzbar und die Pressechefs möglichst überhaupt nicht zu Beamten zu machen. Das Gesetz solle keine jederzeitige

Versetzung in den einstweiligen Ruhestand vorsehen, sondern höchstens die Versetzung auf ein rangniedrigeres Amt unter Gewährung einer Ausgleichszulage. Dieser Vorschlag hat manches für sich, würde aber vermutlich zu Unzuträglichkeiten in dem neuen Amt führen, wenn es ein Beamter nur widerwillig versieht; darüber hinaus bestünde die Gefahr, daß auch rangniedrigere Posten etwas willkürlich ausgesucht würden.

Ein abschließendes Urteil über das Ausmaß des Wandels in der Führungsauslese in der Verwaltung läßt sich nur im Vergleich mit anderen Ländern ziehen. An solchen Vergleichen sind jedoch die politischen Systeme Europas nicht reich, oder diese hinken. Kontinentale Länder wie Frankreich oder Italien haben einen solchen Wandel der Koalition nie erlebt. Der französische Machtwechsel von 1958 ist hier unvergleichbar, weil er zugleich einen Regimewechsel implizierte. Nur in England und in den Commonwealth-Staaten hat das Prinzip des »alternative government« im Quasi-Zweiparteiensystem nach dem Krieg bisweilen einen echten Regierungswechsel herbeigeführt: in Großbritannien 1946, 1951, 1964 und 1970, in Australien 1949, in Neuseeland 1949, 1957 und 1961, in Kanada 1963.

Auf dem Kontinent gibt es allenfalls zwei Beispiele für einen spektakulären Regierungswechsel: 1965 in Norwegen und 1967 in Dänemark mit dem Sieg »rechter« Koalitionen über die sozialdemokratischen Dauerregierungen. In beiden Fällen hatte aber der Umschwung keine vergleichbaren personalpolitischen Konsequenzen, da in beiden Ländern ein »spoil system« nicht üblich ist und relativ altkonstitutionelle Auffassungen vom Beamtentum überwiegen (vgl. J. A. Storing: Norwegian Democracy. Boston 1963, S. 108; K. E. Miller: Government and Politics in Denmark. Boston 1968, S. 168).

Auch die Folgen eines Regierungswechsels im britischen System sind keinesfalls mit denen im System der Bundesrepublik vergleichbar, da die Tradition des »Civil Service« und die politische Kultur der angelsächsischen Länder differiert. Einerseits erscheint ein englischer Machtwechsel als ein »Schlachtfest« des Beutesystems, bei dem über 100 Ämter den Inhaber wechseln, andererseits ist in England die Trennungslinie zwischen politischen und Beamten-Posten klarer gezogen. Die Zahl der effektiv Ausgewechselten ist in der Bundesrepublik eher geringer als in England. Wenn sich das Amt des parlamentarischen Staatssekretärs und eine in nuce entstehende Kabinettshierarchie – die durch die Verkleinerung des Kabinetts von 1969 vielleicht noch einmal an der Institutionalisierung gehindert wurde – in der Bundesrepublik einleben sollte, könnte die Trennlinie zwischen Beamten und Politikern auch bei uns schärfer gezogen werden.

Eine personalpolitische Revolution kann der Regierungswechsel von 1969 nicht genannt werden. Im linken Flügel der SPD wurde eher ein Murren laut, daß man noch einmal die Fehler von 1918 wiederhole und zu viele konservative Elemente in den wichtigsten Ämtern beließ. Dies war keineswegs nur ein Murren von patronagehungrigen Amtsbewerbern, sondern es klang darin bei vielen Kritikern eine echte Sorge um den innovatorischen Impuls der neuen Regierung mit. Wenn man Thomas Ellweins (1970, S. 199) Informationen trauen kann, so haben viele höhere Beamte den Regierungswechsel trotz überwiegend »bürgerlicher« Neigungen im Sinne einer Erneuerung der politischen Führung begrüßt.

5. Tätigkeit nach dem höchsten politischen Amt

Die Tätigkeiten nach Ausscheiden aus dem höchsten Amt sind, vor allem, soweit es sich um die Politiker im engeren Sinne handelt, ein wichtiger Untersuchungsgegenstand. Bei den Staatssekretären machen die Möglichkeit des freiwilligen Rückzugs in den Ruhestand oder die Versetzung in den einstweiligen Ruhestand die Rückzugsmuster mit denen der Politiker unvergleichbar.

Bei den Länderchefs ist die Alterstätigkeit weniger problematisch als bei den übrigen politischen Führungspositionsinhabern, da sie im Durchschnitt später ins Amt einrücken und sich zum Teil bis zum endgültigen Ausscheiden aus der Politik im Amt halten konnten. Von 55 untersuchten Ministerpräsidenten bis 1969 waren immerhin 24 nach der Ministerpräsidentschaft auf Bundes- oder Landesebene weiter politisch aktiv: 9 als Bundestagsabgeordnete, von denen es vier (Brandt, v. Hassel, Schäffer, Schmid) zum Bundesminister und zwei (Kiesinger, Brandt) zum Bundeskanzler brachten. In den Ländern arbeiteten eine Reihe von Exministerpräsidenten als Landesminister weiter wie Ehard in Bayern, Amelunxen in Nordrhein-Westfalen und Ney im Saarland. Am häufigsten kam der Fall, daß ein »primus« sich wieder unter die »pares« einreihte, in Niedersachsen vor, bei Kubel, Tantzen und Kopf. Einige Ministerpräsidenten wurden Oberbürgermeister großer Städte, wie Steinhoff. Die norddeutschen Länder der ehemaligen britischen Besatzungszone, die das Gemeindedirektorsystem nach dem Vorbild des britischen »townclerk« übernommen haben, eignen sich für den Erwerb eines Oberbürgermeisteramtes als Rückzugsposten mehr als die übrigen Bundesländer.

Keiner der bisherigen Bundeskanzler ist freiwillig aus dem Amt geschieden, auch Adenauer mußte sein »freiwilliger« Rücktritt im voraus vertraglich abgerungen werden. Die Exkanzler haben auch nicht als Minister weitergedient, wie das in instabilen Systemen mit häufiger Ämterrotation oft vorkommt, so vor allem in Frankreich. In England gab es dagegen in neuerer Zeit nur einen Fall: Douglas-Home als Außenminister der Regierung Heath. Auch in der Weimarer Republik hatte – mit Ausnahme von Wirth und Stresemann – kein Reichskanzler nach dem Ausscheiden aus dem Amt ein Ressort übernommen.

Von den Ministern, die ungern aus ihrem Amt schieden (vgl. S. 126 ff.), haben eine Reihe als Abgeordnete weitergearbeitet und Sonderfunktionen übernommen, wie von Merkatz als deutscher Vertreter im Exekutivrat der UNESCO. Einzelne blieben im politischen Wartestand und hofften auf künftige Posten wie Paul Lücke. Ex-Außenminister von Brentano wurde nach seinem Abgang als Minister sogar mit dem ehrenvollen Fraktionsvorsitz 1961 bis 64 (bis zu seinem Tod) abgefunden; er hätte damit vermutlich bei einer längeren Lebensdauer Chancen für die erneute Übernahme eines höheren Amtes gehabt.

Einige Exminister wurden Vizepräsidenten des Bundestages, wie Thomas Dehler, Walter Scheel, Carlo Schmid, Richard Jaeger. Nur wenige – wie Gradl – waren als Abgeordnete nach ihrem Amt ebenso aktiv wie vor ihrer Ministerzeit. Die ehem. Bundesminister Wilhelmi und v. Merkatz leiteten Bundestagsausschüsse. Exjustizminister Wolfgang Stammberger, der 1964 zur SPD überwechselte, spielte in der neuen Fraktion keine Rolle mehr. Andere Exminister dagegen übernahmen in ihren Fraktionen die führende Stellung, wie Wehner, Mischnick und Barzel. Lemmer wurde nach seinem Ausscheiden aus dem Kabinett Sonderbeauftragter des Bundeskanzlers in Berlin, ein Posten, der als ausgesprochenes Trostamt angesehen wurde, denn Lemmer selbst fühlte sich mit Recht schlecht behandelt: »Von einem Portier zu erfahren, daß ein anderer bei der Neubildung des Kabinetts das eigene Ressort übernommen hatte, kam einer Demütigung gleich« (Lemmer, 1968, S. 360). Lemmer berichtete mit der ihm eigenen Offenheit weiter: »Meine Fraktion versuchte, mich durch einen Beschluß zu trösten, was gar nicht nötig gewesen wäre, aber man hatte doch wohl das Gefühl, daß etwas geschehen müsse« (ebd.); so wählte ihn die Fraktion mit großer Mehrheit zum Stellvertretenden Fraktionsvorsitzenden. Wieder andere wurden mit Posten im Auswärtigen Dienst abgefunden, wie Schuberth, der nach seinem Abgang aus dem Postministerium 1953 Sonderbotschafter beim Heiligen Stuhl wurde.

Einzelne Politiker wechselten in Wirtschafts- und Verbandskarrieren hin-

148

über wie Preusker (FDP), der 1953–1957 Wohnungsbauminister war und 1958 Präsident des Zentralverbandes deutscher Haus- und Grundbesitzer wurde. Siegfried Balke, Exminister für Atomenergie, wurde 1964 Präsident der Bundesvereinigung deutscher Arbeitgeberverbände, Ewald Bucher fand Anstellung bei einer Wohnungsbaugesellschaft (Strauch, 1969, S. 92). Schuberth wurde Vorsitzender des Vereins Deutscher Ingenieure, Mende bis 1970 deutscher Repräsentant der IOS. Finanzminister Etzel war später Mitglied einer Anwaltgemeinschaft und Verwaltungsratsvorsitzender der Deutschen Pfandbrief-Gesellschaft. Exbundeskanzler Erhard wurde Aufsichtsratsvorsitzender und Mitgesellschafter der Argenta, Internationale Anlage-Gesellschaft GmbH.

Von den Exministern der Regierung Kiesinger dachten vor allem zwei an eine wirtschaftliche Nebentätigkeit: Strauß und Stoltenberg (FAZ, 24. 12. 1969); Stoltenberg schied jedoch Ende 1970 bei Krupp wieder aus, um sich auf die Landtagswahlen in Schleswig-Holstein im April 1971 vorzubereiten und wurde Ministerpräsident.

Schwieriger ist bis heute die Lage von politischen Beamten, die in den einstweiligen Ruhestand versetzt werden. Die Unionsparteien haben verdienten politischen Beamten, die ausscheiden mußten, mehrfach geholfen. Dem stellvertretenden CDU-Fraktionsvorsitzenden Windelen ist in einzelnen Fällen eine Betreuer- und Vermittlerrolle zugefallen. Ministerialdirektor Frank, der im Arbeitsministerium in den Wartestand gesetzt wurde, fand Unterschlupf als Leiter eines wirtschaftspolitischen Arbeitsstabes der Union, und der Ex-Staatssekretär im Innenministerium, Gumbel, ist für die CDU als personalpolitischer Berater in Parteifragen tätig. Ministerialdirektor Göb vom Innenministerium trat ebenfalls in Parteidienste. Schon Mitte Februar 1970 waren die meisten politischen Beamten im Ruhestand wieder mit Ämtern versorgt. Grund (Ex-Staatssekretär im Finanzministerium) übernahm die Rechtsvertretung einer Bank, Krüger, Leiter des Planungsstabes, wurde Wirtschaftsberater, und der frühere Staatssekretär im Landwirtschaftsministerium, Neef, der auf eigenen Wunsch ausschied, obwohl Höcherls Nachfolger Ertl ihn halten wollte, wurde Geschäftsführer des Industrie- und Handelstages. Der ehem. Staatssekretär im Postministerium, Lemmer, ist in einer Firma in Neuß angestellt (›Südwestpresse‹, 17. 2. 1970). Über die endgültige Auswirkung der vorübergehenden Kaltstellung von politischen Beamten auf ihre Karriere lassen sich allgemein noch keine Aussagen machen. Auch bei Staatssekretären gab es in der Vergangenheit eine Reihe von Comebacks, wie bei Hettlage oder bei Duckwitz, der 1965–1967 im zeitweiligen Ruhestand war und seit 1969/70 in der Ostpolitik der 1. Regierung Brandt eine gewichtige Rolle spielte.

Nur bei einer geringen Anzahl von Ministern stellt sich die Frage der Tätigkeit nach dem höchsten Amt nicht, weil sie krank waren, wie Lenz, oder im Pensionsalter aus dem Ministerium ausschieden, wie Krone, Lukaschek, Niklas, Schäffer. Die drei letzten Fälle gehören noch in die Ära Adenauer; seit aber in den sechziger Jahren größere Beweglichkeit in die Kabinette gekommen ist und seit 1969 auch einmal ein Machtwechsel möglich wurde, läßt sich das Adenauersche System der Patronage bis zum Pensionsalter nicht mehr durchsetzen. Durch die Regelung der Ministerpensionen ist jedoch vorgesorgt, daß auch das Ausscheiden aus dem Amt vor der Pensionsgrenze die früheren Härten verloren hat. In der Regel wurde darauf gesehen, daß die Minister die zur Erlangung der Pensionsberechtigung erforderlichen Jahre erfüllen konnten. Selbst bei einem Koalitionswechsel wie 1965 traten kaum nennenswerte Härten ein, wenn man einmal von Gradl und Jäger in der CDU absieht, die die wichtigsten Opfer der Freimachung von Ressorts für die SPD waren, ohne auf eine längere Dienstzeit zurückblicken zu können.

Auch die Parlamentarischen Staatssekretäre haben inzwischen Anspruch auf eine Pension, der bedenklicherweise sogar rückwirkend geltend gemacht werden kann (FAZ 30. 1. 1973). Dennoch gab es bei jüngeren Amtsinhabern, die ausscheiden mußten, wie im Falle von Brigitte Freyh oder Joachim Raffert für die SPD peinliche Versorgungsprobleme, die zum Teil öffentliches Aufsehen erregten (Spiegel Nr. 22/1973, S. 65 f.)

V. Ämterrotation und Positionsaustausch

1. Ämterrotation

Je stärker die Fachmannsideologie des frühen Parlamentarismus dominierte, um so weniger war ein System geneigt, die Minister ihre Ämter häufig wechseln zu lassen. Bei der Parlamentarisierung des Kaiserreiches hatten selbst die parlamentarisch gesinnten Parteien zunächst nicht gewagt, über die Forderung nach »personeller Parlamentarisierung« hinauszugehen, wonach einzelne Politiker, die das Vertrauen der Mehrheitsparteien genossen oder sogar ihre Mitglieder waren, ins Kabinett aufgenommen werden sollten. Als konstitutionelles Relikt bewahrte noch die Weimarer Republik die Vorstellung, daß bestimmte Ämter von einem Spezialisten verwaltet werden müßten: das galt vor allem für das Außen-, das Wehr-, das Post- und das Arbeitsministerium.

Von 80 Positionsinhabern der Weimarer Republik (1919–1932, 2. Regierung Brüning) hatte etwas mehr als in der Bundesrepublik an der Ämterrotation teil (ein knappes Drittel; 25), 29 amtierten nur einmal und 26 bekleideten mindestens zweimal das gleiche Amt.

In der Bundesrepublik hätte sich das Spezialistentum dank der langen Regierungszeit der CDU von 1949–1969 stärker durchsetzen können, aber nur in einem Amt kam es zu großer Kontinuität: Seebohm hielt den Rekord im Verkehrsministerium von 1949–1966. Das führte dazu, daß er selbst bei grober Illoyalität wegen seiner Anciennität im Amt, die er zur Akkumulation eines erstaunlichen Detailwissens, weniger zur Erarbeitung eines wegweisenden Programms benutzt hatte, nicht ohne weiteres entbehrlich erschien (vgl. S. 130). Ihm folgte im Dienstalter Erhard, der von 1949 bis 1963 Wirtschaftsminister war und es vermutlich geblieben wäre, wenn man ihn nicht gegen Adenauers Rat zum Kanzler gemacht hätte. Auch das Postministerium wurde nicht zur Dauerpfründe, da die CSU wechselnde Politiker für das Amt benannte (vgl. S. 35 f.). Das Vertriebenenministerium, eine Verbandsinsel, die zunächst ausschließlich mit Vertrauensleuten der Vertriebenenverbände besetzt wurde, die sich auf das Gebiet der Vertriebenenpolitik spezialisiert hatten, erlebte keine hohe Kontinuität im Amt, zumal es zweimal wegen Angriffen auf die NS-Vergangenheit der Minister zu Rücktritten kam: Oberländer (1960) und Krüger (1964). Mit 8 Ministern in den 20 Jahren seiner Existenz weist dieses Amt sogar den zweitgrößten Personalverschleiß auf, der nur noch vom Justizministerium mit 9 Ministern im gleichen Zeitraum übertroffen wird.

Für die Bundesrepublik läßt sich die Generalisierung wagen, daß vor allem zwei Gruppen von Ministern an der Ämterrotation teilhatten: (a) die politisch stärksten Männer mit Allroundman-Eigenschaften und (b) die Minister, die aus Proporzgründen nicht zu übergehen waren, es sich aber gefallen lassen mußten, je nach den Notwendigkeiten der Koalitions- und Parteiflügelarithmetik in verschiedene Ämter geschoben zu werden.

Von den politisch profiliertesten Führungskräften der Unionsparteien hat vor allem Schröder an der Ämterrotation teilgehabt, der neben Seebohm und Erhard die längste Kontinuität in der Regierung aufweisen konnte (1953 bis 1969) und nacheinander das Innenministerium, das Auswärtige Amt und das Verteidigungsministerium leitete. Noch stärker verkörpert allerdings Franz Josef Strauß den Typ des Vollblutpolitikers, der sich für jedes Ressort von einigem Gewicht für befähigt hält. Seit 1953 war er Minister für besondere Aufgaben (1953–55), Atomminister (1955–56), Verteidigungsminister (1956–62) und Finanzminister (1966–69). Nur bei diesen beiden Politikern kann man sagen, daß die parteilichen Kräfteverhältnisse ein Kabinett ohne sie undenkbar machten (abgesehen von der Zeit nach 1962, als Strauß auf Grund der ›Spiegel‹-Affäre vorübergehend in den Wartestand treten mußte). Drei Ressorts nacheinander verwalteten außerdem nur zwei Politiker der CDU, die nicht unbedingt zur Führungsgruppe gerechnet werden können: Lemmer und v. Merkatz. Merkatz war Justizminister, Minister für Gesamtdeutsche Fragen und Vertriebenenminister, wobei sich 1956 der seltene Fall ereignete, daß er die beiden erstgenannten Ämter für eine Übergangszeit kumulierte. Lemmer war nacheinander Postminister (1956–57), Minister für Gesamtdeutsche Fragen (1957–63) und Vertriebenenminister (1964–65). Lemmer verdankte dieses Rotationsvermögen seiner Hausmacht in Berlin und der Ostzonen-CDU-Gruppe (vgl. S. 129), Merkatz dem Umstand, daß er zunächst für die DP die Ressorts innehatte, als Hellwege sich 1955 nach Niedersachsen als Landeschef zurückzog.

In einigen Fällen wurden Minister erst nach einer gewissen Wartezeit wieder in ein neues Ressort gebracht: Blank, Bucher, v. Hassel und 1966 Strauß.

Ein Ausscheiden aus dem Amt bedeutete also nicht immer zugleich das Ende der ministeriellen Karrieren. Einmalig lang war die Karenzzeit für Heinemann, der 1950 bis 1966 kein Ministeramt innehatte, einmalig an seinem Fall war allerdings auch, daß er Minister für zwei verschiedene Parteien war, wenn man den Parteiwechsel der Minister aus den kleinen absterbenden Parteien – der BHE-Minister Kraft und Oberländer oder der DP-Minister Merkatz und Seebohm – einmal außer acht läßt. Von den 71 Ministern, die 1949-69 in der Bundesrepublik amtierten, überlebte die knappe Hälfte (32) nur eine Legislaturperiode oder noch kürzere Zeit im Amt. Von den übrigen Ministern, die in mindestens zwei Kabinetten saßen (39), wies die größere Hälfte (23) keinerlei Ämterwechsel auf. Bei dieser Zählung sind die SPD-Minister, die schon in der großen Koalitionsregierung saßen, Strobel, Leber, Schiller und Lauritzen, mitgezählt. Leber und Lauritzen erlebten einen Ressortwechsel im Zuge der Regierungsumbildung, die durch den Rücktritt Schillers notwendig wurde. Zwei Minister hatten zwar ebenfalls in mehreren Kabinetten dasselbe Amt: Erhard und Lübke, im Hinblick auf ihren späteren Aufstieg gehören sie jedoch nur als Minister zu der Gruppe, die keinen Ämterwechsel erlebte. Etwas kleiner (18) ist die Zahl der Minister, die in mindestens zwei Kabinetten mindestens zwei verschiedene Ämter innehatten: Balke, Blank, Bucher, Dollinger, Ehmke, v. Hassel, Heinemann, Höcherl, Lemmer, Lenz, Lücke, v. Merkatz, Neumayer, Schäffer, Scheel, Schmücker, Schröder und Strauß (bei Scheel wurde dabei das Ministerium in der Regierung Brandt mitgerechnet).

Im ganzen hat also bisher nur etwas mehr als ein Viertel der Minister an der Ämterrotation teilgehabt. Mit der berüchtigten »chorégraphie ministérielle« der französischen Dritten und Vierten Republik und ihrer permanenten »chasse aux portefeuilles«, an der sich zahlreiche Ministrable beteiligten und die teilweise die Kabinettsinstabilität mitbedingte, ist das Ausmaß der Rotation in der Bundesrepublik nicht annähernd zu vergleichen (Ollé-Laprune, 1962, S. 207). Die Begehrlichkeit nach Ministerien hat die Kabinettsstabilität überhaupt nicht beeinflußt. Auch der FDP, die zwei Koalitionen zum Zerfall brachte, kann nicht vorgeworfen werden, daß sie es getan habe, um mehr Portefeuilles und Posten für ihre Führer herauszuschlagen.

Nicht nur in einzelnen Ämtern, sondern auch in den Regierungen der Bundesrepublik als ganzen, war die Ämterrotation vergleichsweise gering. In der Weimarer Zeit und auch im Kaiserreich, das von Konstitutionalisten wegen seiner Regierungsstabilität gepriesen wurde, gab es stärkere Rotation.

Prozentzahl neuer Positionsinhaber in Kabinetten

1890–1894	54,5 %	1949–1953	100,0 %
1894–1900	36,4 %	1953–1957	58,3 %
1900–1909	57,1 %	1957–1961	30,0 %
1909–1917	72,2 %	1961–1963	51,8 %
1917–1918	81,8 %	1963–1965	21,7 %
1918–1923	88,5 %	1965–1966	18,2 %
1923–1928	60,7 %	1966–1969	57,1 %
1928–1932	47,6 %	1969–1972	37,5 %
1933–1945	84,8 %	1972–1974	29,4 %

Zahlen 1890–1945 nach Knight, 1955, S. 11.

Der Regierungswechsel von 1969 hat keineswegs die größte Zahl von neuen Ministern ins Amt gebracht. Da jedoch nach 1953 und 1961 auch die zwischen den Amtsperioden des Kanzlers eingetretenen Minister berücksichtigt wurden, ist nicht abzusehen, ob sich die Zahl für die Regierung Brandt nach 1970 noch nennenswert erhöht. Mit 81 neuen Regierungsmitgliedern in 21 Jahren – bei völliger personaler Diskontinuität zu den früheren Regimen in Deutschland – liegt die Bundesrepublik an der obersten Grenze der personalen Stabilität – nur von einigen kleineren Ländern unterboten, wie Island mit 69, Irland mit 78 oder Luxemburg mit 70. Da Hans Daalder (vgl. v. Beyme, 1973, S. 882) diese Zahlen jedoch für den Zeitraum vor 1969 errechnete, müßte man mindestens die 10 neuen Minister der 1. Regierung Brandt von dieser Zahl abziehen und käme dann bis 1969 auf nur 70 Homines novi, was unter den großen europäischen demokratischen Systemen die Spitze personeller Stabilität darstellt. Gerade wenn man aber Stabilität nicht fetischisiert, wie es die Parlamentarismustheorie nach dem Zweiten Weltkrieg unter dem Eindruck des Traumas tat, das die instabile Weimarer Republik hinterlassen hatte, ist dieses Faktum für die Rekrutierungsfunktion des politischen Systems nicht nur positiv zu bewerten. Angesichts dieser personellen Immobilität ist es fast erstaunlich, daß deutsche Politiker nur geringfügig später das höchste Amt erlangen als in anderen Systemen.

2. Positionsaustausch

Der Positionsaustausch zwischen einzelnen Sektoren der Elite ist in der Bundesrepublik vergleichsweise gering. Meistens erfolgt er erst, wenn der Zenith einer Karriere außerhalb der Politik bereits überschritten ist. Einen Ausnahmefall stellt Max Güde dar, der das Amt des Generalbundesanwalts mit einem Bundestagsmandat vertauschte, dem aber nur eine kurze und nicht unumstrittene politische Karriere vergönnt war, da er im Wahlkreis Karlsruhe 1969 – auf der Landesliste nicht abgesichert – einem Kandidaten der SPD knapp unterlag. Hohe Richter und Verwaltungsbeamte haben nur selten die Karriere gewechselt. Die vielleicht prominentesten Beispiele einer politischen Alterskarriere sind Walter Hallstein nach dem Ausscheiden als EWG-Präsident und Ernst Wolfgang Mommsen als Wirtschaftsmanager, der nach langer Bedenkzeit ein Staatssekretariat (für Rüstungswesen) im Bundesverteidigungsministerium – ohne Bezüge – übernahm. Aber auch bei Mommsen war der Zenith der wirtschaftlichen Karriere nach der Fusion von Thyssen und Mannesmann überschritten; Mommsen ging in die Politik, da er offenbar der Spannungen in der Leitung des fusionierten Konzerns überdrüssig war. Entwicklungshilfeminister Eppler engagierte ebenfalls einen bekannten Wirtschaftmanager, Professor Karl Heinz Sohn, der vom Setzerlehrling über den DGB (Referat für Konzentrationsfragen und Leiter des Referats ›Mitbestimmung‹) und eine Professur an der Dortmunder Sozialakademie zum Vorstandsmitglied der Krupp-Stiftung aufgestiegen war (›Die Zeit‹, 31.10. 1969, S. 47). Die Berufung von Philip Rosenthal – der 1969 einen der spektakulärsten Wahlfeldzüge unternommen hatte – zum parlamentarischen Staatssekretär im Wirtschaftsministerium ist das herausragende Beispiel für einen Unternehmer, der eine politische Blitzkarriere (freilich ohne Ausdauer) machte.

Bei der Linken, die auf einen anti-kapitalistischen Kurs gehofft hatte, löste diese Personalpolitik freilich Enttäuschung aus. Die SPD-Führung glaubte jedoch, daß sie damit nicht nur den Sachverstand von Wirtschaftsbossen für die Regierung gewinne, sondern zugleich zum Abbau von Vorurteilen gegen die SPD in Wirtschaftskreisen beitrage.

Gering ist der Positionsaustausch zwischen militärischem und politischem Sektor. Nur wenige Politiker der Bundesrepublik waren einmal Berufssoldaten, wie Mende. Eine Parallele zum wachsenden Positionsaustausch als Phänomen der Alterskarriere gibt es jedoch auch im militärischen Sektor, da zunehmend hohe Offiziere nach Überschreiten der Pensionsgrenze, die im Durchschnitt bei 55 Jahren liegt (Hauptmann 52, Major 54, Oberstleutnant

56, Oberst 58, General 60), als Berater, Lobbyisten oder Angestellte großer Firmen dienen, was zu Korruptionserscheinungen im Beschaffungswesen führen kann und daher im Verteidigungsministerium nicht gern gesehen wird (Hoffmann, 1970, S. 23).

Ein Positionsaustausch zwischen den Elitensektoren kann erst in dem Augenblick beginnen, da die Politik aufhört, Nebenbeschäftigung für Honoratioren zu sein, und zur dauernden Einnahmequelle wird. Max Weber war einer der ersten Theoretiker, der gegen das Vorurteil kämpfte, daß vermögenslose Politiker weniger Idealismus entwickelten. Er argwöhnte im Gegenteil: »Dem vermögenden Mann ist die Sorge um die ökonomische ›Sekurität‹ seiner Existenz erfahrungsgemäß – bewußt oder unbewußt – ein Kardinalpunkt seiner ganzen Lebensorientierung« (Weber, 1958, S. 503). Eine nicht plutokratische Rekrutierung erforderte nach Webers Ansicht regelmäßige Einnahmen. Einen rücksichts- und voraussetzungslosen Idealismus in der Politik fand er nur bei »marginalen Gruppen« in revolutionären Zeiten. Die Notwendigkeit in einem demokratischen Staate, die Rekrutierung zu entplutokratisieren, fördert jedoch zugleich den Trend zum Berufspolitiker.

Die Chance für Vermögenslose, die Politik zum Beruf und damit sogar zum Aufstiegsberuf zu machen, vergrößert sich, wenn die wirtschaftliche Elite durch hohe Selbstrekrutierung dem Tüchtigen ohne den nötigen sozialen Oberschichten-Background kaum Chancen bietet. In den USA war die Selbstrekrutierung der Wirtschaftselite häufig höher als die der politischen Elite. In der Bundesrepublik war dies durch die mehrfachen Kontinuitätsbrüche in geringerem Maße der Fall, und angesichts der mangelnden Begeisterungsfähigkeit, die dem politischen System des Rumpfstaates innewohnte, mußte der wirtschaftliche Sektor potentielle Führungskräfte stärker anziehen als die Politik. Da Geld die begehrteste Sanktion im sozialen System war, schien die Wirtschaft erfolgversprechender für Aufstiegsuchende.

In Deutschland war die Möglichkeit, in der Politik auch sein wirtschaftliches Auskommen zu finden, lange begrenzt. Bismarck versuchte, die materielle Entschädigung der Parlamentarier auf einem Minimum zu halten, um die soziale Homogenität der Führungsschicht zu garantieren und das Parlament in Abhängigkeit zu halten. Bis in die Epoche der Bundesrepublik wurde der Mythos vom Ehrenamt in der Politik beharrlich konserviert und als Begründung für unzureichende Versorgung der Politiker angeführt. Erst in neuerer Zeit liegt die Bundesrepublik etwa in der Mitte beim Vergleich der in parlamentarisch regierten Ländern üblichen Bezüge, nämlich mit einem (1968) steuerfreien Betrag von 56 230 DM pro Jahr für den Bundestagsabgeordneten. Höhere Bezüge erhalten die Abgeordneten in Italien mit umgerechnet 63 000 DM. In den Beneluxländern und in Skandinavien wird hingegen nur ein Drittel bis die Hälfte der deutschen Beträge gezahlt (FAZ, 18. 3. 1964; Loewenberg, 1969, S. 79).

Verglichen mit anderen Elitensektoren sind die Einkommen der politischen Elite nicht besonders hoch. Viele sehr mächtige Personen sind gegen »Unfälle« in ihrer Karriere der Macht wirtschaftlich nicht abgesichert. Scheuch (1967, S. 3) argwöhnte, daß dieser Umstand selbst mächtige Personen gegen Pressionen anfällig mache. Eine empirische Basis für eine solche Feststellung fehlt freilich vorläufig. Es fehlt überhaupt an vergleichenden Studien über Korruption. Wenn man die Rücktritte von führenden Politikern wegen Korruptionsskandalen zum Maßstab nimmt, schneidet Deutschland vergleichsweise nicht ungünstig ab, falls man nicht eine besonders hohe Dunkelziffer unterstellt (vgl. v. Beyme, 1973, S. 715 f.). Die Schützenpanzer-HS 30-Affäre und die Fibag-Affäre zeigten allerdings ein ungewöhnliches Maß an Beharrungsvermögen bei Politikern, die in Verdacht geraten waren. Rascher vollzog sich der Abgang belasteter Politiker auf der zweiten Ebene der Hierarchie, z. B. im Fall der beiden Parlamentarischen Staatssekretäre Wolfram Dorn (FDP) und Joachim Raffert (SPD) wegen der Aufdeckung eines geheimen Beratervertrages mit dem Heinrich Bauer-Verlag (FAZ. 30. 8. 1972).

Der Austausch von Führungspositionen könnte in der Bundesrepublik dadurch begünstigt werden, daß der Mythos von den hohen Gehältern in der Wirtschaft sich kaum halten läßt. Selbst in Italien waren die durchschnittlichen Spitzengehälter bei Großfirmen mit über 200 Millionen DM Umsatz 1964 höher als in der Bundesrepublik (170 024 DM) und beim Vergleich der wichtigsten Industriestaaten nur in England und Frankreich niedriger (Scheuch, 1968, S. 12). Die USA-Manager hatten wesentlich höhere Gehälter (287 200 DM). Die Mehrzahl der im Wirtschaftsleben erreichbaren Positionen endet beim Abteilungsleiter oder Handlungsbevollmächtigten, wo das Jahreseinkommen zwischen 30 000 und 35 000 DM stehenbleibt; selbst die Gehälter der Vorstandsmitglieder oder Geschäftsführer lagen etwa bei 65 000 DM und die der Direktoren bei 51 000 DM. Scheuch hat nachgewiesen, daß bei beruflich Selbständigen die Chancen für höhere Verdienste wesentlich günstiger liegen.

Der Vergleich der Einkommen in einzelnen Elitensektoren ist für Ambitiöse jedoch nicht das entscheidende Motiv für die Übernahme politischer Ämter. McClelland hat bei Personen mit hohem Erfolgsstreben nachgewiesen, daß das Profitmotiv für sie nicht im Vordergrund steht. Anders wäre schwer zu erklären, warum gerade in Amerika, wo die Diskrepanz zwischen den Verdienstmöglichkeiten in Wirtschaft und Politik besonders kraß ist, sich Männer wie Charles Wilson, Ex-Präsident von General Motors, oder Robert McNamara, Ex-Präsident der Ford Motor Company, als ›Secretaries of Defense‹ zur Verfügung stellten, Wilson sogar unter der Auflage, seine Firmen-Anteile von 2,5 Millionen Dollar abzustoßen (Lenski, 1966, S. 359). Mommsens Verzicht auf Bezüge macht ebenfalls klar, daß ihn nicht der finanzielle Aspekt des politischen Amtes interessierte. Seit die SPD die führende Regierungspartei geworden ist und einige führende Gewerkschaftler wie Leber, Arendt oder Börner politische Posten übernahmen, nimmt die horizontale Mobilität zwischen dem politischen und wirtschaftlichen Sektor auch durch wachsenden Einfluß der Gewerkschaften zu.

Zwischen den Prestigeschichten im vierdimensionalen Schichtungsmodell (Geld und Besitz, Macht, Prestige, Wissen und Bildung) besteht keineswegs jenes Gleichgewicht, das Parsons in seinem System zu unterstellen scheint, wenn er feststellt: »It is a condition of the stable state of a system that the reward system should tend to follow the same rank order as the direct evaluation of units in terms of their qualities and performances... insofar as a social system is stratified on the basis of the differential strategic contribution of its units to system-functions, there will tend to be a corresponding differentiation in the facilities allocated to those units« (Bendix-Lipset, 1963, S. 104 f.). Es besteht lediglich eine gewisse Transferierbarkeit von Geld, Macht, Prestige und Wissen, wie sich am Beispiel der Untersuchung einer politischen Elite wie der in der Bundesrepublik zeigen läßt, in der weder hohe Verdienste noch großes Vermögen typisch sind und die Statuskorrelation vor allem im Vergleich der Bereiche Wirtschaft und politische Macht unvollkommen bleibt (Neidhardt, 1968, S. 26 ff.). Wo wirtschaftliche Macht jedoch über Interessengruppen Einfluß gewinnt oder gar bei einzelnen Oligopolen sehr rasch direkt in politische Macht transferierbar ist, wird die Neigung wirtschaftlicher Eliten, ihre politischen Ambitionen in der politischen Sphäre selbst geltend zu machen, relativ gering sein. Ernst Wolf Mommsen, der 1970 als Staatssekretär ins Verteidigungsministerium ging, bedauerte es schon 1955 (S. 13), daß die leitenden Männer der Wirtschaft sich durch die Übernahme politischer Verantwortung überfordert fühlten. Ausgesprochene Ideologen des Unternehmertums in der Publizistik hingegen, wie Herbert Gross (1954, S. 24), haben die direkte parlamentarische Tätigkeit am wenigsten im Sinne gehabt, wenn sie den Unternehmer auch zum politischen Führer berufen hielten: »Geht es also wirklich um einen Masseneinzug in die Parlamente?...

Es wäre verfehlt, für ein solches Ziel auch nur eine Zeile zu schreiben. Es geht vielmehr um die Verdeutlichung eines Verantwortungsbewußtseins, das seinerseits auf einem erhöhten Selbstbewußtsein des Unternehmers fußen müßte, nämlich auf dem Bewußtsein, einer Führungsschicht anzugehören, bzw. der Verpflichtung, sich zu einer Führungsschicht zu machen, die sich durch niemanden vertreten lassen, und die im Schatten keiner anderen Schicht mehr leben kann ...«

Wie diese Führungsrolle aussehen soll, wurde verschwiegen, da gerade der Weg verantwortlicher Politik im parlamentarischen Sinn, nämlich Politik als Abgeordneter zu treiben, für die Unternehmer als »unter ihrer Würde« dargestellt wird. Die direkte politische Partizipation von Unternehmern, die manchmal kritisiert wird, hat gegenüber den Methoden indirekten Einflusses den Vorteil größerer Kontrollierbarkeit. Aus dem zunehmenden Eintritt wirtschaftlicher Eliten in den Raum der Politik wird man jedoch nicht eindeutig schließen können, daß der indirekte Einfluß der Wirtschaft abgenommen habe. Andere Variablen sind ebenso wichtig: etwa die größere Attraktivität der politischen Ebene, seit die Politik sich in ihren Planungs- und Rationalisierungsmethoden der Wirtschaft angenähert hat und nicht mehr einer im Vergleich zur Organisation der großen Konzerne relativ archaischen Organisationsideologie folgt.

Über die Attraktivität der Politik für Unternehmer sollte man keine allzu generellen Aussagen machen. Für Italien hat Paolo Farneti (1970, S. 203 f.) nachgewiesen, daß die Eigentümer (Firmengründer, die er mit Max Webers Typ der charismatischen Herrschaft gleichsetzt, und die Firmenerben, die er unter den Typ der traditionalen Herrschaft subsumiert) wesentlich andere Haltungen gegenüber der Politik einnehmen als die Manager, die Farneti dem rational-bürokratischen Herrschaftstyp verpflichtet sieht. Letztere haben nach seiner Interview-Studie eine wesentlich realistischere Perzeption der Zentren politischer Macht und eine direktere Kommunikation mit der politischen Elite. Selbst wenn man berücksichtigt, daß die deutschen Firmeneigentümer heute vermutlich weniger patriarchalisch denken als ein Großteil der italienischen Großindustriellen, würden sich für die Bundesrepublik wohl ähnliche Haltungsunterschiede in der Unternehmerschaft im weiteren Sinne nachweisen lassen. Der geringere Grad von Sicherung und ihre größere Offenheit für gelegentlichen Stellungswechsel dürfte bei den Managern auch die Neigung zum Positionsaustausch größer machen, ohne daß hier eine potentielle Verschmelzung von politischer und wirtschaftlicher Elite im Sinne der Manager-Theorie James Burnhams behauptet werden soll.

Bemerkenswert ist auch die verstärkte Transferierbarkeit von Wissen in Macht, wenn man den raschen Aufstieg einzelner Intellektueller, die aus dem Bereich der Universitäten kamen, in der Politik bedenkt (Biedenkopf, Dahrendorf, Ehmke, Maihofer, Schiller). Andererseits stößt jedoch gerade der Positionsaustausch zwischen Wissenschaft und Politik noch immer auch auf starke Hemmnisse. Die Art, mit der unter Professoren der Kollege, der sich zur Politik »herabläßt«, behandelt wird, ist für zaghafte Naturen auf diesem Arbeitsfeld sicher ein ebenso schweres Handikap wie das Mißtrauen, auf das der intellektuelle Wissenschaftler in weiten Reihen der Karrierepolitiker stößt und mit dem Intellektuelle in den romanischen Ländern in geringerem Maße zu kämpfen haben. Auch der Einfluß des publizistischen Sektors hat durch den Ausbau staatlicher Meinungspolitik zugenommen. Es wäre in der Anfangszeit von Adenauer noch kaum denkbar gewesen, daß Männer wie Felix von Eckardt oder gar Conrad Ahlers oder Günther Gaus eine wichtige Mittlerrolle spielten.

So nimmt der Positionsaustausch allgemein in den letzten Jahren zu. Entscheidend gefördert wird diese Entwicklung auch durch die Angleichung der Karrieremuster in allen großen Organisationen, von den Gewerkschaften bis zu den Kirchen.

Man könnte versuchen, die Entwicklungsmöglichkeiten des Positionsaustausches durch Befragung der Positionsinhaber abzuschätzen. Für die politische Führung unterhalb der Bundesebene ist dies in der Wildenmann-Studie (1968, S. 40) versucht worden. Die größte Zahl der Befragten verneinte eine Bereitschaft zum Positionstausch zwischen Wirtschaft und Politik, eine immerhin noch stattliche Anzahl bejahte sie. Auf die Bundesebene sind diese Antworten jedoch nicht übertragbar, da es hier weniger funktionale Äquivalente für Minister- und Staatssekretärsposten in anderen Elitensektoren gibt als für die Landespolitiker.

Es muß vor einer Fetischisierung der Möglichkeiten des Positionsaustausches gewarnt werden. Dahrendorf hat nur zu recht mit der Feststellung, daß man nicht hoffen kann, daß jemand in seinem Leben nacheinander Professor, Brigadegeneral, Parlamentsabgeordneter und Direktor eines Trusts wird (Dahrendorf, 1965, S. 300). Brigadegeneral der Reserve, Professor August Freiherr von der Heydte, der versuchte, einige dieser Funktionen simultan auszufüllen, kann kaum als Vorbild für Positionsaustausch hingestellt werden, und seine Form der Ämterkumulation entspringt eher einem vorindustriellen Ordnungsmodell als einem pluralistischen Konkurrenzmodell kompetitiver Elitensektoren. Er war einer der wenigen Männer mit politischem Ehrgeiz in der Bundesrepublik, auf die jene bissige Benennung einer

Thomas Mannschen Figur zuträfe: »General Dr. von Staat«.

Allzugroße Multifunktionalität der Ambitionen ist einer komplexen Gesellschaft kaum angemessen und ebenso veraltet wie die Idee des Studium generale. Positionsaustausch kann immer nur auf die Aufbrechung versteinerter Schotten zwischen Elitensektoren abzielen, die partielle Berührung haben und sich in unfruchtbarer Weise auseinandergelebt haben. Moderne Demokratisierungsmodelle mit ihrem Rotationsgedanken erfordern auch nicht jenen multifunktionalen, antispezialistischen Politikertyp, den ein nicht in Kaderherrschaft pervertiertes Rätesystem voraussetzen würde, sondern den Menschen, der die sozialen Bezüge seiner Spezialtätigkeit reflektiert und versucht, gesamtgesellschaftliche Zusammenhänge im Auge zu behalten.

VI. Selbstverständnis und Ansehen der Politiker

1. Selbstdarstellung und Publizistik

Den Elitenstudien fast aller Länder fehlt die Möglichkeit einer systematischen Befragung sämtlicher Regierungsmitglieder. Auch die umfangreiche Studie von Rudolf Wildenmann und seinen Mitarbeitern hat bewußt auf die Einbeziehung von Ministern und Staatssekretären auf Bundesebene verzichtet, weil man fürchtete, daß die Ausfallquote die statistische Relevanz der Ergebnisse verzerren könnte und weil man mit noch größerem Recht wähnte, daß aus Grundsätzen der Ministersolidarität, Parteidisziplin und des Kabinettsgeheimnisses offene Antworten auf eine Reihe von Fragen nicht erwartet werden konnten. Die Ergebnisse der Wildenmann-Studie sind daher nicht ohne weiteres auf das Selbstverständnis der höchsten Positionsinhaber auf Bundesebene übertragbar. Gleichwohl bleibt es bemerkenswert, daß auf die Frage, ob sich die Positionsinhaber zur Führungsschicht der obersten Zweitausend zählen, die meisten Landesminister mit einem klaren Ja antworteten, aber fast die Hälfte der hohen Parteiangestellten (Bundes- und Landesgeschäftsführer) mit Nein, eine stattliche Zahl von Bundestagsabgeordneten, Staatssekretären in den Ländern und andere politische Positionsinhaber verneinten ebenfalls überwiegend die Frage (Wildenmann, 1968, S. 25).

Die persönliche Stellungnahme in Reden und Schriften zeigt jedoch, daß die meisten führenden Politiker sich klar zur Führung rechnen und meist eine stark wertende Elitenkonzeption zugrunde legen.

Die Kluft zwischen Geist und Macht ist in Deutschland seit Nietzsche von den Intellektuellen immer wieder voller Abscheu konstatiert worden, aber noch Max Scheler hoffte in der Weimarer Republik, daß es einer deutschen Elite gelingen könnte, »der Nation die Einheit von Bildung und Macht zu geben«, worauf sich auch Politiker der Bundesrepublik gelegentlich beriefen (Gerstenmaier, 1962, S. 127). In Deutschland gab es niemals so viele Literaten und Intellektuelle als Minister oder Abgeordnete wie in den romanischen Ländern und zum Teil auch in Großbritannien, obwohl Intellektuelle und

Schriftsteller als Abgeordnete, wie Edmund Burke, John St. Mill, Alphonse de Lamartine, Carducci, Gabriele d'Annunzio, als Außenminister, wie Chateaubriand oder Tocqueville, als Diplomaten, wie Prévost-Paradol, Angel Ganivet oder Jean Giraudoux, in ihren politischen Fähigkeiten umstritten sind (vgl. Klaus von Beyme: Intellektuelle, Intelligenz. In: Sowjetsystem und Demokratische Gesellschaft, Freiburg 1969, Bd. 3 [S. 186–207], S. 196). Neben solchen Figuren nahm sich die Rolle der deutschen Intellektuellen in der Politik – wie sie Uhland zu spielen versuchte – bescheiden aus. Aber erst nach dem Scheitern der Paulskirche, der Reaktion, die auf sie folgte, und der Gründung des Deutschen Reiches vertiefte sich diese Kluft so stark, daß in Vergessenheit geriet, daß ein Mann wie Wilhelm von Humboldt einmal die preußische Kulturpolitik geleitet hatte.

Auch die Bundesrepublik galt vor allem in der Zeit der CDU-Herrschaft als geistfeindliches Staatswesen, auch wenn einzelne Intellektuelle durch Wahrnehmung eines »politischen Mandats« bis hin zur massiven Unterstützung einer Partei, wie Günter Grass' Kampagne für die »ESPEDE«, aus dem Getto der Intellektuellen auszubrechen versuchten. Als die SPD begann, Intellektuelle als Berater für eine potentielle SPD-Regierung propagandistisch einzusetzen, konnte die CDU mit einer noch längeren Liste von Intellektuellen und Professoren aufwarten, um den Propaganda-Feldzug der SPD zu stoppen, der sich als schlecht vorbereitet erwies, da nicht einmal alle der von der SPD Erwähnten ihr Einverständnis gegeben hatten. In der Zeit der CDU-Regierungen kam es gleichwohl mehrfach zu öffentlichen Kampagnen gegen die Intellektuellen, etwa als Erhard das ominöse Wort von den »Pinschern« prägte oder Brentanos einseitige Kulturaußenpolitik unter Beschuß der Kritik geriet. Erst nach der Verdrängung der CDU von der Macht versuchte diese, ihr Verhältnis zu den Intellektuellen zu verbessern und Kontakte nicht nur mit Wissenschaftlern, sondern auch mit Künstlern und Schriftstellern anzubahnen (vgl. ›Der Spiegel‹, 1970, Nr. 20, S. 70–73).

Die Ohnmacht der Intelligenz, die in fast allen Epochen der deutschen Geschichte lebhaft empfunden wurde, blieb nicht ohne Folgen für das politische Denken in Deutschland. Nicht selten wurde sie mit einer Ideologie der Innerlichkeit zu kompensieren versucht, die von einigen Betrachtern bis auf Luther und seinen Versuch der Verinnerlichung des Verhältnisses zu Gott zurückgeführt wurde (Klaus Horn: Zur Formierung der Innerlichkeit. In: Gert Schäfer – Carl Nedelmann [Hrsg.]: Der CDU-Staat, Bd. 2, Frankfurt 1969 [S. 315–358], S. 324), eine Verallgemeinerung, die so wenig aussagekräftig ist wie die alten Verallgemeinerungen von McGoverns' ›From Luther to Hitler‹

bis Lukács' ›Zerstörung der Vernunft‹. Deutsche Politiker haben sich immer wieder dagegen zur Wehr gesetzt, daß die »Geistlosigkeit Bonns« und die »sogenannte Kulturferne der deutschen Wirtschaftsgemeinschaft« pauschal kritisiert wurde (Gerstenmaier, 1962, S. 127).

So dürftig im ganzen die Bilanz deutscher Nachkriegspolitik in den Augen der meisten Intellektuellen sein mag, es ist nicht zu übersehen, daß die Bonner Politiker versucht haben, das geistfeindliche Image zu verbessern. Intellektuelle Prominenz wirkt gesellschaftlich integrierend, obwohl sie zur Regelung gesellschaftlicher Konflikte höchstens indirekt beiträgt, und die politische Elite versucht zunehmend auch in Deutschland, sich diese Erkenntnis zunutze zu machen. Die intellektuelle Prominenz hat bis zu einem gewissen Grad Einwirkungsmöglichkeiten nicht obwohl, sondern gerade weil sie politisch nicht mächtig ist und in der Regel nicht direkt nach Macht strebt: »Diese Relation zur Machtelite erleichtert es den Prominenten, von ihrer ›höheren Warte‹ aus Ratschläge zu erteilen, die angenommen werden, weil sie außerhalb der Machtelite vorgebracht werden« (Linz, 1965, S. 33). Mit zunehmender Bedeutung der Massenmedien in einer Demokratie wird literarische und intellektuelle Prominenz wegen ihrer Verbindung mit den Massenmedien umworben.

Die Offenheit der Politiker gegenüber der kulturellen Elite kann man jedoch genausowenig wie die politische Gruppierung in große Weltanschauungsgruppen der Selbsteinschätzung der politischen Elite entnehmen. Nach einer Befragung über die weltanschaulichen Orientierungen, die Scheuch (1967) zitiert, klassifizierten sich 17 % der Eliten als sozialistisch, 49 % als liberal und 34 % als konservativ ein. Von diesen legten noch 15 % Wert darauf, als »linkskonservativ« eingestuft zu werden.

Eine Korrektur erfährt diese Selbsteinschätzung, wenn man die politische Elite auf ihre Schriften und Reden hin untersucht. Als positiv könnte man bewerten, daß sich die Politiker überhaupt häufiger als früher der Diskussion stellen, auch wenn sie es in propagandistischer Absicht tun. Im Gegensatz zur bewußt antiintellektuellen Haltung der meisten Politiker der Kaiserzeit übernahmen die Politiker die Publikationsformen der Wissenschaft mit ihren Aufsatzsammlungen, Sammelbänden mehrerer Autoren und sogar den Festschriften, deren prätentiöseste und penetranteste die Festschrift zu Kiesingers 60. Geburtstag ist, in der eine ungewöhnliche Fülle von bekannten Wissenschaftlern und Politikern sich mit platten Gelegenheitsschriftstellereien um den Jubilar scharte und in der etwa Bruno Heck die Familie als die große Lebensgemeinschaft preisen konnte, die »unsere kranke Zeit zu heilen vermag« (Führung, 1964, S. 375), Ex-Kultusminister Gerhard Storz über den politisch-erzieherischen Wert von »Heimat« räsonnierte (ebd., S. 375 ff.) oder ein namhafter Landespolitiker wie Gerhard Weng (ebd., S. 409) »Vom Gewissen für das Ganze in der Politik« in den Begriffen irrationaler Organismuslehren – wie sie im antidemokratischen Denken der Weimarer Zeit zu Hause waren – sprach. In so prätentiöser Form ist das vorindustrielle Bild einer idyllisch-konfliktlosen Politik fast unerträglicher als die offen geistfeindliche Attitüde älterer konservativer Politiker.

Nur Adenauer blieb dem Typ des bewußt unintellektuellen »elder statesman« treu. Er schrieb nach seinem Rücktritt mehrbändige Memoirenwerke und überließ die übrige Darstellung Lobrednern und Karikaturisten. Adenauers Selbstdarstellung in seinen Memoiren ist ohne Distanz und Ironie, so wie seine Reden durch schlichte Banalität einen vertrauenerweckenden Eindruck machten, so daß man gelegentliches Pathos nicht so ernst nimmt. Adenauer beschrieb den Augenblick des größten Sieges der Union 1957, als sie die absolute Mehrheit errang: »Die Politik der CDU/CSU beruhte auf ethischen Grundsätzen. Sie beruht auf der im abendländischen Christentum wurzelnden Forderung nach der Freiheit der Person. Wir ließen uns in unserer Arbeit immer leiten von dem Bestreben, unserem gesamten Volke die Freiheit wieder zu verschaffen. Wir ließen uns ebenso leiten durch das Bestreben, jedem Menschen auch die innere geistige Freiheit zu geben, die ihn allein befähigt, gerade in einer so von Wirrnis und Sorge erfüllten Zeit wie der unsrigen ein menschenwürdiges Leben zu leben« (Adenauer, Bd. 3, 1967, S. 313). Sicher unbeabsichtiger Zynismus war es jedoch, solche Worte als Auftakt zur Kritik an der SPD in ihrem Kampf gegen die Wehrpolitik und die atomare Aufrüstung zu wählen. Obwohl Adenauer sich weniger publizistisch versucht hat als viele seiner Kabinettskollegen, ist seine Politikauffassung eher noch archaischer gewesen als die der meisten anderen CDU-Politiker. Ein Kenner rationaler Entscheidungstheorie wie Böhret (1970, S. 16) urteilte: »Das ›persönliche Regiment‹ Adenauers erweist sich daher eher als situationsbedingter Rückfall in den Regierungsstil des 19. Jahrhunderts«; und selbst Heuss (1970, S. 440) resümierte nach den Intrigen um das Bundespräsidentenamt, die Adenauer für seine Nachfolge spann: »Ich glaube, der Hauptunterschied zwischen ihm und mir ist doch der, daß er, der eine große Verwaltungslaufbahn hinter sich hat, im Elementaren personalistisch denkt und wirkt, während ich, der ich nie Beamter war, institutionell urteile.«

Unter den übrigen Politikern fällt auf, daß sie sich bemühen, über ihre Spezialgebiete auch publizistisch zu arbeiten. Der Econ-Verlag und der Seewald-Verlag haben diesen Drang der Politiker mit Geschick und relativ planmäßig intensiviert. Bekannteste Beispiele dafür sind Erhards Wohlstandsbücher. Bei Wirtschaftsministern scheint sich diese Möglichkeit auf Grund des breiten Interesses geradezu anzubieten, auf das wirtschaftspolitische Fragen heute stoßen. Bei den publizistischen Äußerungen der CDU-Politiker tritt eine mittelständische Ideologie stark in den Vordergrund, etwa bei Finanzminister Franz Etzel in dem Buch ›Gutes Geld durch gute Politik‹ (1959, S. 210): »Ich möchte den Beitrag abschließen mit dem Bekenntnis zum selbständigen Unternehmer, zum selbständigen Mittelständler, wissend, daß der selbständig handelnde Mensch ein Strukturelement unserer gesamten wirtschaftlichen Ordnung ist.« Politik wird in diesen Publikationen vornehmlich als gutprogrammierte Wirtschaftspolitik verstanden, die »von oben gemacht« werden muß, um sozialen Konflikten vorzubeugen. Ein quietistischer Zug des Politikverständnisses ist unverkennbar, Konflikte werden einseitig negativ bewertet und tauchen nur als Objekt eines zentral gesteuerten Krisenmanagements auf. Politische Stabilität ist der höchste Wert, andere politische Zielwerte, die unter Umständen ohne Konflikte nicht einmal artikuliert, geschweige denn durchgesetzt werden können, werden nicht diskutiert. Etzel (ebd., S. 75) faßt diesen Standpunkt in schöner Eindeutigkeit in den Worten zusammen: »Die politische Stabilität eines Staatswesens hängt weitgehend davon ab, ob starke soziale Spannungen vermieden werden können. Nur das Wirtschaftssystem wird auf allgemeine Anerkennung rechnen können, das dem einzelnen das Gefühl gibt, gerecht am Gesamtertrag der Volkswirtschaft beteiligt zu sein. Wohlstand für alle und Eigentum für jeden ist unsere Forderung.« Selbst über speziellere wirtschaftliche und soziale Fragen haben sich Minister publizistisch zu äußern versucht, wie Hans Katzer über Sozialpolitik (1969), und wo das Ressort allzu technisch erschien, als daß seine Probleme auf breiteres Interesse stoßen konnten, schrieb ein Minister – wie Atomminister Siegfried Balke – gelegentlich ein sehr allgemeines Werk über ›Vernunft in dieser Zeit‹ (1962).

Nachdem die Politiker im Amt – nicht ohne gelegentliche finanzielle Hilfe des Ressorts – zunehmend zur Selbstdarstellung durch Sammlung ihrer Reden und Schriften griffen, begannen auch die Spezialisten ohne Exekutivamt, sich publizistisch zu profilieren, wobei sie es in geringerem Umfang als die Minister bei bloßer Nachlese bewenden lassen konnten. Die besten Beispiele geistiger Anstrengung von Schattenministern sind die Schriften Erlers und Helmut Schmidts zur Militärpolitik. Im Bereich der Außenpolitik versuchten Guttenberg (1964) und Ernst Majonica (1969), sich als Anwärter für das Aus-

wärtige Amt zu empfehlen. Nicht aus einem Spezialressort, sondern zur Aus-
formulierung einer ideologischen Sicht der Stellung der Bundesrepublik in der
Welt, erwuchs das Buch von Franz Josef Strauß ›Herausforderung und Antwort‹ (1968), das sich schon im Titel an Servan-Schreibers Bestseller orientiert,
ohne ihm mehr als einen deutschen Sichtwinkel und ein Vorwort Servan-
Schreibers hinzuzufügen. Selten sind bisher die speziellen Rechtfertigungs-
schriften, wie Paul Lückes ›Ist Bonn doch Weimar?‹ (1968), das den apologetischen Charakter in besonders hilfloser Weise demonstriert (vgl. S. 131).

Im Zeitalter der Sammelbände ist es kein Zufall, daß auch die Politiker
ihre Gelegenheitsarbeiten und Reden zu einer Buchbindersynthese gestalten
oder gestalten lassen. In westlichen Demokratien – am systematischsten in
Italien – wurden die Parlamentsreden der großen Politiker häufig gesammelt
und publiziert. In der Bundesrepublik überwiegt die eigene Initiative und die
Rede außerhalb des Parlaments. Einer der anspruchsvollsten Sammelbände
war der Eugen Gerstenmaiers (Bd. 1, 1956; Bd. 2, 1962). Die Reden zur deutschen Außenpolitik des CDU-Außenministers Heinrich von Brentano erschienen ebenfalls gesammelt (1962). Gerhard Schröder ließ 1963 seine Reden in
Auszügen drucken. Schon der Titel ›Wir brauchen eine heile Welt‹ verriet
eine Auffassung von Politik, die stark an einem quietistischen Ordnungsmodell orientiert war. Kai-Uwe von Hassel (1965) folgte dem Beispiel anderer profilierter CDU-Politiker, und in der zweiten Hälfte der sechziger Jahre
ahmten führende SPD-Politiker das Beispiel nach. Das vielseitigste Panorama
publizistischer Gelegenheitsarbeit fand sich bei Herbert Wehner in ›Wandel
und Bewährung‹ (1968).

Der Sozialwissenschaftler ist zunächst erstaunt, aus welchen Quellen politischer Theorie deutsche Politiker schöpfen. Nur selten wird versucht, den
Anschein von Gelehrsamkeit zu erwecken, und das berührt zunächst nicht
unangenehm. Rainer Barzels Versuch über ›Die geistigen Grundlagen der
politischen Parteien‹ (1947) stammt aus der Zeit, ehe er eine Rolle als führender CDU-Politiker spielte. Diese Schrift ist einer der seltenen Versuche
eines Politikers, zu politischen Fragen mehr als punktuell Stellung zu nehmen, und er rekurriert bei der Analyse der Parteiideologie bis auf die klassische griechische Philosophie, die großen christlichen Denker und vor allem
auf Marx und Engels. Trotz des pluralistischen Bekenntnisses an vielen Stellen scheint eine gerechte Würdigung des Beitrags einzelner Parteien bei einer
Einteilung nach metaphysischen Grundhaltungen wie »Der Materialismus
und sein politisches Gesicht« (KPD, SPD, SED) und »Der Idealismus christlichen Gepräges und seine politische Form« (Zentrum und CDU/CSU) von

vornherein gefährdet. Man muß bereits bei der Einordnung der SPD vermuten, daß ihr auch in der Zukunft keine großen Chancen eingeräumt werden, sich von ihren »Grundirrtümern« zu lösen. Eine Würdigung der Emanzipationsbewegung vom orthodoxen Marxismus wird mit den Worten eingeschränkt: »Das soll nicht hindern festzustellen, daß die Sozialdemokratie sich vom Primat der ökonomischen Verhältnisse noch nicht gelöst hat und daß, wenn sie es täte, sie sich nur zu einer liberaleren Form der Anthropozentrik bekennen würde« (ebd., S. 100). Eine humane Politik, zu der sich auch die führenden CDU-Politiker bekennen, wird freilich ohne eine gewisse Anthropozentrik nicht auskommen, und in einem laizistischen Staatswesen wird auch in einer christlichen Partei ein anderes Gravitationszentrum als der Mensch schwer zur verbindlichen Ideologie gemacht werden können, nach der man den Grad der »Abweichung« von einer allgemein akzeptierten Ontologie verläßlich ausmachen kann.

Ein zweiter namhafter Politiker der Bundesrepublik, der sich wissenschaftlich mit Parteiideologie auseinanderzusetzen versuchte, war Hans Joachim von Merkatz. In der kleinen Schrift ›Die konservative Funktion‹ (1957, S. 11) sah er jedoch die Schwierigkeiten, eine konservative Theorie der Politik zu entwerfen, da konservatives Denken immer nur »reagiert« und nicht agiert. Die entscheidende Rolle des konservativen Denkens sah Merkatz in der »Verteidigung der natürlichen Entwicklung des Lebens gegen alle übertriebenen, überspitzten Ansprüche jener abstrakten Rationalität, die mit der fortschreitenden Zivilisation in Wirtschaft, Technik und Wissenschaft immer mächtiger wurde«. Die Schwierigkeiten konservativer politischer Theorie – bei der oft beklagt wurde, daß sie nicht mehr die geistige Höhe der Argumentation im 19. Jahrhundert erreichte – liegen in der zunehmenden Komplexität der Gesellschaft. Die Grenzen »natürlicher Entwicklung und unnatürlicher Übersteigerung der menschlichen Lebensvorgänge« fand auch Merkatz schwer zu bestimmen, ohne daß er zu einer grundsätzlichen Kritik des ideologisierten Naturbegriffes vorstieß, der den meisten konservativen Theorien zugrunde liegt.

Die »wissenschaftliche« Arbeit der meisten übrigen Positionsträger in der Bundesrepublik spielte sich in weniger anspruchsvollen Formen ab und basierte auf noch punktuellerer Lektüre.

Einige Politiker zeigen eine auffallende Vorliebe für bestimmte Denker, wie Kiesinger für Tocqueville oder Gerstenmaier für Scheler, Freyer, Gehlen und andere. Allenfalls Schelsky schien in der Zeit der CDU-Herrschaft unter Politikern noch zitierfähig. Dahrendorf (1965, S. 298) hätte jedoch sicher auch noch heute recht mit der sarkastischen Feststellung, daß die mangelnde Homogenität der Eliten in der Bundesrepublik sich in einem Mangel an gemeinsamen Gesprächsthemen niederschlägt, der Einigkeit allenfalls in der »amüsierten Erörterung der Absurdität soziologischer Analysen« aufkommen ließe. Bei der Absteckung des Bildungshorizonts der politischen Elite fällt ein überwiegend punktueller geistesgeschichtlicher approach in den Schriften und Reden der Politiker auf. Den Informationshorizont deutscher Politiker kann man jedoch nicht allein auf Grund von Zitaten in Reden und Schriften ausmachen. Die punktuelle Analyse müßte durch planmäßige Befragungen ergänzt werden, wie sie Heribert Schatz (1970, S. 32 f.) für die Elite des Verteidigungs- und des Außenpolitischen Ausschusses vorgenommen hat. Sein Verfahren, das Spezialwissen anhand der Kenntnis von Fachausdrücken und Standardwerken bei den Abgeordneten testete, könnte vermutlich verfeinert werden. Seine Ergebnisse, daß die SPD-Eliten am stärksten belesen waren, während die CDU-Eliten in der Kenntnis der Fachausdrücke (auf Grund ihrer durchschnittlich höheren Schulbildung und der besseren Kenntnis des Englischen) den anderen Parteien überlegen waren, lassen sich mangels empirischer Studien bisher nicht für alle Politiker verallgemeinern. Es könnte immerhin sein, daß eine Umfrage bei Experten der Wirtschafts- oder Agrarpolitik andere Ergebnisse zeitigt. Schließlich ist das Spezialwissen nicht das einzige Kriterium, an dem der Informationsgrad von Politikern gemessen werden kann. Für die Fähigkeit der Politiker, politische Zusammenhänge, außenpolitische Prozesse und die Funktionsweisen von Regierungssystemen zu verstehen, müßten eigene Tests entwickelt werden.

Die Analyse von Reden und Schriften der Politiker – die nur unter der oben erwähnten Einschränkung verallgemeinert werden darf – ergibt, daß moderne sozialwissenschaftliche Werke kaum zur Kenntnis genommen werden, obwohl einzelne Politiker gelegentlich auf die Soziologie rekurrieren. Die Politikwissenschaft scheint selbst bei SPD-Intellektuellen, die im allgemeinen aufgeschlossener für wissenschaftliche Beratung im Dienst der Politik und Mitwirkung der Wissenschaft bei der Vorausplanung sind, bisher nicht sehr hoch im Ansehen. Ihre Forschungsergebnisse werden allgemein ignoriert, und erst in neuerer Zeit, seit Politologen in beratenden Kommissionen und bei Hearings gelegentlich auch in den Gesichtskreis von Politikern traten, setzt man sich mit ihnen auseinander. Helmut Schmidt, der sich recht abschätzig über diese Disziplin äußerte, zitierte immerhin gelegentlich einzelne ihrer amerikanischen Vertreter wie Z. Brzezinski, Thomas Schelling und andere Theoretiker der internationalen Beziehungen (Ehmke, 1969, S. 39 ff.). Die

Politikwissenschaft spielt auch bei Politikern, die der Beratung durch Wissenschaftler aufgeschlossen sind – wie Hans Dichgans (1968, S. 64) –, eine eher lästige als ernst zu nehmende Rolle. Dichgans würdigt diese Wissenschaft in einem Nebensatz bei der Beschreibung der Probleme des Postempfangs: »Alle Aktion beruht auf Information, und so geht der Abgeordnete zunächst zu seinem Schließfach, um die Post herauszuholen« (was an sich bereits eine ziemlich schlichte Auffassung von Möglichkeiten der Information durch Kommunikation darstellt). »Sie enthält Drucksachen des Bundestages, Mitteilungen der Fraktion, Eingaben großer und kleiner Verbände, daneben zahlreiche Einzelschreiben, von der anonymen Beschimpfung bis zu der Bitte um Rat und Hilfe oder auch zum Fragebogen eines Politologen, einer Disziplin, die offenbar ihre Diplomarbeiten von befragten Abgeordneten schreiben läßt.« Das ernsthafte Problem, das mit diesem Satz angedeutet ist, liegt in der möglichen Überforderung der Politiker durch unkoordinierte Interview-Wünsche der Politologen. Dies ist einer der Gründe, die es bei der Gründung der ›Parlamentarischen Gesellschaft‹ 1970 dringend geboten lassen schienen, zu einer freiwilligen Koordination von Forschungswünschen zu kommen. Damit sollen die Gefahren der Steuerung von Forschung durch eine solche Gesellschaft, die bei einseitiger Würdigung der Frage auftauchen, wann es sich um ein »seriöses« Projekt handelt, nicht verkleinert werden.

Es wäre eine lohnende Aufgabe, das politische Selbstverständnis der führenden Politiker in der Bundesrepublik mit den Mitteln der quantitativen Semantik zu untersuchen. Im Zusammenhang der Selbstauffassung von der Führungsrolle der Politiker und ihres Elitenbegriffs reicht jedoch eine Auswahl von Reden zu dem Problem zur Bildung einiger Hypothesen. Die meisten Politiker nehmen die funktionale Elitentheorie unbefragt hin, wie Siegfried Balke (1962, S. 20): »Der wirtschaftliche und gesellschaftliche Ausleseprozeß, von dessen zweifellos vorhandenen Mängeln hier abgesehen werden soll, führt zu einer Elitenbildung, der nicht zuletzt große Teile der Unternehmerschaft zuzuzählen sind... jede Gesellschaftsordnung enthält notwendigerweise Führungskräfte, Über- und Unterordnungsverhältnisse.« Nicht selten kam bei den Politikern der Zeit der CDU-Herrschaft jedoch ein unkritischer substantieller, werthafter Elitenbegriff zum Vorschein. Eugen Gerstenmaier hat in einer Rede vor dem BDI 1958 über ›Sinn und Schicksal der Elite in der Gemeinschaft‹ bewußt gegen die Reduzierung des Elitenbegriffs auf funktionale Eliten polemisiert, wie er sie in der Soziologie seiner Zeit fand. Er bekannte sich ausdrücklich zum Rekurs auf das Transzendente und Irrationale bei der Bestimmung von Eliten: »Von Arnold Gehlen stammt das Wort: ›Die

Elite von morgen wird die Elite der Askese sein.‹ In der Tat: der Begriff der Askese ist auf die Elite gesehen aktueller als der des Privilegs. Spätestens damit tritt die Elite in der modernen Industriegesellschaft über den wirtschaftlich-rationalen Bereich ihres Daseins entschieden hinaus. Auch sie, deren Metier die blanke Rationalität und Rentabilität ist, kann des Ethos nicht entraten, das aus dem Irrationalen, Transzendenten stammt« (Gerstenmaier, 1962, S. 125). Unbekümmerter kann man die Gefahr, daß die technologisch konzipierte Rationalität nur allzu leicht in irrationalen Dezisionismus umschlägt, nicht demonstrieren (vgl. dazu: Jürgen Habermas: Theorie und Praxis. Neuwied/Berlin ²1967, S. 173 ff.). Angeblich geraten nach Gerstenmaier selbst Lobredner des egalitären Denkens und der Forderung, daß Elite als Führungsschicht nicht mehr sein dürfe, »ins Stottern, wenn sie vor die Frage gestellt werden, ob der Staat, ob die politische Gemeinschaft eine Führungsschicht brauche oder nicht« (1962, S. 127). Radikale egalitäre Demokraten würden sich allenfalls zu Delegationseliten bekennen, die mit imperativem Mandat und Abberufungsrecht, Rotation und Kontrollen, Kritik und Selbstkritik ständig verunsichert werden. Man kann darüber streiten, ob diese Form der Bewältigung des Elitenproblems langfristig funktionstüchtig ist und ob auch Delegationseliten nicht immer wieder ihren Informationsvorsprung ausbauen können. Daß radikale Demokraten bei der Frage nach der Elite ins Stottern gerieten, läßt sich jedoch nicht nachweisen. Der langjährige Bundestagspräsident hingegen geriet bei der selbstgestellten Frage ins Stottern, wie in der parlamentarischen Demokratie mit unzureichenden Mitteln des einzelnen Abgeordneten bei problematischer Kandidatenauslese eine parlamentarische Elite gebildet werden könne. Er beteuert, daß »ein Parlament natürlich nicht in Anspruch nehmen (könne), die Elite der Nation zu sein«. Er versucht das Problem mit dem Hinweis auf die Fraktionshierarchien zu umgehen: zwar sei jede Stimme im Parlament gleich, aber nicht jedes Wort wiege gleich (ebd., S. 131). Aber nicht nur die Hierarchie unter Politikern wird ohne Kritik gerechtfertigt, sondern auch die Mittel, deren sich die Führungsspitze bedient, die aus dem zentralen parlamentarischen Führungsgremium hervorgeht, werden in ihrer Ordnung und Distanz schaffenden Möglichkeit emphatisch bejaht: »Solange ein Volk eine Zukunft hat, bedarf es einer Elite. Ob sie mit dem lautlosen Beispiel führt oder mit den legitimen Mitteln der Macht Ordnung und Freiheit schützt und Distanz und Gliederung schafft, das ist nicht entscheidend. Denn wo die wahre Elite herrscht, dient sie« (ebd., S. 136). Dient sie wem und welchen Interessen? Solche Beteuerungen eines Exponenten der politischen Elite vor den Repräsentanten der deutschen Wirtschaftselite, die angesichts der autokratischen Strukturen vieler Wirtschaftsbetriebe einer demokratischeren Belehrung durch den Politiker bedurft hätten, muß den vulgärsten marxistischen Hypothesen über die Verschwörung von Wirtschaftsmacht und politischer Macht neue Nahrung geben.

Der Hinweis darauf, daß politische Funktionseliten in einer Gesellschaft, in der gleiches Recht für alle gilt, keine Privilegien genössen, war auch für Innenminister Schröder bei einer Tagung in Bad Boll 1955 genügend Rechtfertigung für die notwendige Existenz einer Elite, die vor allem dann entstehen soll, wenn sich die nicht näher definierte »Elite unseres Volkes« den Parteien »zur Verfügung stellt« (Schröder, 1963, S. 124, 130). Die Möglichkeiten für ein wachsendes politisches Interesse der »Elite unseres Volkes« werden jedoch vom gleichen Redner abgeschnitten, denn die Aufgaben der Hochschulen werden so definiert: »An den Universitäten sollen die Studenten in der zweckfreien Hingabe an wissenschaftliche Probleme zu Menschen gebildet, aber nicht durch pragmatische Wissenssammlung zu Funktionären geschult werden« (ebd., S. 123). Kann »zweckfreies« Studium politisches Interesse erzeugen?

Die Qualitäten der Elite und ihre Rekrutierungsmechanismen wurden von den Politikern stets im Dunkel irrationaler Sätze gelassen, wie bei Merkatz in einem Vortrag über die ›Aufgabe des europäischen Adels‹ von 1958. Merkatz (1963, S. 257) lehnte es ab, den Elitenbegriff klar zu definieren und anzugeben, wer dazu gehört: »Wer von Elite spricht, rechnet sich gar zu gern dazu, und wer Masse sagt, macht meistens den stillen Vorbehalt, nicht dazu zu gehören. Wirklicher Rang ist etwas Unbewußtes, Natürliches, Selbstverständliches. Wer einen Rang beansprucht, hat ihn damit schon verloren. Das gilt für die Regeln des gesellschaftlichen Verkehrs wohl absolut, dürfte aber auch für das politische und diplomatische Protokoll seine Gültigkeit haben. Elite wird erzogen und geschult, sobald eine Gesellschaft sich dieser Kategorie bewußt geworden ist. Immer wird es Eliten geben.« Eliten sind nach dieser Auffassung etwas Gewachsenes, das nicht nach klar absehbaren Leistungskriterien rekrutiert wird oder gar selbst Ansprüche auf Führungspositionen anmelden darf. Eliten werden zugleich als wertgebundene Substanzeliten verstanden, die von den »Spezialisten und Fachleuten in der modernen Massengesellschaft« – von der gesprochen wird, obwohl zuvor der Begriff »Masse« zurückgewiesen wurde – scharf abgegrenzt werden.

Konkrete Fragen der Elitenrekrutierung tauchen in den Stellungnahmen der Politiker nur in moralisierender Form auf. Für Rainer Barzel (1947, S. 9) ist der Politiker die uneigennützige Inkarnation des Strebens nach dem Gesamtwohl: »Da die Politik aus Sorge für die Mitmenschen besteht, ist sie ein Feld der Betätigung für die feinsten und saubersten Naturen.« Die Intellektuellen werden gelegentlich knapp über die »saubere« Natur der Politik belehrt, wie bei Hassel (1965, S. 43): »Politik ist kein schmutziges Geschäft, auch nicht für Intellektuelle. Man soll über Politik nicht die Nase rümpfen, sondern sie in die politische Arbeit hineinstecken.« Die Schuld an der Verkennung der Natur der Politik scheinen nach den Reden der CDU-Zeit überhaupt vorwiegend die Intellektuellen zu haben, die die Differenziertheit des Politikers verkennen: »Andererseits sollten sich die Intellektuellen die Mühe machen, differenziert hinzuhören auf das, was die Politiker sagen. Sie sollten sich nicht aus zu grobschlächtiger Information apodiktische Urteile bilden und in ihrer politischen Kritik nicht hinter ihrem sonstigen Niveau zurückbleiben« (Barzel, 1968, S. 29). Die Deplaziertheit der Kritik der Intellektuellen an den Politikern wurde im Zeitalter des kalten Krieges vor allem mit dem Hinweis auf die »kommunistische Gefahr« zu begründen versucht, wie bei Hassel (1965, S. 43): »Mit der Idee, daß Nonkonformismus Trumpf sein müßte, bauen wir unseren Staat nicht auf, mit der Bindungslosigkeit aus diesem oder jenem Grund, auch zuweilen aus Unkenntnis werden wir unseren Staat nicht tragfähig halten. Gerade unsere intellektuelle Welt hat hier einen großen Auftrag... Wir können der Herausforderung unserer Zeit durch den Weltkommunismus nicht ausweichen. Wir können uns diese Auseinandersetzung weder durch intellektuelle Kraftleistungen noch durch den Ersatz der Wirklichkeit durch Wunschdenken, noch durch akrobatische politische Kunststücke ersparen.« Seit auch durch die Politik der Regierung versucht wird, den Teufelskreis dieses in Bedrohung denkenden Elitenwettbewerbs in beiden Teilen Deutschlands ein wenig zu durchbrechen, hat die CDU die angeblich »akrobatischen politischen Kunststücke« ihrer politischen Gegner noch schärfer kritisiert.

Soweit in der Publizistik der Politiker zugegeben wird, daß die politische Führung in der Bundesrepublik Mängel aufweist, wird dies gelegentlich darauf zurückgeführt, daß die politische Elite der ersten Stunde der Bundesrepublik abtritt. Dichgans (1968, S. 53) betrachtet die Erosion der politischen Elite etwa so: »Diese Aufgabe stellt sich jetzt immer dringlicher, weil der Bestand an Führungskräften, mit dem die Parteien 1947 ihre Arbeit begannen, immer mehr dahinschmilzt. Als die Besatzungsmächte erstmals die Bildung von Parteien erlaubten, kamen die Gründungsmitglieder aus drei Gruppen: den Veteranen der Weimarer Parteien, die 1933 aus dem politischen Leben ausgeschieden waren, Konrad Adenauer und Erich Ollenhauer etwa, ferner den unbelasteten Bürgern aus der mittleren Generation, die niemals mit dem Nationalsozialismus paktiert hatten. Carlo Schmid und Otto Schmidt (Wuppertal) mögen als Repräsentanten dieser Gruppe genannt werden. Zu ihnen stießen die zurückkehrenden Offiziere, Rainer Barzel, Erich Mende, Franz Meyers und Helmut Schmidt... Die ersten Jahre nach dem Krieg waren eine geistig sehr fruchtbare Zeit, und das ist auch der Politik sichtbar zugute gekommen. Inzwischen ist diese geistige Gemeinschaft wieder in getrennte Lager auseinandergefallen.« Damit ist angedeutet, was den Zerfall der politischen Elite bewirkt hat: der Parteienstreit, die Aufspaltung in Lager; und eine solche Feststellung wurde auf dem Höhepunkt einer Regierung der großen Koalition publiziert, als die meisten Kritiker des politischen Systems eher die zu große Einigkeit der politischen Eliten und den mangelnden Konfliktaustrag zwischen ihnen rügten. Bejahung des Konflikts war auch in einer konfliktreicheren Zeit nicht die Stärke der CDU-Ideologen. Für Barzel kam es 1947 darauf an (1947, S. 195): »Die Parteien sollten bei allem Trennenden unaufhörlich nach dem Einenden suchen, damit wir zu einer tatsächlichen Demokratie, das ist zu einer Volksherrschaft, nicht aber zur Herrschaft irgendwelcher Parteien oder Parteikonstellationen kommen.« Ernst Lemmers Politikbegriff stellte sich noch simplifizierender dar: »Politik, so hat einmal Bismarck gesagt, ist die Kunst des Möglichen. Ich habe diesen Satz so verstanden, daß eine Politik dann gut ist, wenn sie nicht zu Konflikten führt« (1968, S. 383).

Wie ein roter Faden zieht sich eine konfliktlose integrationistische Auffassung von Politik durch die Reden und Schriften der Politiker. Sogar eine herablassende »panem et circenses«-Haltung gegenüber dem »Mann auf der Straße« wurde von manchen Politikern nicht verhehlt, wie sie Schröder in einer Neujahrsansprache 1953 zeigte: »Der Mann auf der Straße will zusammen mit seiner Familie leben können. Er will, daß seine Kinder wohl behütet aufwachsen, daß alle, die nach ihren Anlagen und Leistungen dazu befähigt sind, die Möglichkeit haben, gut ausgebildet zu werden und eine entsprechende Berufs- und Lebensentwicklung zu nehmen. Der Mann auf der Straße will Freizeit und Erholung. Er will, daß im Staate Gerechtigkeit gegenüber jedermann geübt wird, daß die öffentliche Verwaltung schnell, wirksam und billig arbeitet und daß sich die Beamten immer als Diener des Ganzen und nicht etwa als Selbstzweck und Vorgesetzte fühlen« (1963, S. 84). Eine ähnliche herablassende Haltung zeigte Erhard (1962, S. 559) gegenüber der Jugend in einem Brief an eine Oberprima von 1961: »Da Sie aber die löbliche Absicht äußern, den in die Berufswelt Tretenden zur Orientierung und Besinnung zu verhelfen, und dieserhalb meine politische und menschliche Erfahrung anrufen, so will ich Ihnen mit schlichten Worten einiges zu diesem Thema sagen.« Wolkige Gemeinplätze wurden dabei noch als »schlichte Worte« ausgegeben.

Erst in neuerer Zeit gerät das Führungsproblem ein wenig aus dem allgemeinen Lamentieren heraus. Mit den Problemen der Reform des Verwaltungssystems wird der »management gap« mit institutionellen Mitteln angefaßt, wie er den Vorschlägen Kiesingers für eine moderne zentrale Verwaltungsakademie zugrunde lag. Seither fordern die Politiker auch für ihren Bereich moderne Führungsmethoden und die dazu notwendige Ausbildung, so daß das ungetrübte Bild des Allround-Honoratiorenpolitikers alter Schule auch in der CDU nicht mehr das vorherrschende Leitbild ist (vgl. Barzel, 1968, S. 58).

Daß die mangelnde Attraktivität der Politik für die intellektuelle Elite auf das erstarrte Leben in den Parteien selbst zurückgeht, wagt kaum ein führender Politiker zu äußern. Die Methoden der innerparteilichen Fraktionsbildung und der Diskussion alternativer Konzepte, wie sie die Jugendorganisationen der drei Parteien (am schärfsten die Jungsozialisten) anstreben, könnten ein wichtiger Beitrag zur verbesserten Elitenzirkulation und Hebung der Qualität der politischen Führung werden. Solche Methoden werden jedoch in allen Parteien bisher allenfalls geduldet, keineswegs jedoch offiziell ermutigt (Börnsen, 1969, S. 92).

Die SPD hatte es in der Opposition ein bißchen leichter, grundsätzliche Kritik in den Reden führender Politiker zu äußern, etwa wenn Erler (1968, S. 324) den administrativen Eliten vorwarf, das Wesen parlamentarischer Regierung noch nicht begriffen zu haben, oder Wehner (1968, S. 348) die Übermacht der exekutiven Führungsgruppen über die parlamentarischen anprangerte. In der impulsiven Polemik Wehners, die in der konservativen Kritik nicht selten noch als Ausfluß seiner kommunistischen Vergangenheit hingestellt wurde (Salter – Stolz, S. 12), lebt auch noch in der Zeit, da die SPD an der Regierung ist, etwas von einem konfliktreicheren Verständnis von Politik fort. Ob die Mehrzahl der führenden SPD-Politiker jedoch nach dem Verlassen der Oppositionsrolle nicht eben solcher Sehnsucht nach der »heilen Welt« ohne kritisches Parteiengezänk verfallen wird, bleibt abzuwarten. Auch in den Reden führender SPD-Politiker mangelt es nicht an nebulosen Sätzen zum Führungsproblem, wie sie Willy Brandt (1961, S. 13) in seiner Vorliebe für rhetorisches Stakkato gelegentlich prägte: »Gestaltende politische Kraft oder ›pressure groups‹ plus Propagandagesellschaft – das ist die Frage. Vertrauen gewinnt nur, wer Vertrauen ausstrahlt. Macht erlangt man nicht ohne Willen zur Führung. Die Demokratie soll nicht nur lebendig, sie soll auch kämpferisch sein.« Der SPD hat man manchmal eine zu starke Vorliebe für ideologische Fragen und einen zu geringen Sinn für die Macht nachgesagt – ein Vorwurf, der wenigstens auf Landesebene schon seit 1949 ungerechtfertigt war. Aber auch in der Opposition war diese Partei nicht dagegen gefeit, den Mangel an Macht durch verbale Kraftakte zum Führungsproblem zu kompensieren.

In einem Buch von Klaus von Dohnanyi zeigten sich neue Gefahren einer anspruchsvollen, aber gleichwohl oberflächlichen Politikerliteratur. Nach 12 Tagen einer Japanreise werden ein paar Zahlen korreliert und das deutsche Führungsdefizit im Vergleich mit Japan konstatiert. Die Mängel der Führung in der Bundesrepublik werden jedoch bei Dohnanyi nicht nur mit der Verständnislosigkeit der Intellektuellen erklärt, und der Vorschlag der Imitation ausländischer Eliteschulen wird skeptisch betrachtet. Als Erklärung für das Führungsdefizit werden benutzt: der mangelnde Kontakt der Bereiche von Wirtschaft und Politik, die mangelnde gesellschaftliche Integration in der Bundesrepublik, der Mangel an Koordinationsinstrumenten wie der Konzertierten Aktion und die übergroße regionale Dezentralisation (v. Dohnanyi, 1969, S. 172 f.). Die Mängel der Parteien und der Kandidatenauslese, die Mängel der Ausbildungssysteme und der politischen Sozialisation – angefangen beim Sozialkundeunterricht in unseren Schulen – werden jedoch auch von Dohnanyi nicht berührt. Die Kritik beschränkt sich auch bei ihm letztlich auf einige durch institutionelle Eingriffe reparable Dysfunktionalitäten eines im ganzen positiv bewerteten Systems. Bei CDU-Politikern reduzierte sich das Führungsproblem häufig auf den Ruf nach Spezialakademien für öffentliche Verwaltung, so sehr man sich auch beeilte, zu erklären, daß man nicht das französische elitäre System der ›Ecole nationale d'administration‹ kopieren wolle, wie es Innenminister Ernst Benda tat (Benda u. a., 1969, S. 24).

Präzise Vorstellungen über adäquate Spezialqualifikationen für künftige Politiker sind noch kaum entwickelt worden, was nicht verwundert in einem Land, in dem selbst das Wirtschaftsmanagement einer spezialisierten professionellen Ausbildung skeptisch gegenübersteht und lieber von »Profilierung, Stilgebung, Standortgebung« spricht als von formalem Wissen und professioneller Kompetenz (Hartmann, 1959, S. 168). In der apologetischen Literatur der fünfziger Jahre wurde gern die Allround-Führungspersönlichkeit aus der Wirtschaft für berufen erachtet, auch den »Führungsstil« in der Politik zu prägen, und den Berufspolitikern, Spezialisten oder Bürokraten gegenübergestellt. Herbert Gross (1954, S. 25) kam zu dem Schluß: »Eine Wirtschaft aber, deren Führer auf die Politik verzichten, wird oft zum Spielball der staatlichen Bürokratie, die zugleich Widersacher der freien und schöpferischen Kräfte ist.« Irrationale, substantiell gedachte Werte wurden rational angebbaren Leistungsfähigkeiten vorgezogen.

Noch stärker macht sich diese »Berufsideologie« in speziellen Verwaltungsbereichen mit traditionell hohem Ansehen bemerkbar, wie in der Diplomatie, wo man bis heute die »angeborenen« und nicht erworbenen, »also einem reinen Leistungsauswahlprinzip sich entziehenden Begabungen und Tugenden« noch stark betont (End, 1969, S. 82, 103), was einer modernen Rekrutierung von Spezialisten für bestimmte Länder und Regionen bisher immer wieder im Wege gestanden hat. In diesen Bereichen, die bestimmte traditionale Führungsqualitäten betonen, aber auch in der Politik überhaupt ist es heute kein Zufall, daß der Begriff »politischer Stil« als wertgeladene Leerformel, die mit unterschiedlichem Inhalt gefüllt wird, nicht nur in politischen Sonntagsreden eine große Rolle spielt, ohne daß der Begriff bisher sehr spezifische Rollenerwartungen umreißt. In der Organisationstheorie ist das Überdauern traditionaler und sogar charismatischer Züge des öfteren untersucht worden. Victor A. Thompson (1968, S. 219) hat hierarchische Rollen generell infolge ihrer kulturellen Bestimmung mit starken charismatischen Elementen verbunden gesehen.

Bemerkenswert ist immerhin die Tendenz, daß Parteien versuchen, von ihren Spezialisten jeweils politische Planungsideen zu publizieren, wie in den ›Perspektiven‹, die Horst Ehmke herausgab, oder daß Politiker zusammen mit Wissenschaftlern über eine zukunftsbezogene Politik räsonnieren und sich der wissenschaftlichen Diskussion stellen, wie Ernst Benda und Ralf Dahrendorf. Die bloße Tatsache, daß ein Wissenschaftler vom Format Dahrendorfs Politiker auf wichtigem Posten wurde und aus der Kenntnis beider Sphären liebgewordene Illusionen zum Thema wissenschaftliche Beratung der Politik kritisch unter die Lupe nimmt, ist bereits ein Fortschritt gegenüber der Adenauer-Ära, auch wenn er detaillierte Anregungen darüber vermissen ließ, was er unter »zielbewußter Führung, die kräftig kontrolliert wird« versteht (Dahrendorf, in: Benda, 1969, S. 49). Ein neuer Ton in der Debatte war etwa die Kritik des traditionellen Politikbegriffes, der Politik nur als Anpassungsprozeß versteht und den sozialen Wandel als ein Fatum, das nicht mehr befragt wird, hinstellt, an das man durch Überbrückung technologischer Lücken den Anschluß suchen muß (vgl. ebd., S. 33). Anpassung an einen Prozeß oder Anpassung an irgendein imaginäres Land, das angeblich im internationalen Wettbewerb Vorteile erlangt hat – bei Strauß die USA, bei Dohnanyi Japan –, kann jedenfalls noch nicht als die kritische Auffassung von Politik aufgefaßt werden, die heute not tut.

Im ganzen zeigt die Analyse des Selbstverständnisses der meisten Spitzenpolitiker, daß es auf dem Boden der normativen ontologischen Politiktheorien der fünfziger Jahre beruht, die in Deutschland vor allem von der Schule Arnold Bergstraessers und von Wilhelm Hennis vertreten wird. Laizistischen wie christlichen normativen Theorien ist gemeinsam, daß sie Politik überwiegend als praktische Philosophie ansehen, die vom Einzelfall her denkt, rationale Konstruktionen ablehnen, weil Politik nie den wissenschaftlichen Verläßlichkeitsgrad von »episteme« erlangen kann, und mit Vorurteilen gegen behavioristische und systemtheoretische Ansätze behaftet sind. Solche Konzeptionen spielen in der politischen Theorie zwar auch bei uns nur eine marginale Rolle, und kaum ein Politiker beruft sich expressis verbis auf sie. Wie häufig bei Praktikern ist aber eine bestimmte, meist recht konservative Theorie als »gesunkenes Kulturgut« in allen Stellungnahmen präsent und entfaltet beträchtlichen Einfluß bei Entscheidungen. Diese traditionale Politikkonzeption drückt sich bereits im Festhalten an dem Terminus »Staatskunst« aus und fördert die Skepsis gegenüber wissenschaftlicher Politikberatung und systematischer Analyse von Entscheidungssituationen. Ähnlich wie bei Böhret (1970, S. 16) soll hier nicht jede Führungsfunktion oberster Entscheidungsträger als überflüssig erklärt werden, es gilt jedoch »diese wichtige Funktion von der Mystik persönlichkeitsbezogener, transrationaler Qualitäten zu befreien und als das zu definieren, was sie sein kann: als die wünschenswerte Eigenschaft, aus der Verbindung von politischer Situation und gesellschaftlichem Wertsystem unter Anwendung von problemadäquaten Hilfen eine risikobewußte und begründete Entscheidung zwischen *mehreren* Möglichkeiten zu fällen.« Nur der ständige Versuch, die Diskussion für weitreichende Alternativen offenzuhalten, kann die Gefahren bannen, die selbst von einem aufgeklärteren und verwissenschaftlichten Politikverständnis drohen, wie sie vor allem in der neueren Publizistik der SPD aufgetaucht sind. Nicht ganz zu Unrecht ist den ›Perspektiven‹, die Ehmke 1969 herausgab, die Tendenz nachgesagt worden, Politik technokratisch auf ein Disziplinierungsproblem zu reduzieren, um »einen freiwilligen Gleichschritt der Bevölkerungsmassen zu erwirken, zu dem nur noch Links- und Rechtsextremismus als Alternativen dunstig perzipiert werden« (Offe in: Koch-Senghaas, 1970, S. 168).

Die Ergebnisse einer ideologiekritischen Analyse der Publizistik deutscher

Politiker weichen in jedem Fall vom Resultat behavioristischer Mammutbefragungen ab, wie sie die Gruppe Wildenmann unternahm und nach der vieles in bezug auf das Politikverständnis durchaus in Ordnung zu sein scheint. Der überwiegende Teil von Landespolitikern und Verwaltungseliten gibt an, soziale Konflikte, weite Freiheiten der Opposition und andere demokratische Werte voll zu bejahen (1968, S. 51). Andere Fragen, die als Kontrollfragen aufgefaßt werden können, zeigen jedoch bereits an, daß die Landes- und Lokalpolitiker zum großen Teil glauben, solche Bekenntnisse zur pluralistischen Demokratie mit Sympathien für eine »starke Führung, die sich über alle Gruppeninteressen hinwegsetzt«, vereinen zu können (ebd., S. 55). Dieses Beispiel zeigt einmal mehr, wie häufig unreflektierter Behaviorismus in Gefahr geraten kann, von bekannten Meinungen auf wirkliche Einstellungen und Handlungen zu schließen, da bereits die Worte – nicht nur bei spontanen Äußerungen – häufig von der befragten Meinung abweichen. Artikulierte Meinungen und »non-verbal behavior« erweisen sich häufig nicht als identisch. Die Vermutung, daß die politische Elite in der Bundesrepublik dem Konflikt gegenüber ablehnend reagiert und integrative Werte höher einschätzt, wird in gewisser Weise durch einen internationalen Vergleich, wie ihn Deutsch (1967, S. 102) unter französischen und deutschen Eliten versucht hat, bestätigt. Als wichtige »cleavages« wurden in Frankreich Klassen- und ideologische Konflikte mit 22 %, in der Bundesrepublik nur mit 6 % genannt. Bei den Spitzenpolitikern, die ihr Land häufig im Ausland repräsentieren oder bei Sonntagsreden die politischen Symbole des Landes beschwören müssen, wie in noch größerem Maße beim Auswärtigen Dienst, der von einem Bild der »intakten Heimat« und des geeinten Gemeinwesens ausgeht (End, 1969, S. 106), besteht in allen Ländern die Gefahr, daß die integrativen und konfliktfeindlichen Attitüden sich verstärken, und die politische Kultur der Deutschen verstärkt offenbar diesen Trend bei den politischen Eliten.

Es muß aber davor gewarnt werden, die konfliktfeindliche Auffassung von Politik nur auf die deutsche politische Tradition zurückzuführen. Auch für Länder, die sich alter demokratischer Traditionen rühmen, wie Norwegen, hat man eine vorwiegend manageriell-manipulative Einstellung festgestellt, für welche die Vermeidung von Konflikten oberstes Ziel darstellt (Field-Higley, 1972, S. 16). Die Auffassung der politischen Elite von ihrer eigenen Rolle erwies sich in den Parteien als unterschiedlich. Dennoch läßt sie sich in Deutschland nicht in direkte Beziehung zum Grad des Dogmatismus und der ideologischen Konzeptionen der Parteien setzen, wie in einigen Vielparteiensystemen. Für Italien hat DiRenzo (1967, S. 108, 120) auf den engen Zusammenhang von Persönlichkeitstypen, Organisation der Parteien und Intensität der politischen Ideologie hingewiesen, aber im deutschen Zweieinhalbparteiensystem mit zunehmender Angleichung der Rekrutierungsmuster wird man schwerlich zu ähnlich klar abgrenzbaren Ergebnissen für die beiden größten Parteien kommen.

Wenn funktionale Elitentheorien in den USA häufig auf der Annahme basieren, daß die Ungleichheit in modernen Industriegesellschaften nur funktional und gleichsam »akzidentiell« ist, so wurde zuweilen daraus geschlossen, daß die Eliten es für überflüssig erachten, »extravagante Ansprüche zu erheben, um ihre Überlegenheit herauszustellen« (Field-Higley, 1972, S. 6). Sicher ginge es zu weit, die Ansichten deutscher Politiker über Elitenrekrutierung der »extravaganten Ansprüche« zu bezichtigen. Man wird aber anhand ihrer Reden und Schriften auch nicht sagen können, daß sie sich in ihrer Mehrzahl zu einer bloß funktionalen Theorie der Ungleichheit durchgerungen hätten.

2. Stellung in der Prestigehierarchie der Bundesrepublik

Für die Bundesrepublik hat man von einer »Machtdeflation« gesprochen. Macht wurde in dem »Schönwettersystem« der Bundesrepublik als weniger wichtig angesehen, da sich die gesellschaftlichen Probleme überwiegend mit Geld regeln ließen. Macht im Sinn von offenem Zwang brauchte im Vergleich zu früheren Epochen der deutschen Geschichte nur in ganz geringem Umfang eingesetzt werden, und der Staat konnte sich weit mehr mit Werbung als mit Drohung präsentieren (Neidhardt, 1968, S. 92). Dies hat dazu beigetragen, daß die politischen »decisionmakers« weitgehend nicht zu den Prominenten gehören, deren Leben besondere Aufmerksamkeit der Massen auf sich zieht (Scheuch, 24. 11. 1967, S. 3). Da politische Karrieren schon keine hohen Einkommen versprechen, könnte man annehmen, daß das Sozialprestige mögliche Einkommenseinbußen kompensieren könnte, da bei der Tendenz zur Abschwächung der Einkommensunterschiede aus unselbständiger Arbeit eine Ergänzung und Korrektur durch ein zweites Belohnungssystem notwendig wird, durch Sozialprestige (Scheuch in: Glass-König, 1965, S. 90). Für das Sozialprestige ist nach Auffassung einiger Soziologen der Beruf maßgeblich (Bolte, 1959, S. 29). Die Oberschicht, zu der sich nach einer Untersuchung von Harriet Moore und Gerhard Kleining (1960, S. 93 ff.) nur 1 % der Bevölkerung in der Selbsteinstufung zählt, versteht sich jedoch gerade als über der Berufshierarchie stehend. Dazu wurden gerechnet: die Inhaber großer Unternehmen, Großgrundbesitzer, Hochadel, Prestige-Berufe in Politik und Wirtschaft. Sie sind stolz darauf, sich nicht mit einem bestimmten Beruf zu identifizieren; Beruf hat für sie allenfalls instrumentalen Charakter. Da jedoch nur ein kleiner Teil der Politiker aus der Oberschicht kommt und die obere und mittlere Mittelschicht (nach dem Warnerschen Klassenmodell), die sich stärker mit ihren beruflichen Leistungen identifizieren, in der Politik der Bundesrepublik dominieren, könnte man darauf schließen, daß die Politiker sich erst dann, wenn sie auf einer relativ hohen Stufe des Establishments stehen, von ihrer Berufsrolle lösen. Dies läßt sich für eine ganze Reihe von Ministern durchaus beweisen. Berufsbezeichnungen sagen generell nur wenig über die tatsächliche funktionale Rolle eines Menschen aus, und das gilt für Politiker in noch größerem Maße, zumal mit der Professionalisierung der Politik der Lernberuf für eine ganze Reihe von Politikern immer mehr zur Fiktion wird (vgl. S. 51 ff.). Nur wenige Politiker haben ihre politische Karriere eingeschränkt, weil sie von ihrer beruflichen Aktivität nicht ganz lassen konnten, wie Josef Hermann Dufhues, der als Anwalt mehr Fortune denn als Politiker bewies. Wenn man zu den Faktoren, die Sozialprestige bedingen, Schulbildung und Berufsprestige, Einkommen, die Eintrittsbedingungen, die Knappheit der Funktionen (die gerade in der Zentralregierung sehr groß ist) und die Macht, über andere Menschen zu disponieren, zählt (vgl. Scheuch in: Glass-König, 1965, S. 91 f.), müßten Politiker in der Prestigehierarchie relativ hoch rangieren. Wenn man außerdem noch die These von George C. Homans (Social Behavior. Its Elementary Forms. New York 1961, S. 334) vertritt, daß vor allem jene Menschen hohes Ansehen gewinnen, die für viele andere Menschen Dienste leisten, die von diesen nicht anders entgolten werden können als durch die Verleihung von Ansehen und die Bereitschaft zu Gehorsam, dann müßten die Politiker besonders gute Chancen haben, hohes Ansehen zu erlangen. Die These aus der Kleingruppenforschung läßt sich gleichwohl für die Politik nicht verifizieren. Die Eintrittsbedingungen für politische Karrieren sind relativ diffus, der Bildungsgrad steht nicht in adäquatem Kausalzusammenhang zur Höhe der Position, die »guten Dienste« der Politiker werden selten direkt von den Bürgern perzipiert. Es wird noch zu häufig Machtwille und Eigennutz der Herrschenden unterstellt (vgl. S. 78), als daß von Dankbarkeit die Rede sein könnte. Zudem kann die Kategorie der Dankbarkeit, die in den zwischenmenschlichen Beziehungen ihre Berechtigung hat, in der Politik als der Arena der Auseinandersetzung kollektiver Interessen nicht gleiche Geltung beanspruchen, weil sie die Kritikfähigkeit der Bürger beeinträchtigt und veraltete

Herrschaftsstrukturen stabilisiert. Politiker, die ihre Wahlkampagnen auf den Appell an die Dankbarkeit für vergangene Leistungen abgestellt hatten, sind von Churchill bis de Gaulle und Kiesinger damit immer gescheitert.

Die Macht, über Menschen zu disponieren, fällt bei allen Führungspositionen in staatlichen Institutionen weniger ins Auge als im privaten Bereich. Direktoren mittlerer Firmen haben meist ein wesentlich höheres Prestige als Rektoren einer großen Schule oder Leiter einer größeren staatlichen Behörde, obwohl der Umfang der Dispositionsbefugnis im staatlichen Bereich zum Teil höher ist. In den Unterschichten gibt es weitgehend uneinheitliche Maßstäbe für die Beurteilung prestigewürdiger Leistungen. Von Geld, Wissen und Macht erscheint in der Bundesrepublik die Macht vergleichsweise am wenigsten umsetzbar in Prestige (Neidhardt, 1968, S. 112). In einer Umfrage unter 800 Angehörigen verschiedener Elitensektoren, die unter der Leitung von Rudolf Wildenmann in Mannheim durchgeführt wurde (1968, S. 24 f.), wurden auf die Frage, wer zu den oberen Zweitausend in der Bundesrepublik gehöre, die Politiker allgemein erst an 7. Stelle genannt, wobei sie noch hinter den hohen Ministerialbeamten und den Journalisten rangierten. Nach der Einschätzung der Minister und Staatssekretäre war jedoch nicht speziell gefragt. Das Ansehen von Bundestagsabgeordneten erwies sich auch unter Eliten als nicht besonders hoch. Diese Befunde einer Elitenstudie stimmen im ganzen mit Umfrageergebnissen bei wichtigen Berufszweigen überein. Die Untersuchung, die eine Forschungsgruppe unter Helge Pross bei Gießener Professoren durchführte, ergab, daß diese zu 32,2 % die Bundesminister als die Spitze der Berufshierarchie in Deutschland sahen. Wertet man jedoch die drei ersten Berufsnennungen gemeinsam aus, so zeigt sich wiederum ein übertriebenes Selbstbewußtsein der Professoren, die ihre eigene Berufsgruppe häufiger als die Bundesminister auf den ersten drei Stufen der Prestigehierarchie stehen sahen (Pross u. a., 1970, S. 131 f.).

Nicht nur die Gruppe der Professoren, die in Deutschland traditionell überschätzt wurde und sich selbst ebenfalls gern überschätzte, zeigte in neueren Arbeiten die niedrige Einschätzung des Politikers. In der Untersuchung von Gerwin Schefer (1969, S. 176) über das ›Gesellschaftsbild des Gymnasiallehrers‹ wurde der Bundestagsabgeordnete in der Prestigeskala der Berufe erst an 8. Stelle genannt – nach dem Professor, dem Arzt, dem Amtsgerichtsrat und dem Gymnasialprofessor. Diese Studie deutet jedoch zugleich den möglichen Wandel an, da der Teil der Gesamtstichprobe, der als »progressiv« klassifiziert wurde, zwar auch noch den Professor an der Spitze der Prestigehierarchie stehen sah, jedoch den Bundestagsabgeordneten bereits an die zweite Stelle setzte. Die Ergebnisse der beiden Studien haben deshalb ein gewisses Gewicht, weil es sich um die Meinung zweier der wichtigsten Multiplikatoren im deutschen Erziehungssystem handelt, denen eine Schlüsselfunktion im Prozeß der Sozialisierung von Eliten zufällt und deren Meinung daher entscheidender für die Reproduktion von Stereotypen in der Prestigeeinschätzung ist als die anderer Berufsgruppen.

Da im politischen Subsystem des deutschen Teilstaates relativ wenig Vertrauen und Prestige von den Politikern mobilisierbar erschien, das unabhängig von den wirtschaftlichen Leistungen des Systems war, erwies sich selbst das vorhandene Prestige als besonders krisenanfällig. Bei zu geringen »Dekkungsreserven« des Prestiges – von Neidhardt (1968, S. 19) als »Leistungen und Qualitäten« umschrieben – kann sich dieses nur aufgrund direkt erlebter Leistungen und Qualitäten halten und muß sich individuell als persönliches Prestige legitimieren.

Die Neigung der Massenkommunikation, politische Vorgänge zu personalisieren (Holzer, 1969, S. 37), und die Vermischung von persönlichen und öffentlichen Angelegenheiten in der Boulevardpresse, verstärkt die Tendenz, Politikerprestige überwiegend als persönliches Prestige wahrzunehmen. Im internationalen Vergleich haben daher sogar Anhänger der kritischen Theorie die leichtfertige »Tiefpunktthese« übernommen, die von S. Pausewang und anderen (Öffentliche Meinung und Massenmedien. In: Wolfgang Abendroth – Kurt Lenk [Hrsg.]: Einführung in die Politische Wissenschaft. München 1968, S. 316; G. Amendt: China. Der deutschen Presse Märchenland. Frankfurt 1968; Urs Jaeggi – R. Steiner – W. Wyninger: Der Vietnamkrieg und die Presse. Zürich 1966) aufgestellt wurde und die häufig keinerlei Lernprozesse durch die Massenmedien mehr für möglich hielt. Im Verhältnis zu den romanischen Ländern sind die bewußtseinsbildenden Qualitäten deutscher Massenmedien höher einzuschätzen, es fehlt jedoch vor allem die fruchtbare Spannung eines stark kritischen Journalismus angesichts eines völlig staatsbeherrschten Rundfunks und Fernsehens, wie sie in Frankreich und Italien zu beobachten ist (vgl. v. Beyme, 1970, S. 104). Obwohl die Möglichkeit, auch auf unterhaltende Weise in politische Probleme einzuführen, nicht pauschal verneint werden kann (vgl. T. Brocher: Die Unterhaltungssendung als Instrument gesellschaftspolitischer Bewußtseinsbildung. In: G. Longolios [Hrsg.]: Fernsehen in Deutschland. Mainz 1967, S. 283 ff.), haben die Vermischung zwischen individuellen Lebensproblemen und öffentlichen Angelegenheiten, die Prominententheatralik und der aus ihr resultierende Personenkult, die Kultivierung von Politikerimages als Vaterfiguren, die Reduzierung der sozialen auf individualpsychologische Probleme die aufklärerische Chance der Massenmedien nicht wirksam werden lassen (Horst Holzer: Gescheiterte Aufklärung? München 1971, S. 153 ff.). Die Angehörigen der Prominenz sind auch im außenpolitischen Bereich nicht durch einen einheitlichen sozialen Status gekennzeichnet, sondern durch einen ähnlich hohen Popularitätsgrad, der teilweise der Manipulierbarkeit durch Massenkommunikationsmittel unterliegt (Horst Holzer: Illustrierte und Gesellschaft. Freiburg 1967, S. 170), wenn auch nicht in dem Ausmaß, das einige populäre Reißer über die Macht der Werbung immer wieder behaupten (z. B. Gayer, 1963). Wenn die Massenmedien einerseits zur Personalisierung und Romantisierung auch des politischen Aufstiegs neigen, so kann man in der Bundesrepublik nicht leugnen, daß vor allem das Fernsehen zur Verbreitung von politischer Information beigetragen hat und auf die Dauer bei planmäßigem Ausbau der informativen Mission die Kommunikationsmittel durchaus einen Rationalisierungseffekt ausüben können, der auch die Gesetzmäßigkeiten politischer Mobilität aus dem Halbdunkel des individuellen Erfolges hebt (vgl. Lenski, 1966, S. 414).

Die Personalisierungstendenzen der Presse führen dazu, daß ein starkes fachgebundenes Talent von einer breiteren Öffentlichkeit nur selten honoriert wird. Die Bedeutung von wirtschaftlichen und finanziellen Fragen für die Erfolgszumessung moderner Politik ermöglicht es aber vor allem, sich in wirtschaftlichen Ressorts zu profilieren, wie dies Erhard, Schiller, neuerdings auch Möller und Ertl gelang. Trotz zunehmender Bedeutung der Fachmänner ist bei Schlüsselpositionen in allen Bereichen der Gesellschaft das Koordinierungs- und Integrationsvermögen so entscheidend, daß immer wieder Allround-Männer bevorzugt werden (Fürstenberg, 1962, S. 99). Selbst in Subsystemen, in denen das Leistungsprinzip noch stärker betont wird als in der Politik, ist immer wieder beobachtet worden, daß eine »Massierung speziellen Wissens und Könnens in den oberen bis mittleren Regionen« anzutreffen ist, während die Spitzenpositionen vielfach durch Männer besetzt sind, deren Einfluß sich auf anderen Grundlagen legitimiert als der der ihnen unterstellten Experten (Hartmann, 1964, S. 132). Diese Legitimierung ist keineswegs immer der Produktionsmittelbesitz in kapitalistischen Systemen. Auch manche Manager, die am Produktionsmittelbesitz nur mittelbar beteiligt sind, zeigen Orientierungsweisen, die nicht die des Experten sind und die bis in die Zeitungsannoncen, die nach einer »echten Führungskraft« suchen, immer wieder mystifiziert werden. Diese Beobachtung bestätigt sich im Bereich der Politik noch häufiger.

Höchstes Ansehen unter politisch Informierten und in der Presse haben in der Regel nicht die Spezialisten, sondern die multifunktionalen Allround-Politiker wie Adenauer, Strauß, Brandt, Wehner, Ehmke. Die meisten stärker spezialisierten Minister waren nach Allensbach-Umfragen den Befragten überwiegend unbekannt, so 1963: Justizminister Bucher (70 %), Finanzminister Dahlgrün (56 %), Schatzminister Dollinger (65 %), Wirtschaftsminister Schmücker (48 %), Ernährungsminister Schwarz (57 %; Noelle – Neumann, a. a. O. [s. S. 78], 1958 bis 1964, S. 311 ff.), und 1966/67: Postminister Dollinger (40 %), Justizminister Heinemann (62 %), Arbeitsminister Katzer (46 %), Wohnungsbauminister Lauritzen (65 %), Verkehrsminister Leber (65 %), Wissenschaftsminister Stoltenberg (58 %; ebd., 1965–1967. Allensbach/Bonn 1967, S. 226 ff.). Nirgendwo zeigt sich in krasserer Form als beim individuellen Politikerprestige, daß Demokratie nicht mit Demoskopie verwechselt werden darf und daß die Popularität eine Funktion politischer Aktivität ist. Auch reißerische Dämonisierung der politischen Werbung, wie das Buch von Kurt Gayer (1963, S. 85 ff.) über Politik und Werbung konnten nicht nachweisen, daß Minister ohne Verdienste durch die Werbung »gemacht« werden können. Mendes steigende Popularitätskurve und ihr Abfall nach seiner in der öffentlichen Meinung als »Umfall« perzipierten Umorientierung konnte auch intensive Imagepflege nicht ändern, und Brentano konnte selbst durch die noble Geste eines Amtsverzichts bei der Kabinettsbildung, als die FDP Bedenken gegen ihn anmeldete, sein farbloses Image auf der Welle einer vorübergehenden Sympathie nur zu einem kurzen Pendelschlag nach oben bringen.

Leistungszumessung wird in allen Bereichen der Gesellschaft – trotz der Ideologie der Leistungsgesellschaft – nicht bloß nach der objektiv meßbaren Leistung vorgenommen, sondern hängt von einer Reihe anderer Faktoren ab, wie der erfolgreichen Selbstdarstellung des Individuums, Prestige aus Luxuswissen, Berufsideologien, Symbolen und anderen Leistungssubstituten (Offe, 1970, 58 ff.). Die Leistung des Politiker wird mit zunehmener Anonymisierung der Entscheidungsprozesse, in denen es im Gegensatz zur Zeit des klassischen Honoratiorenparlamentarismus immer weniger »Alleingänge« einzelner Politiker zur Durchsetzung einer Forderung geben kann, immer schwerer meßbar. Pluralisierung und Demokratisierung lassen es zudem unmöglich erscheinen, den Erfolg für eine Maßnahme, die von vielen Gruppen und Interessenten gemeinsam durchgesetzt wurde, einem Politiker jeweils zuzuschreiben. Um den eigenen Anteil an den Entscheidungen deutlich zu machen, ist der Politiker stärker als die Führungskräfte in anderen Leistungshierarchien darauf angewiesen, zur erfolgreichen Selbstdarstellung zu greifen. Sie zwingt zur Vergrößerung des »Leerlaufs des Dabeigewesenseins« und kann im Extremfall zu sinnloser Präsenz führen, wie Willy Weyers Flug nach Meschede bei einer drohenden Pockenepidemie, obwohl davon – wie er einmal ironisch zugab – kein einziger Pockenkranker gesund wurde. Macht und Einfluß von Politikern erhöhen sich nicht nur durch objektive Leistung, sondern vor allem durch das Ausmaß der Akklamation von Wählern und Parteivolk. Dies schafft die Gefahr, daß die Technik der Selbstdarstellung die eigentliche politische Leistung überwuchert. Bei der Messung der Leistung von Politikern wird auch nicht jede Leistung, die zur Politik nötig ist, in gleicher Weise honoriert, sondern einzelne Führungsrollen (vgl. S. 119) eignen sich besser als andere zur Selbstdarstellung.

Als Folge des Aufstiegs wird generell beobachtet, daß personell bedingte Abweichungen zwischen formalem und informalem Gewicht einer Position in allen Sozialbereichen und auf allen gesellschaftlichen Rangstufen festzustellen sind (Fürstenberg, 1962, S. 103). Bei der hohen Bedeutung des individuellen Prestiges von Politikern ergeben sich in der Politik sogar besonders starke Schwankungen. Zum Beispiel war Wirtschaftsminister Schmücker einige Monate nach seinem Amtsantritt noch 48 % der Befragten unbekannt, und nur 15 % hatten eine gute Meinung von ihm, während es seinem Nachfolger Schiller gelang, innerhalb eines halben Jahres die Unbekanntheitsrate von 45 % auf 18 % zu drücken und den Prozentsatz derer, die eine gute Meinung von ihm hatten, von 27 % auf 51 % anzuheben (Noelle-Neumann, a. a. O., 1958–64, S. 313; 1965–67, S. 231). Solche Vergleiche lassen jedoch keinen direkten Schluß auf die persönlichen Fähigkeiten eines Politikers zu. Schmücker hatte mangels Krisen weniger Gelegenheit, positiv aufzufallen. Einen brauchbaren Prestigevergleich kann man allenfalls zwischen Ressorts und Politikern machen, die nicht durch spektakuläre Ereignisse in den Brennpunkt der öffentlichen Aufmerksamkeit geraten. Individuelles Prestige einzelner erwies sich bei den Umfragen als äußerst labil. In dem kurzen Zeitraum von August 1966 bis Februar 1967 wechselte ein Allensbach-Sample über einige Politiker auf die Frage nach dem »fähigsten Politiker« sehr stark seine Meinung. Kiesingers Prestige stieg von 3 % auf 31 %, das von Strauß von 13 % auf 17 %, Gerstenmaiers von 0 % auf 6 %, Erhards Prestige sank dagegen von 12 % auf 2 %, Barzels von 10 % auf 1 %, Mendes und Schröders Prestige von je 5 % auf 2 % (ebd., 1965–1967, S. 245). Die bloße Tatsache, daß ein Politiker kein Amt mehr hat oder ein neues bekam, hat seinen Prestigekurswert jeweils verändert, auch wenn keine objektiven Erfolge oder Mißerfolge mit einem solchen Wandel in der Karriere verbunden waren. Das Prestige und die Einschätzung der Politiker ist nicht nur zwischen weniger informierten Massen und besser informierten Führungsgruppen sehr unterschiedlich, sondern weicht auch in relativ gut informierten Elitengruppen nicht unbeträchtlich voneinander ab. In der Zeit der großen Koalition waren nach der Wildenmann-Umfrage (1968, S. 77) die politischen Eliten (Landesminister, Bundestagsabgeordnete u. a.) in der Regel geneigt, Wehner für einflußreicher anzusehen als Strauß, während die Elitengruppen, die der Politik ferner standen, stärker der Communis opinio in Presse und Volk folgten.

Institutionelle Variablen beeinflussen nicht nur die Elitenrekrutierung und das Handeln von Eliten, sie können auch zu einer Fehleinschätzung der Bedeutung einzelner Politiker selbst unter informierten Angehörigen politischer Eliten führen. Etwa die starke institutionelle Stellung des Kanzlers und die magische Überhöhung der Richtlinienkompetenz in einem Teil der deutschen Literatur hat zu einer Überschätzung des Einflusses und zu einer Überhöhung des Prestiges des Kanzlers geführt, die schon Deutsch und Edinger 1959 (S. 76 ff.) feststellten. In der Wildenmann-Umfrage unter politischen und anderen Eliten zeigte sich selbst bei Bundestagsabgeordneten und Landesministern eine starke Neigung, Kiesingers Bedeutung zu überschätzen, Brandts und Strauß' Einfluß zu unterschätzen (Wildenmann, 1968, S. 77). Gewisse institutionelle Bedeutungsunterschiede von Ressorts zahlen sich jedoch nicht automatisch aus: Die Finanzminister waren trotz ihrer herausgehobenen rechtlichen Stellung je nach Person, Parteizugehörigkeit und Aufmerksamkeit, die in einer bestimmten Zeit die Finanzpolitik auf sich lenkte, sehr unterschiedlich hoch angesehen, wie die Umfragen zeigten.

Politische Ohnmacht der Unterschichten braucht sich jedoch nicht immer in direkter Feindschaft gegen die Herrschenden auszuwirken. Die deutschen Gewerkschaften haben in Deutschland mit Einsatz relativ geringer Kampfmittel Erfolge in der Lohn- und Arbeitsplatzsicherungspolitik erzielt, aber politisch keine großen Erfolge zu verzeichnen und im Gegensatz zu den italienischen Gewerkschaften auch nicht nach Ausdehnung ihrer Macht und direkter Mitsprache in allen Bereichen staatlicher Sozialpolitik gestrebt. Nicht nur die organisierten Interessen der Unterschichten, sondern auch diese selbst zeigten in ihrem Verhalten in der Bundesrepublik überwiegend die Haltung des Konformismus und nur selten jene vier Formen des abweichenden Verhaltens, die Robert K. Merton (Social Structure and Anomie. In: Social Theory and Social Structure. Glencoe/Ill. ²1957 [S. 131–194], S. 140 ff.) skizzierte: passive Abweichungen im Ritualismus und im sozialen Rückzug (»retreatism«)

und aktive Abweichungen in Form der Innovation oder der Rebellion. Formen des Rückzugs – wenigstens aus der politischen Sphäre – und eine gewisse Depolitisierung ließen sich jedoch beobachten (Neidhardt, 1968, S. 160). Kompensationsversuche für diesen Rückzug gab es in der Betonung privater Werte, wie »schönes Heim« und »gutes Familienleben«, Werte, die von einer konservativen Sozialpolitik staatlich nicht nur wohlgelitten waren, sondern förmlich gefördert wurden. Kritiker, die von einem fundamentalen Klassenantagonismus in der Gesellschaft ausgehen, sind immer wieder durch die passive Hinnahme der Kumulation von Sanktionen in den oberen Schichten enttäuscht worden. Daß Wissen Macht legitimiert, ist schon in den fünfziger Jahren bei industrie-soziologischen Untersuchungen zutage getreten. Nicht selten schlug es sich in resignierenden Feststellungen nieder, wie: »Die Herren haben schließlich studiert« (Heinrich Popitz u. a.: Das Gesellschaftsbild des Arbeiters. Tübingen 1957, S. 181; P. M. Blau: Exchange and Power in Social Life. New York 1964, S. 154 ff.).

Das Ausmaß der Ungleichheit wird in der Bundesrepublik auch dadurch verdeckt, daß der Statusgruppenvergleich nicht mehr vertikal, sondern horizontal – in der Ebene eines Zeitvergleichs – vorgenommen und das Erreichte am früheren gemessen wird, ohne es in direkte Beziehung zum Besitzstand anderer Schichten zu setzen. Neidhardt (1968, S. 218) kommt daher zu dem Schluß, daß die innovatorischen Impulse der Unterschichten nicht überschätzt werden dürfen, und glaubt, daß ein sozialer Wandel eher von den Interessenten der höheren Schichten eingeleitet wird. Die beschleunigende Rolle, die dabei jedoch die Aufgabe des sozialen und politischen Rückzugs und die Politisierung der Massen spielen kann, die mit einer geschickten Politik bis an den Rand der begrenzten Regelverletzung arbeitet, ist bisher kaum untersucht worden. Aber auch bei stärkerer Politisierung wird der Haß gegen die »Herrschenden« immer nur partiell schürbar sein, nämlich dann, wenn die Massen individuell stark von den Folgen politischer Mißwirtschaft bedroht sind. In jeder arbeitsteiligen Gesellschaft gibt es eine Fülle von »non-competing groups«, die kaum noch soziale Berührungspunkte miteinander haben und daher nicht mehr zur Wahrnehmung der sozialen Distanz beitragen (Fürstenberg, 1962, S. 45). Für die Mehrzahl der Erwerbstätigen, die keine politischen Ambitionen haben, sind die Politiker per definitionem eine »non-competing group«.

Im politischen Bereich wirken konservative Ideologien nach, die sich nicht damit abfinden können, daß funktionale politische Eliten heute keine Werteliten mehr sind. Demokratisierung der Bestellungsmechanismen und die

Durchsetzung der rationaleren Leistungskriterien führen dazu, daß Eliten im älteren Sinn durch bloße Prominenz ersetzt werden (Sieburg, 1954). Gerade im politischen Bereich sind die Ausleseprozesse jedoch immer wieder den Zweifeln anderer Gruppen ausgesetzt und entsprechen keinesfalls dem Wertsystem für die Auslese der wichtigsten sozialen Sektoren, die dazu neigen, ihre eigenen Auslesekriterien auf die in der Politik wünschenswerten zu übertragen (Wirtschaft, Kirchen, Militär, Bildungswesen). Daher ist es in keinem Bereich heute so schwer, allgemein anerkannte Leistungskriterien zu finden wie bei politischen Karrieren, und solange der gesellschaftliche Pluralismus besteht, wird dies immer schwieriger sein als in den einzelnen Subsystemen des gesellschaftlichen Systems. Feste Aufstiegsregeln oder gar Leistungsmessung nach dem IQ (vgl. Fürstenberg, 1962, S. 154) sind im Bereich der Politik schwer durchzusetzen, schon weil es keine spezifische Ausbildung für den Politiker geben kann und sollte. Nicht einmal die Politologen wünschen sich, die Juristen als einstige Durchschnittsqualifikation für künftige Politiker zu beerben, und wenn sie dies wünschten, hätten sie – trotz der wachsenden Zahl von Politologen in der Politik (vgl. S. 56) – keine Chance dazu. Immer stärker wird spürbar, daß das politische System mit zunehmender Ausdifferenzierung aus dem sozialen Gesamtsystem sich auf der Ebene der Rollen vollzieht und die Träger politischer Funktionen nicht mehr als konkrete Personen mit ihrem gesamten Leben herausgelöst werden können (Niklas Luhmann: Soziologie des politischen Systems. KZfSuSP, 1968 [705–733], S. 707). Die persönlichen Beziehungen sind nur noch Rollenhintergrund, die taktisch ausgenutzt werden können, aber gegen gesellschaftliche Rollenverflechtungen indifferent sind und als »zufällig sich ergebende Chancen« behandelt werden können.

In der Bundesrepublik fehlt es mehr noch als in anderen westlichen Demokratien an einer elitären Subkultur. Der Adel hatte – abgesehen von den östlichen Teilen Preußens – in Deutschland niemals die prägende Kraft für das Verhalten der aufsteigenden Gruppen wie in anderen Ländern, vor allem dort, wo eine planmäßige Nobilitierungspolitik immer stärker die Vermischung des Adels mit dem gehobenen Bürgertum anstrebte, wie in England, und wo auch durch die Abstufung der Titel unter den Kindern nicht die pauschale Nobilitierung ganzer Familien üblich war wie in Deutschland. Das Großbürgertum hat die Unfähigkeit des Adels, kulturell prägende Schicht zu werden, nicht auszugleichen vermocht. Durch die späte Entwicklung des Kapitalismus in Deutschland, schon früh begleitet von den Forderungen der organisierten Arbeiterschaft, hat das deutsche Bürgertum schon immer weniger prestigesüchtig gelebt als in einigen anderen Staaten. Zwar gibt es auch in Deutschland bis heute prestigebezogenes Investitionsverhalten der Unternehmer und prestigebedingten Konsum, die Kreikebaum und Rinsche (1961, S. 94, 211) mit »Statusunsicherheit in der anonymen Gesellschaft« erklären. Ebenso auffällig ist jedoch das gegenteilige Verhalten, das sich im Demonstrationsverzicht der Oberschicht (Bolte u. a., 1966, S. 86 ff.) äußert. Dieser Demonstrationsverzicht stellt eine Art Status-Tiefstapelei der wirtschaftlich Mächtigen dar, die nichts von der Unbekümmertheit hat, mit dem vor allem in den romanischen Ländern Reichtum und Macht demonstrativ zur Schau gestellt werden. Auch die Politiker üben sich im Demonstrationsverzicht.

Peter Brügge hat in einem Bericht über »Die Reichen in Deutschland« (›Der Spiegel‹, 1966, Nr. 36, S. 49 ff.) dieses Phänomen ausführlich beschrieben und hat den geradezu kleinbürgerlichen Zuschnitt der Lebensformen der politischen Elite mit beißendem Sarkasmus behandelt: »Frau Strobel schnuppert noch einmal prüfend in die Kochnische ihres 70-Mark-Appartements, sieht abschiednehmend nach dem Gummibaum neben der genoppten Kaufhaus-Couch und zieht auf der Altane den Stecker des Eisschranks aus der Dose. Unten öffnet ein ergebener Fahrer schon den Schlag des Dienst-Admirals. Unser aller Gesundheitsminister verläßt die Bundeshauptstadt in Richtung Nürnberg, Richtung Heimat, um das Wochenende in der anregenden Luft des eigenen Wahlkreises zu verbringen: kleine erholsame Besprechungen mit Landräten, Herren vom Heimkehrerverband, vom Bund der Kinderreichen, vom Sportbund und den Veranstaltern der Aktion ›Gesunder Fuß‹« (Brügge, 1968, S. 66). Der Lebensstil der deutschen Regierungsmitglieder ist kaum dazu angetan, Klassenneid zu erwecken, und ein Egalitätsdruck, wie ihn die Reichen auf sich lasten fühlen, ist kaum vonnöten, wenn selbst von einem der intellektuellsten Vertreter der politischen Spitze, Gustav Heinemann, gesagt wird: »Wie in seinem gemieteten Einfamilienhaus in Essen huldigt der Justizminister auch über der skandinavischen Sitzgruppe seiner Bonner Bude einem ›ganz begabten‹ Landschaftsmaler aus Worpswede. Weiterhin beweist er mit der farbigen Reproduktion eines Paul Klee einen für diese Regierung schon beinahe avantgardistischen Kunstgeschmack« (ebd.).

Das Fehlen einer Hauptstadt mit weltstädtischem Appeal, die Karriereunsicherheit, in der sich der sicherheitsbedürftige Politiker trotz einer fast ungesunden politischen Stabilität zwischen 1949 und 1969 wähnte, und der Föderalismus in der Bundesrepublik haben dazu beigetragen, daß viele Politiker über eine Möbliertenkultur in Bonn nicht hinausgekommen sind und ihren gesellschaftlichen Bezugsrahmen auch nach langjähriger Bonner Amtszeit noch an ihren Heimatorten suchen. Hans Dichgans (1968, S. 63) schildert dies für die Parlamentarier mit den Worten: »Die Wahl in den Bundestag führt manchen Abgeordneten in seine Studienzeit zurück: Ein möbliertes Zimmer, eine Wirtin, die ihn recht und schlecht betreut, die von ihren Erinnerungen erzählen will.« Dohnanyi (1969, S. 172) zieht das Fazit aus der mangelnden informellen Kommunikation der Elitensektoren in der Hauptstadt: »Bonns Politik kann aber auf die Dauer nicht besser sein als sein geistiges Klima.« Die Beobachtungen dieser Politiker gelten keineswegs nur für die Abgeordneten, sondern auch für viele Minister, die schon lange in Bonn amtieren. Trotz der Eingemeindung zahlreicher Vororte Bonns und trotz des Zusammenwachsens mit dem Köln-Düsseldorfer Raum verstärkt sich die Tendenz der Ausdifferenzierung der Hauptstadtfunktionen, und Frankfurt, Hamburg und München haben für die Bundesrepublik den Rang von Teilhauptstädten (Iblher, 1970, S. 125). Wenn der Trend zur horizontalen Mobilität zwischen den Elitensektoren und zum Positionstausch anhält, wird die Bindung zahlreicher Funktionsträger unter den politischen Eliten an die Teilhauptstädte sich in absehbarer Zukunft nicht abschwächen.

Zu den Folgen des sozialen Aufstiegs gehört allgemein eine Ausweitung des beruflichen Sektors, die Einschränkung der außerberuflichen Sozialkontakte und nicht selten auch eine gewisse Abkehr von der Familie, die häufig zu Ehescheidungen führte (Fürstenberg, 1962, S. 109). In der älteren CDU-Ära gehörte das »intakte Familienleben« so sehr zum Image des Politikers, daß familiäre Krisen weit weniger sichtbar wurden. Erst mit dem Abbau der CDU-Familienideologie und mit dem Aufstieg einer neuen Generation von Politikern, die zum Teil ungewöhnliche Karrieren hinter sich hatten, traten familiäre Krisen weit stärker ans Licht der Öffentlichkeit (z. B. bei Politikern wie Carlo Schmid, Schiller, Helmut Schmidt, Alex Möller). Als Novum erscheint bereits, daß man sich in seiner Amtszeit relativ schadlos für sein Prestige scheiden lassen kann (Schiller). Ob diese Aussage auch für Politiker auf unterer Ebene gilt, müßte etwa anhand von geschiedenen Abgeordneten und Bewerbern um ein Bundestagsmandat untersucht werden. In England hat Rush (1969, S. 67) in einer Studie der Kandidatenauslese festgestellt, daß etwa die Hälfte der Geschiedenen unter Druck von seiten des Wahlkreises stand, mit dem Ziel, sie zum Rücktritt zu bewegen. Es ist nicht auszuschließen, daß vor allem die Delegierten ländlicher Wahlkreise auch in der Bundesrepublik bei der Abwägung der Argumente für die Kandidatenaufstellung sich weniger liberal in Fragen des Familienlebens der Bewerber verhalten würden als die politischen Eliten bei der Kooptation von Bewerbern um hohe Exekutivposten. Nur wenig komplexe Gesellschaften beruhen in ihrer Erwartungssicherheit auf personalen Rollenkombinationen, und in ihnen werden aus dem Verhalten in einer Rolle Rückschlüsse auf mögliches Verhalten in anderen Rollen gezogen (Luhmann, a. a. O. [s. S. 189]). In einer sozial relativ homogenen Führung, die stark von bestimmten allgemein verbindlichen bürgerlichen Wertvorstellungen geprägt war, wurde auch vom Verhalten im Familienleben auf das politische Rollenverhalten geschlossen, ein Schluß, der nicht zwingend ist und mit wachsender Komplexität des politischen Systems in der Bundesrepublik und Differenzierung der Werthaltungen der sozialen Gruppen immer weniger mitgemacht wird. Trotz der Tendenz der Massenmedien zur Personalisierung politischer Vorgänge wächst die Entpersonalisierung und die Perzeption der Rollendifferenzen bei politischen Führern durch die Massen.

Die Einschränkung der außerberuflichen Sozialkontakte macht es in der Bundesrepublik besonders schwer, ein geselliges Leben aufzubauen, das sich mit den Hauptstädten anderer Länder vergleichen läßt. Einmal, weil Bonn keine Stadt ist, die, abgesehen von der Ansammlung von politischen und Verwaltungseliten, ein vielseitiges soziales Leben bieten kann, zum anderen, weil der Leerlauf des Dabeigewesenseins in einer wachsenden Zahl von politischen und parteilichen Verpflichtungen – weitgehend fern der Hauptstadt – eine gesellige Atmosphäre in ihrer Entstehung erschwert. Peter Brügge formulierte es in bezug auf einen Minister besonders bissig: »Wer es, wie Postminister Dollinger 13 Jahre ohne einen Gast, ohne eigenes Badezimmer und WC, ohne eigenes Buch oder Bild in einer muffig möblierten Hundert-Mark-Bude aushält, hat zweifellos von sich aus nicht viel zum Geschehen einer hauptstädtischen Gesellschaft beigetragen« (1968, S. 68). Die möblierten Machthaber der Bundeshauptstadt zeigen das Überwuchern der dienstlichen Sphäre über das Leben, einer Rolle über den Menschen, in besonders krasser Weise: »Frühstück im Amt gehört für so manche der Machthaber Bonns zu den Ritualen ihrer Flucht in dienstliche Geborgenheit« (ebd.). Dahrendorf (Die angewandte Aufklärung. Frankfurt/M. 1968, S. 77 f.) hat einmal bedauert, daß es ganz an Studien fehlt, die das Mobilitätserlebnis von Aufgestiegenen messen. Besonders schwierig ist eine solche Studie bei der politischen Elite, obwohl gerade hier dieses Erlebnis besonders aufschlußreich sein könnte, weil es relativ viele Männer mit mittelmäßigen Gaben, aber einem bedeutenden Aufstieg und Einfluß gibt. In der Wildenmann-Studie wurde auch nach der Zufriedenheit mit der gegenwärtigen Position gefragt. Eine ganze Reihe von Politikern nannte andere Positionen, die sie lieber bekleiden würden. Ob diese Ergebnisse für Bundesspitzenpolitiker ebenfalls zutreffen würden, ist fraglich.

Die berechtigte Kritik am Kommunikationssystem der Hauptstadt der Bundesrepublik darf indessen nicht zu ungerechten Schlußfolgerungen führen. Im internationalen Vergleich läßt sich bisher nicht nachweisen, daß die Qualität der Politik in direktem Kausalzusammenhang zur Attraktivität der Hauptstadt steht, in der diese Politik gemacht wird.

VII. Machtelite oder Elitenpluralismus?

Die Elitenforschung geht im Gegensatz zur älteren Elitentheorie, die nicht auf konkreten Forschungen basierte, sondern ein paar Hypothesen formulierte, meist nicht davon aus, daß die Eliten souverän die Geschicke eines Volkes gestalten, sondern daß diese vom allgemeinen politischen Klima, dem »Nationalcharakter«, der politischen Kultur des Landes und dem Verhalten der Nicht-Eliten beeinflußt werden (Deutsch–Edinger, 1959, S. 8). Die »political culture«–Lehre unterstellt, daß die Eliten die politische Kultur der Nichteliten im ganzen teilen, daß es aber im Verhalten von Eliten und Nichteliten starke Unterschiede geben kann, wenn die politische Betätigung der Nichteliten gering bleibt. Dies ist meistens der Fall, auch wenn die Nichteliten die Bedeutung der Partizipation kennen und im Notfall auch mobilisierbar sind oder – wie in der Bundesrepublik – nur ihre Wählerpflichten in großem Umfang ernst nehmen, sich aber sonst von regelmäßiger politischer Partizipation fernhalten (Almond-Verba, 1963, S. 429, 486 f.). Deutsche Eliten sind im Vergleich zu französischen in hohem Maße mit dem politischen System zufrieden. Karl Deutsch (1967, S. 101) fand in einer Untersuchung in Frankreich nur 27 %, in der Bundesrepublik hingegen 74 % mit dem System Zufriedene unter den politischen Eliten. Die Civic-Culture-Studien, die auf Umfragen unter Nichteliten basieren, lassen jedoch vermuten, daß die Zufriedenheit sich überwiegend auf die »out put«-Funktionen des Systems und seine wirtschaftliche Effizienz erstreckt. Während sich in den USA und in Großbritannien nach diesen Untersuchungen ein großer Teil des Stolzes auf die politischen Institutionen (85 % und 46 %) bezog und Italiener vor allem stolz auf die Beiträge des Landes zur Kunst (16 %) und auf die Schönheit ihres Landes (27 %) waren, führte die Bundesrepublik mit der Antwort, daß das ökonomische System Quelle der Genugtuung war (33 %; Almond-Verba, 1963, S. 102). Die Umfragen unter den politischen Eliten durch die Wildenmann-Gruppe haben zwar die generelle Einschätzung des politischen Systems nicht unter die Fragen aufgenommen, aber die Antworten über die Frage nach der Einschätzung der Stabilität des Systems und den Schwächen des Systems lassen vermuten, daß unter den Eliten eine gewisse Zufriedenheit mit dem System auf der Basis ökonomischer Wertungen existiert (Wildenmann, 1968, S. 58 ff.). Daß der hohe Grad der ökonomischen Legitimierung des politischen Systems nicht über einen gewissen Mangel an sonstigen affektiven Bindungen täuschen kann, zeigt das Ergebnis einer Befragung nach dem Land, in dem Elitenangehörige gern leben würden. Nur 29 % gaben die Bundesrepublik an, es folgten die Schweiz mit 19 %, die USA mit 14 %, Frankreich mit 13 %, England und Skandinavien mit 8 % der Nennungen (Scheuch, 1967). Die Ergebnisse der Civic-Culture-Studiengruppe sind für Deutschland vermutlich heute unbrauchbar geworden. Neuere Umfragen (z. B. ›Der Spiegel‹, 1970, Nr. 46, S. 74 ff.) lassen auf einen größeren Grad der Unzufriedenheit mit dem System bei der Mehrheit der Bevölkerung schließen, als er in der Adenauer-Ära existierte, und die Bereitschaft zu Experimenten und Innovationen ist nicht nur in den Eliten, sondern auch beim Durchschnitt der Bevölkerung stark gestiegen.

Die Gefahren des behavioristischen Ansatzes liegen darin, statische Attitüden aus den Antworten der Politiker herauszulesen. Die Deutsch-Studie (1967, S. 68 ff.) ergab sowohl in Frankreich wie in Deutschland keine großen Chancen für starke innovatorische Impulse, und gleichwohl wurden beide Systeme 1968/69 nicht nur von einem starken Innovationsdrang erfaßt, sondern erlebten auch einen einschneidenden Wandel der Führungsspitze.

In den USA wird seit den bekannten Büchern von Mills und Riesman erbittert um die Frage gestritten, ob es eine einheitliche Machtelite gibt. Liberale Soziologen, wie David Riesman, neigen zu der Ansicht, daß es eine Power-Elite in den Vereinigten Staaten nicht gibt: »An die Stelle dieser führenden Schicht ist heute eine ganze Reihe von Gruppen getreten, die alle um die Macht gekämpft und sie soweit erlangt haben, daß sie ihnen offensichtlich schädliche Maßnahmen abschaffen und, allerdings in weit engerem Rahmen, eigene Regelungen durchsetzen können« (Riesman, 1958, S. 227). Für Riesman gibt es nur Vetogruppen und Schutzverbände in Form der mächtigen organisierten Interessenten, aber keine herrschende Klasse. Die Balancetheorie, die diesem Modell zugrunde liegt, ist von C. W. Mills (1959, S. 243) als eine beschönigende Sichtweise des »romantischen« Pluralismus der amerikanischen Herrschaftsverhältnisse scharf angegriffen worden. Während Riesman eine zunehmende Diffussion der Macht konstatiert, beklagte Mills ihre zunehmende Konzentration. Beide sind sich nur in wenigen Punkten einig: nämlich, daß zu den Herrschaftstechniken der Mächtigen heute mehr Manipulation als Gewalt und andere substantiellere Formen der Macht gehören und daß die Massen weitgehend apathisch sind (Kornhauser, 1969, S. 46).

In der Auseinandersetzung mit Mills wird seither vor allem das Verhältnis der wirtschaftlichen und der politischen Elite diskutiert, da kritische Ansätze meist mehr oder weniger ausgesprochen davon ausgehen, daß die Produktionsverhältnisse die Politik determinieren. Mills' Theorie der »power elite« sollte auch ein Versuch sein, die weit verbreiteten Ansichten von Burnhams Managerherrschaft oder die von populären Reißern à la Lundberg gebrachten Sensationen über die »herrschenden Familien« – die je nach Neigung auf einige Dutzend oder Hundert angesetzt wurden – zu widerlegen. Für Mills ist die »power elite« vor allem durch die enge Verflechtung von wirtschaftlicher, militärischer und politischer Elite gekennzeichnet, aber gleichwohl kommt er zu dem unmarxistischen Schluß: »Die Multimillionäre Amerikas herrschen nicht mehr unumschränkt an der Spitze einfacher übersichtlicher Hierarchien« (1959, dt. 1962, S. 141). Lasswell, Lerner und Rothwell (1952) kamen hingegen zu dem Ergebnis, daß der Aufstieg der businessmen seit der großen Krise der Weltkriege aufgehalten worden sei und die politische Elite die Wirtschaftsführer an den Schalthebeln der Macht abgelöst habe. Andrew Hacker (1966, S. 144) sah dagegen einen zunehmenden Konflikt zwischen politischer und wirtschaftlicher Elite entstehen, bedingt durch Kommunikationsstörungen, Mißverständnisse über Zielsetzungen, Unterschiede in Herkunft und Erfahrung. Die meisten Politiker hielt Hacker im Vergleich zur Wirtschaftselite für provinziell.

Oft ist behauptet worden, die Wirtschaftselite stehe in der Prestigehierarchie höher als die unsichere und kurzlebig existierende politische Elite. Nicht alle empirischen Studien für die Vereinigten Staaten haben dies bestätigt. Robert Presthus (1964, S. 210) fand wenigstens auf lokaler Ebene ein Bündnis zwischen wirtschaftlicher und politischer Elite. Lokalstudien haben ergeben, daß die Reichen keineswegs die Mächtigsten in der Gemeindepolitik sind, teilweise fiel sogar deren große politische Zurückhaltung auf, während die Mitglieder von Unter-Eliten zuweilen politisch stark hervortraten. Edward Banfield (1961, S. 292) sprach von einem ausgesprochenen »staff assistant ethos« in der Politik großer Städte. Er erklärte die Zurückhaltung der Wirtschaftselite unter anderem damit, daß die Manager sich heute weniger mit ihrer Stadt identifizieren als früher die Großkapitalisten, da eine Stadt für ihre Karriere nur ein Übergangsfeld ist. Dieses Argument würde für die nationale Politik wegfallen, wie es ohnehin problematisch ist, die Ergebnisse der Community-Power-Forschung auf die zentrale Machtebene zu übertragen, was häufig nur deshalb versucht wird, weil lokale Eliten leichter zugänglich sind als nationale Eliten und daher umfangreichere Forschungsergebnisse vorliegen.

Die Theoretiker der Machtelite haben daher stets gegen die Pluralismustheorien polemisiert, die auf Grund der Analyse von Machtstrukturen des mittleren und unteren Subsystems gewonnen wurden. Mills rechnet die Professoren der Politikwissenschaft selbst zu den »middle levels of power«, welche die Machtspitze nur vom Klatsch und die Basis nur aus der Forschung kennen und sich daher von den Befunden des mittleren Machtniveaus allzu sehr einnehmen ließen (Mills, 1959, S. 245). Es droht bei der Untersuchung politischer Subsysteme häufig die Gefahr, daß sich der Forscher allzu sehr von der Vielzahl der beteiligten Interessen und der Kompromisse beeinflussen läßt. Wie beim »Decision Making«-Ansatz generell resultiert daraus die Neigung, die Forschung vorschnell in den Dienst unreflektierter Pluralismushypothesen zu stellen. Presthus (1964, S. 61 f.) hat mit Recht einmal festgestellt, daß soziologische Analysen auf Grund ihrer Suche nach einheitlich handelnden Gruppen dazu neigen, eine »power elite« zu unterstellen und Politik nach Verschwörungstheorien nur als die »Magd der Ökonomie« anzusehen, während der bei Politikwissenschaftlern überwiegende »Decision Making«-Ansatz dazu führt, die pluralistischen Aspekte des Entscheidungsprozesses überzubetonen. Soziologen fanden häufig Elitismus, Politikwissenschaftler hingegen Oligopole, die sie mit pluralistischen Modellen interpretierten (ebd., S. 430).

So recht Mills daher mit seinen methodischen Ermahnungen hat, so sehr macht er es sich gleichwohl zu leicht, alle Ergebnisse der bisherigen Machtforschung als irrelevant abzutun. Die bahnbrechende Studie von R. Bauer u. a. über ›American Business and Public Policy‹ (1963) und andere große Untersuchungen über den Machtprozeß auf nationaler Ebene kamen zum Teil zu ähnlichen Ergebnissen wie die Community power studies (vgl. S. 16).

Fragwürdig wäre es, die Ergebnisse amerikanischer Forschung ohne weiteres auf die Bundesrepublik zu übertragen. Auch für die Bundesrepublik wird viel über den Zusammenhang von wirtschaftlichen und militärischen Interessen gesprochen und geschrieben, aber ein dem »Pentagonismus« vergleichbares Phänomen gibt es in der Bundesrepublik nicht. Selbst sehr kritische Studien über die Bundeswehr – wie die von Wido Mosen (1970, S. 325) – geben zu, daß die politische Elite der Übernahme militärischer Normen und

Attitüden in nennenswertem Umfang widerstanden hat: »In dieser Hinsicht kommt die durch äußerliche Formalien nur überdeckte soziale Desintegration der Bundeswehr einem Kompliment an die entsprechende Resistenz der Zivilgesellschaft gleich.« Die Militärs in der Bundesrepublik wird niemand als gleichberechtigten Teil einer einheitlichen Power-Elite ansprechen. Gleichwohl hat sich die Diskussion um eine deutsche Machtelite unter ganz ähnlichen Vorzeichen wie in Amerika wiederholt. Ralf Dahrendorf spielte dabei etwa die Rolle, die einst Riesman für Amerika wahrgenommen hatte. Er ging davon aus, daß es keine einheitliche Machtelite gibt, da sie in sozialem Background, Erziehung und Interessen außerordentlich heterogen sei: »Die politische Elite der deutschen Gesellschaft spiegelt jene Vielfalt ohne Einheit, die die politische Klasse als ganze kennzeichnet und sie auch nach dem Zerbrechen des Monopols einer Herrenkaste noch um die Wirkung der Liberalität betrügt« (Dahrendorf, 1965, S. 291). Dahrendorf begnügt sich nicht mit der Feststellung, daß die Theorie Mills' nicht auf die Bundesrepublik übertragbar ist, er greift sie auch für Amerika an: »Mills' Machtelite ist gewissermaßen die Transposition der Haltung deutscher Juristen, Beamter und Militärs der Weimarer Republik in die Welt des Intellektuellen, nämlich die aus Sehnsucht nach einem Herrn – hier allerdings nicht, um ihm zu dienen, sondern um ihn zu bekämpfen – geborene Fiktion des Monopols. Es gibt diese Machtelite nicht, weder in der amerikanischen noch in der deutschen Gesellschaft der Gegenwart« (ebd. S. 294).

Urs Jaeggi (1969, S. 24) artikuliert hingegen das Unbehagen der linken Intelligenz mit dem Dahrendorfschen Standpunkt und wirft Dahrendorf geradezu eine elitäre Gesinnung vor, die auf das Wiedererwecken älterer Elitentheorien hin tendiere. Dieser Vorwurf ist allenfalls auf einer sehr abstrakten Ebene gerechtfertigt, insofern, als Dahrendorf wie Mosca oder Pareto die Unterschiede im Macht- und Autoritätsbesitz für das dominante Schichtungsphänomen hält. Die elitären Konzeptionen für konkrete Gesellschaften teilt Dahrendorf jedoch keineswegs, und Jaeggis Vorwurf, daß Dahrendorf in der Elite eine »qualitative Vorhut« sähe und sein demokratisches Gewissen damit tröste, daß diese Vorhut große Teile der Nachhut an den Standard der Führungskräfte heranführen müsse, schießt weit über das Ziel hinaus. Ernst zu nehmen ist Jaeggis Kritik jedoch in dem Punkt, daß Dahrendorf allzu weit reichende Schlüsse aus der sozialen Heterogenität der Eliten in der Bundesrepublik zieht und – vergröbert ausgedrückt – die Machtelite als politisch herrschendes Aggregat leugnet, weil es kein »Establishment«, keine relativ homogene soziale Oberschicht gibt, aus der sie sich rekrutiert. Jaeggi (ebd.) formuliert: »Eliten sind Machteliten, weil sie ihre Auffassung durchzusetzen vermögen und nicht weil sie das Fleisch auf dieselbe Art tranchieren, die gleichen Bücher lesen und denselben Theaterstücken applaudieren.«

Die Prämissen dieses Satzes, daß die Machtelite ihre Auffassung durchsetzte, müßten einmal empirisch überprüft werden. Dahrendorf hat sich die Sache ein bißchen zu leicht gemacht, wenn er polemisierte: »Mills' allmächtige Elite kann die Farmsubventionen nicht streichen und die Automobilindustrie nicht verstaatlichen, dem Senat seine Hearings nicht verbieten und die katholische Kirche nicht zwingen, Ehescheidungen zu akzeptieren« (Dahrendorf, 1965, S. 294). Der empirische Anschein gibt Dahrendorf recht. Die wenigen Untersuchungen über Decision-Making-Prozesse zeigen auch in Deutschland, daß keineswegs eine wichtige Gruppe die Entscheidungen vom Lastenausgleichgesetz bis zum Personalvertretungsgesetz präformiert, sondern daß eine Vielzahl von Interessenten auftreten, und bei verschiedenen Gesetzen nicht einmal die gleichen. Eine Reihe von Gruppierungen – auch sehr mächtige – kommen über einen einflußreichen Vetostatus nicht hinaus, können jedoch der Regierung in der Regel nicht das Gesetz des Handelns diktieren (Fritz, 1964; Stammer, 1965; Schatz, 1970). Stammers »case study« kam zum Ergebnis: »Weder der Verlauf der Beratungen auf den einzelnen Stationen noch die Entscheidungen über die Gestaltung der Gesetze sind aber *ausschließlich* auf das Wirken eines geheimen Zirkels aus führenden Persönlichkeiten und Experten der agierenden Verbände, Parteien und Verwaltungen zurückzuführen« (1965, S. 222). Man darf den Aussagewert solcher Einzelstudien nicht überbewerten, aber der Vergleich mit »case studies« in anderen demokratischen Ländern stärkt die Vermutung, daß ein einheitliches Aggregat von Interessen sich nicht nur nicht immer durchsetzt, sondern sich nicht einmal einheitlich zu formieren sucht. Dahrendorfs Hinweis auf das Fehlen eines sozial homogenen Establishments ist jedoch nicht ganz so absurd, wie Jaeggi glauben macht, obwohl er selbst dieser Frage kaum nachgeht: In einer sozial homogenen Oberschicht verstärken die informellen Kommunikationsmöglichkeiten die Herausbildung einheitlicher Interessen zwischen den Elitensektoren und verbessern die Entscheidungsbasis für einheitliches Handeln. Die Mystifikation der einheitlich handelnden Elite erwies sich selbst in kleinen politischen Systemen wie einer Großstadt angesichts der Kommunikationsbarrieren nicht haltbar. Edward Banfield fand, daß die Informations- und Koordinations-Kapazität der Einflußhierarchie ziemlich beschränkt ist: »Anyone who has ever tried to get the key members of a large organization to enunciate a new policy and then to communicate that policy, down the line to the ›field‹ knows how many days of meetings with vicepresidents, branch managers, supervisors, salesmen, and foremen are necessary and how many conferences must be held to prepare the way for each meeting« (Banfield, 1961, S. 296). Der »power elite«-Ansatz ist häufig geneigt, Apathie bei den Massen zu brandmarken, die Eliten jedoch für ständig politisch aktiv bis zur geheimen Verschwörung zu halten. Studien über amerikanische Entscheidungen in der nationalen Politik haben jedoch – ähnlich wie »community power studies« – gezeigt, daß die Kapitalisten und Manager großer Konzerne in vielen Fragen (auch wenn sie direkt oder indirekt betroffen waren) keinerlei Stellung nahmen und daß die mittleren Machtkader zum Teil aktiver waren als das top management (Bauer u. a., 1963, S. 125).

Die Spätkapitalismushypothese ist bisher zu wenig auf die Kommunikation zwischen politischer und wirtschaftlicher Elite hin getestet worden. Die Wildenmann-Studie hat gezeigt, daß politische und wirtschaftliche Eliten – im Gegensatz zu den wissenschaftlichen und den Kommunikationseliten – vergleichsweise autoritäre Neigungen in gewissen Fragen zeigen. Auch Heinz Hartmann (1959, S. 256 ff.) fand in der deutschen Unternehmerschaft traditionale Leitwertvorstellungen, wie wir sie auch für Politiker nachweisen konnten. Das bloße Wort »Unternehmer« hat in den Ohren vieler einen magisch überhöhten Klang, im Gegensatz zum bloßen Manager, der keinen »Beruf«, sondern nur einen »Job« versieht. In den fünfziger Jahren war sogar die Abneigung gegen wissenschaftlich fundiertes Management, Planung und Rationalisierung noch größer – in diesem Punkt dürften Hartmanns Befunde heute partiell überholt sein. Nicht überholt sind sie in der Feststellung, daß Wirtschaftsführung noch immer als etwas angesehen wird, das man nicht »erlernen« kann, sondern nur durch Vorbild und Erfahrung »einüben«. Die Abneigung gegen wissenschaftliche Bearbeitung der Wirtschaftsführung ist unter Unternehmern kaum geringer als die Abneigung gegen politologische Arbeit über Führungsprobleme unter Politikern. In den Schriften der »Jungen Unternehmer« und in den Interviews, die Hartmann vornahm, fanden sich mannigfaltige Hinweise auf ein elitäres Sendungsbewußtsein der wirtschaftlichen Elite, die davon ausgeht, daß die Qualität in Bürokratie und Parlament ständig nachläßt und der Unternehmer berufen ist, das Führungsdefizit in der westdeutschen Gesellschaft auszugleichen (vgl. S. 158). Trotz großsprecherischer Äußerungen einzelner Unternehmer oder auch von Verbandssprechern – wie im Fall Berg (v. Beyme, 1969, S. 108) – ist der Kampf zwischen Politik und Wirtschaft um den Primat immer wieder übertrieben worden.

Die Spätkapitalismus- und Machtelitenthese wurde durch mehrere Annahmen zu stützen versucht:

(1) durch die Feststellung von *ideologischen Übereinstimmungen zwischen wirtschaftlichen und politischen Eliten.*

Die Analyse der ideologischen Übereinstimmungen droht jedoch immer dann fragwürdig zu werden, wenn die Grenzen zwischen Eliten und Nicht-Eliten fließend werden. Obwohl Jaeggi gerade die starken Übereinstimmungen an reaktionärer Gesinnung in wirtschaftlichen und politischen Eliten herausstellt, folgert er, daß eine große Meinungskonformität ohnehin gegeben sei, da die Standardwerte der westdeutschen Gesellschaft von den Elitenangehörigen weitgehend geteilt werden (Jaeggi, 1969, S. 24). Man kann die Meinungskonformität beklagen, aber nur mit einer extremen Manipulationshypothese ist dann nicht zu erklären, welche Rolle die Power-Elite bei der Herstellung der Meinungskonformität spielt. Außerdem müßte man annehmen, daß die Meinungskonformität in der Bundesrepublik mit wachsender Pressekonzentration und Verfestigung des Elitenkartells – etwa in der Zeit der großen Koalition – gewachsen wäre. Gerade das Gegenteil war der Fall. Die berechtigte Kritik der Linken hat als »self-destroying prophecy« gewirkt.

Die »political culture«-Forschung, die sich der Untersuchung von Einstellungen und Orientierungsmustern der politischen Gesellschaft widmet, stellt zwar immer wieder fest, daß eine politische Kultur nicht denkbar ist, die nicht von den politischen Eliten bis zu einem gewissen Grade geteilt wird, ebenso werden jedoch starke graduelle Unterschiede in der politischen Elite im Gegensatz zu den Nichteliten festgestellt, ohne daß an dieser Stelle Thesen von Lipset u. a. über die stärker autoritäre Orientierung der Unterschichten noch einmal strapaziert werden sollen (Almond-Verba, 1963, S. 487). Eine Analyse hingegen, die den Unterschied im politischen Verhalten von Eliten und Nichteliten verwischt oder auf eine Manipulationsbeziehung reduziert, kann meistens das nicht erklären, was sie voraussetzt: die einheitliche Machtelite.

(2) durch die Deutung der *Beziehung zwischen Wirtschaftskonzentration und Entscheidungsoutput* des politischen Systems als kausale Beziehung.

Durch die Wirtschaftskonzentration könnte die Gefahr einer einheitlich handelnden Machtelite verstärkt werden. In der Bundesrepublik besitzen nicht ganz zwei Prozent der Bevölkerung über 70 % der Produktionsmittel (Holzer, 1969, S. 125 f.). 1960 hatten die 100 größten Konzerne 38,8 % des gesamten industriellen Umsatzes zu verzeichnen (Arndt, 1966; H. O. Lenel, 1962). Hatte Burnham noch angenommen, daß die »Managerial Revolution« dazu führen würde, daß die Wirtschaftsführer, die sich als »Hausmeier« zunehmend die Verfügungsgewalt über die Produktionsmittel aneigneten, auch wenn die Eigentümer de jure diese noch besaßen, ihre Macht gegen die Interessen der Eigentümer und zur Umgestaltung der kapitalistischen Wirtschaft benutzen würden, so hat sich auch für die Bundesrepublik diese These nicht erhärten lassen. Überwiegend bejahten die Manager die bestehende kapitalistische Eigentumsordnung, und sie wurden sogar ihre wirkungsvollsten Verteidiger (Pross, 1965, S. 173). Bei der Erforschung der Motive wurde immer wieder festgestellt, daß häufig nicht das Profitmotiv, sondern Macht- und Geltungsbedürfnisse Antrieb für Konzentrationen in der Wirtschaft waren (Holzer, 1969, S. 125 ff.). Dies scheint einerseits die marxistische These zu bestätigen, daß vom Profitstreben eine Art »spill over«-Effekt auf die politische Sphäre ausgeht, stellt andererseits aber die These von der primären Motivation des Kapitalisten durch Profitstreben in Frage. Da sich zudem zeigen läßt, daß das Prestige- und Machtmotiv dort in den Vordergrund tritt, wo nicht der Produktionsmittelbesitzer, sondern ein Manager die Geschicke eines Großunternehmens leitet, muß befürchtet werden, daß auch bei sozialistischem Eigentum an Produktionsmitteln die Trustbildung aus ähnlichen Motiven fortschreitet und die bloße Sozialisierung des Produktionsmittelbesitzes noch keine ausreichende Garantie gegen Machttendenzen mittels wirtschaftlicher Verfügungsgewalt gibt.

In der Zeit der großen Koalition sah es so aus, als ob diesem Konzentrationsprozeß auch eine Verfestigung des Elitenkartells folge. Es ließ sich jedoch über längere Zeiträume dafür keine korrelative, geschweige denn eine kausale Beziehung finden. Selbst marxistische Forscher in sozialistischen Ländern sind vorsichtiger geworden als die populären Thesen der protestierenden Linken im eigenen Lande. Stanisław Ehrlich, der beste Kenner der Interessengruppenforschung im Ostblock, weist es als Vulgarisierung der marxistischen Interpretation zurück, die Spitzenorgane der politischen Struktur einfach als Vollstrecker der Empfehlungen der einflußreichsten Gruppen hinzustellen (Ehrlich, 1966, S. 279).

In der Adenauer-Ära hat der persönliche und freundschaftliche Umgang des Kanzlers mit einigen Bankiers die Hypothese »Verschwörung des Großkapitals« geradezu herausgefordert. Niemand eignet sich bis heute besser dafür als Abs. Der neomarxistische Ansatz der Erforschung des Monopolkapitals macht sich die Beweisführung leicht: »In enger Zusammenarbeit mit seinen alten Freunden Karl Blessing und Robert Pferdmenges sowie Konrad Adenauer konnte das ökonomische und politische Machtsystem des Monopolkapitals in den westlichen Besatzungszonen des ehemaligen Deutschen Reiches rekonstruiert und eine neue Expansionsbasis für die alten imperialen Zielprojektionen geschaffen werden« (Czichon, 1970, S. 231). Dem Autor ist zuzugeben, daß der Bankier seinen Einfluß bagatellisierte, als er von Günther Gaus »zu Protokoll« vernommen erklärte: »Was heißt hier Macht… gewiß, ja und nein sagen zu können, verleiht schon ein gewisses Machtgefühl«; und Macht bedeute für ihn »letztlich nur, die Lösung für ein Problem zu finden« (ebd. S. 229). Die Macht einzelner Interessenten muß untersucht werden; leider hat die neomarxistische Literatur, die sich diesem Gebiet widmete, bisher nur wenig Konkretes zutage gefördert. Czichon versucht, die Naivität der Machtauffassung von Abs mit einem Zitat aus einem APO-Flugblatt und der Enzyklika ›Populorum progressio‹ zu entkräften, zählt seine Mitgliedschaften in katholischen Organisationen und die ihm von reaktionären Mächten verliehenen Orden auf, stellt ein paar Verbindungen zu anderen mächtigen Kapitalisten her, die als »Freunde« bezeichnet werden, um schließlich direkt bei den Gefahren der NPD zu landen. In einem so krassen Fall mangelnder Detailarbeit zur Aufdeckung von Einflußstrukturen kann man bis zu Scheuchs Wort gehen, daß die Verschwörungsphypothese heute manchmal die Funktion spiele, die einst die »Weisen Zions« besaßen: »Konspiriert wird gewiß viel, aber das sagt noch nichts über den Erfolg der Konspiration« (Scheuch, 1. 12. 1967). Verschwörungshypothesen vertrösten die Forschung mangels eindeutiger Befunde häufig mit dem Hinweis auf das geheime Material, das dem Wissenschaftler noch unzugänglich sei (Rose, 1967, S. 4), eine Immunisierungsstrategie, die auch dann beibehalten wird, wenn erste empirische Untersuchungen der Verschwörungshypothese zu widersprechen scheinen.

Ebenso irreführende Ergebnisse kann jedoch die reputationelle Methode in der Elitenforschung zutage fördern, etwa wenn auf die Frage der Wildenmann-Studie (1968, S. 47 ff.), mit welchen Gruppen und Institutionen ein Politiker in seinem Tätigkeitsbereich rechnen müsse, die Gewerkschaften häufiger genannt wurden als die Arbeitgeberverbände. Das Establishment ist häufig naturwüchsig präsent und in den Spitzengremien vertreten, so daß es auch informierten Politikern wie den Landesministern unterläuft, ihren Einfluß noch unter dem der Gewerkschaften anzusetzen.

Den Erfolg politischer »Konspirationen« mächtiger Minderheiten kann man nicht anders abschätzen als an Hand einer Reihe von Schlüsselentscheidungen in der Bundesrepublik. Bei solchen Entscheidungsvergleichen kommen auch scharfe Kritiker des Systems nicht umhin, Einschränkungen an der Verschwörungshypothese vorzunehmen. Ein verdienstvoller Kritiker der

Politik der Unternehmerverbände wie Hartmann erwähnt eine Reihe von Gesetzen und Entscheidungen, die gegen den erbitterten Widerstand des »Kapitals« zustande kamen: etwa die Antikartellgesetzgebung oder die Handelsverträge mit der Sowjetunion (Hartmann, 1959, S. 248). Das Röhrenembargo jedoch ist ein Beispiel dafür, wie eine übergangene Vetogruppe auf Umwegen versuchen kann, die Folgen eines gegen ihre Interessen zustande gekommenen Entschlusses zu mildern. Wer vorschnell Schillers Wirtschaftspolitik als Ausdruck der Allianz der rechten SPD mit dem Großkapital wertet, übersieht die Konflikte, die selbst bei der nicht nur innovatorischen Schillerschen Wirtschaftspolitik seit 1966 immer wieder mit den Unternehmerinteressen auftraten. Gerade das rasche Arrangement eines Teils der industriellen Interessenten mit der linken Koalition zeigt die Flexibilität im Interessenkampf, die nicht nur als taktisches Manöver des Großkapitals abgetan werden kann, selbst wenn sie intentional zunächst so konzipiert war, weil sie funktional immer auch zu politischen Wandlungen durch Konzessionen führen kann. Wenn man die politische Aktivität der deutschen großindustriellen Interessen gegen eine mögliche SPD-Regierung vor 1969 sieht, so muß der Widerstand sogar »zahm« genannt werden im Vergleich mit anderen Ländern, die eine starke Kapitalkonzentration aufweisen, wie Italien. Die Unternehmerverbände haben niemals in so scharfen Tönen politisch Stellung genommen wie etwa Confindustria, die Vereinigung italienischer Arbeitgeberverbände, und besonders deren lombardische Sektion gegen die Bildung einer Centro-sinistra-Regierung, die zum Teil von förmlichen finanziellen Sanktionen gegen die DC begleitet wurden (v. Beyme, 1970, S. 115 ff.). Die wirtschaftliche Obstruktionspolitik, die in einigen Wirtschaftssektoren, im Börsen- und Bankenwesen gegen die neue Koalition etwa ab 1970 getrieben wurde, ist noch nicht erforscht, wird aber schon jetzt benutzt, um die Verschwörungshypothese zu stützen, was allenfalls dann gerechtfertigt erschiene, wenn es dem Kapital gelänge, die Koalition zu sprengen, aber selbst dann noch keine generelle Aussagekraft für den »Spätkapitalismus« hätte. Die ersten sozialdemokratischen Regierungen in anderen Regimen – z. B. unter Hornsrud in Norwegen 1928 – wurden teilweise schon nach kurzer Zeit wieder gestürzt, nicht ohne Wühlarbeit der Industrie (v. Beyme, 1973, S. 463), und dennoch konnte ein vorübergehender »Erfolg« des Kapitals die Sozialdemokratie in solchen Regimen nicht für immer von der Macht fernhalten.

(3) Die Widersprüche der spätkapitalistischen Gesellschaft werden nicht mehr als Antagonismus zwischen Klassen – wie im orthodoxen Marxismus – aufgefaßt, sondern »als Resultate des nach wie vor dominanten Prozesses

privater Kapitalverwertung und eines spezifischen kapitalistischen Herr-schaftsverhältnisses« (Bergmann u. a. in: Adorno, 1969, S. 84). Es wird in dieser Theorie der *Ersetzung des vertikalen Klassenschemas durch das hori-zontale Schema der Disparität von Lebensbereichen* zugegeben, daß die herr-schenden Schichten sozialstrukturell nicht mehr eindeutig und sinnfällig lo-kalisierbar sind. Damit wird erstmals in einem marxistischen Ansatz Eliten-forschung implizite als selbständiges Forschungsgebiet – und nicht nur als Epiphänomen der Klassenanalyse – möglich.

Trotz dieser Fortentwicklung des analystischen Instrumentariums zur Erfor-schung von Machtkartellen in der neomarxistischen politischen Theorie spre-chen eine Reihe von Faktoren dagegen, daß in der Bundesrepublik eine ein-heitliche »power elite« festgestellt werden kann:

(1) Das schwächste Gegenargument ist *das Fehlen eines sozialen Estab-lishments*, das eine sozialhomogene Führungsauslese erlaubt, wie sie Dah-rendorf in seiner diskreten Schwärmerei für das britische Establishment gel-tend machte. Der Begriff Elite bezeichnet in der neueren repräsentativen De-mokratie immer wesentlich losere Aggregate als selbst der Begriff Klasse, von dem Schumpeter einmal gesagt hat, daß er wie ein »Hotel oder Omni-bus« sei, die zwar immer besetzt sind, aber immer von anderen Leuten (zur Kritik daran: Jaeggi, 1960, S. 151).

Der Mangel an Homogenität des sozialen Backgrounds von Eliten in Deutschland kann bis zu einem gewissen Grade durch formale Regeln kom-pensiert werden. Eine stark formalistische juristische Ausbildung hat den Mangel an informellen Sozialisationsmöglichkeiten, wie sie das britische Establishment auf der Basis eines weithin noch verbindlichen Bildes des Gent-lemans mit seinen Eliteschulen und Klubs besitzt, in Deutschland kompen-sieren können, wie Dahrendorf und andere nachwiesen (Wassermann, 1969, S. 38 f.). Im Gegensatz zu den informelleren Methoden der Elitensozialisa-tion in einigen anderen Ländern hat jedoch gerade diese Art formalisierter Juristenausbildung stark zur Entfremdung vieler funktionaler Eliten von der Politik beigetragen und zu der – im Geltungsbereich des »common law« ziemlich unverständlichen – schematischen Trennung des »Rechtlichen« vom »Politischen« geführt. Moderne »strategische Eliten« im Sinne S. Kellers (1963, S. 32) rekrutieren sich nicht mehr aus einer homogenen Oberschicht. Strategische Eliten und Oberklassen können »twin-born« sein, aber sind in der Regel nicht mehr identisch.

(2) Die Interessengruppenforschung stellt zwar immer wieder fest, daß

einzelne *Wirtschaftsgiganten direkt bei den Regierungsstellen* unter Umge-
hung ihrer Verbände *zu intervenieren* suchen, in der Regel aber kann ein
kontinuierlicher Beeinflussungsprozeß nur von organisierten und spezialisierten Interessenten geleistet werden. Es zeigt sich dabei, daß das Großkapital nicht zu allen Fragen die gleiche Meinung hat, daß es zwischen Branchen und selbst innerhalb von Branchen starke Meinungsverschiedenheiten
geben kann und daß die Verbände nur bei sie vital interessierenden Fragen
massiv zu intervenieren versuchen. Die verschiedenen Elitengruppen bilden
temporäre Allianzen in einer begrenzten Reihe von Fragen (Rose, 1967, S.
89). Eine dauerhafte homogene Kooperation in allen Fragen läßt sich auch in
der Bundesrepublik nicht nachweisen. Aber selbst durch das engmaschige
Netz der verfilzten Zweckgemeinschaften von Vetogruppen kommen gelegentlich innovatorische Maßnahmen durch, die den Interessen der ökonomisch
Mächtigsten zuwiderlaufen.

(3) Der *Faktionalismus in den Parteien*, vor allem seit die Tendenz zur
Volkspartei in der Bundesrepublik sich auch in der SPD durchsetzt, erlaubt
nur schwer die Annahme, daß einzelne wirtschaftliche Eliten in permanenter
Koalition mit ganzen Parteien kooperieren. Oft können mächtige wirtschaftliche Interessenten nur mit einem Flügel der Parteien zusammenarbeiten, und
die Auseinandersetzung von divergierenden Interessen hat ihre Widerspiege-
lung in innerparteilichen Konflikten.

(4) Die *Kommunikationsschwierigkeiten der wirtschaftlichen und politischen Eliten*, die schon in sich keine Einheit darstellen, wachsen mit zunehmender Komplexität der industriellen Gesellschaft. Mit der Fiktion eines einheitlichen Interesses in der spätkapitalistischen Gesellschaft wird das Kom-
munikationsargument zu entkräften gesucht. Wie Interessenbildung ohne
Artikulation, Kommunikation und Aggregation zustande kommen soll, kann
nur dargelegt werden, wenn man Gesellschaften mit bestimmten Produk-
tionsverhältnissen pauschal irgendwelche mystischen bewußtseinsbildenden
Qualitäten zuschreibt – auch für die weiten Bereiche der Gesellschaft, die
nicht unmittelbar am Interesse der Produktionsmittelbesitzer partizipieren.

(5) Die wenigen »Decision Making«-Studien, die für die Bundesrepublik
vorliegen, zeigen eine *asymmetrische Partizipation der Interessen*, aber lassen
keine klare Konzeption eines einheitlichen Elitenkartells sichtbar werden.

Die Leugnung einer einheitlichen Machtelite in der Bundesrepublik darf jedoch nicht zur Harmonisierung der Interessenkonflikte und Beschönigung der
Ungleichheit der Chancen benutzt werden. Riesmans Modell des Pluralismus

der Vetogruppen oder Lasswells Hoffnung auf die Gegeneliten (D. Lasswell – A. Kaplan, 1950, S. 266) oder Trumans Erwartung, daß die Machtkonzentration in den Händen einer Gruppe durch die »overlapping memberships« von Mächtigen in mehreren Organisationen ungefährlicher werde (David Truman: The Governmental Process. New York [4]1957, S. 535) sind keineswegs die notwendige Alternative zum Glauben an die Theorie der Machtelite. Eine Fülle von Interessen in der Gesellschaft sind unterprivilegiert, auch wenn dies aus den privilegierten Interessen nicht notwendigerweise eine Machtelite schafft:

(1) Es gibt eine große Zahl noch *nichtkonfliktfähiger Interessen*, die der Gesellschaft keine lebenswichtige Leistung verweigern können (Offe, 1969, S. 169). Die Aussicht der Repräsentanten nichtkonfliktfähiger Interessen, in die politische Elite aufzusteigen, ist gering – abgesehen von den Gruppen der protestierenden Jugend und Studenten, die sich nicht für immer der Haltung des »retreatism« (Merton) verschreiben. Auch Bedürfnisse, die nicht an Statusgruppen gebunden sind, erscheinen trotz eines gewissen Pluralismus in der Demokratie traditionell bei der Artikulation behindert. Als Konfliktgegenstand wird vom Staat im Rahmen der Bürgerrechte der Kampf um ökonomische und Status-Positionen anerkannt. Weiterreichende Ziele, die auf die Gesellschaft als Ganzes abzielen und die über das hinausgehen, was gemeinhin als »politisches Mandat« den Gruppen im engeren Interessenbereich zugestanden wird, werden meist pauschal unter »Revolutionsverdacht« gestellt und als staatsfeindlich behindert, ohne daß Ziele und Mittel solcher Gruppen einer eingehenderen Analyse unterzogen werden. Eine Reihe anderer machtloser Interessen – z. B. die Frauen – sind von Parsons (1957, S. 133) und anderen damit getröstet worden, daß sie zwar als Aggregate keine Macht besäßen, aber gleichwohl wichtige Funktionen in der Gesellschaft wahrnähmen. Eine demokratische funktionalistische Theorie wird hingegen davon ausgehen müssen, daß Gruppen mit wichtigen Funktionen auch Anspruch auf einen adäquaten Anteil an Macht haben.

Pluralistische Modelle, die von der Gegenüberstellung Eliten – Massen ausgehen, unterstellen manchmal – wie bei Kornhauser (1968, S. 40 f.) –, daß die pluralistische Gesellschaft und die Massengesellschaft zwar beide offene Elitenstrukturen besitzen, die pluralistische Gesellschaft jedoch ohne Mobilisierung der in vielfachen Gruppenbindungen sich artikulierenden Massen auskommt und damit die Massenpartizipation a priori abgewertet zu werden droht, auch wenn sie sich nicht sogleich in anomische politische Rekrutierung wie in revolutionären Zeiten umsetzt.

In der Bundesrepublik ist die Einflußstruktur vergleichsweise übersichtlicher als in anderen demokratischen Systemen, da die Fundamentaloppositionen nur marginale Gruppen sind. Komplexer ist die Einflußstruktur jedoch in solchen Ländern, wo breite Gruppen zwar nicht das System als Ganzes umstürzen wollen, aber die Spielregeln ein wenig ändern, wie das gaullistische RPF in der Vierten Republik (Aron, 1965, S. 15) oder heute noch Teile der linken und rechten Oppositionen gegen die Centro-sinistra-Politik in Italien. Mit solchen Interessen sind Koalitionen der systemtragenden Gruppen nur begrenzt möglich, was die Kartellbildung unter den letzteren erleichtert, ohne daß daraus eine homogene Machtelite angesichts der dispersiven Tendenzen der Flügel der Systemparteien werden kann. Falls die linken Gruppen in disziplinierter Form im Rahmen des Systems unter Verzicht auf die Gewaltmethoden zu arbeiten beginnen, wie das allenfalls in den Subsystemen einiger Universitäten erfolgreich geschieht, könnte auch in der Bundesrepublik erstmals eine diffusere Machtstruktur entstehen.

(2) In der Fülle der gesellschaftlichen »cleavages« gibt es *dominante Konflikte*, die nicht mit jedem partiellen Konflikt auf eine Stufe gestellt werden können. Zu diesen dominanten Konflikten rechnen auch nichtmarxistische Sozialwissenschaftler in der Regel die Klassenkonflikte. Der Kampf um die Grundlagen des Status quo ist in der Produktionssphäre sehr viel härter als in der Distributionssphäre, in der sich auch – nach Erkenntnis linker Kritiker des Systems (Agnoli, 1967) – wesentlich mehr Pluralismus findet. In Fragen, die an die Grundlagen des Privateigentums gehen – etwa Betriebsverfassung und Mitbestimmung, Bodenrecht und Steuerpolitik –, ist die Allianz der Vetogruppen relativ breit und die Kommunikation intensiver als bei zweitrangigen Fragen, auch wenn diese durchaus wichtige ökonomische Konsequenzen haben, wie z. B. das Lastenausgleichs- oder das Personalvertretungsgesetz.

In der DDR-Forschung wird sogar zugegeben, daß es dem »westdeutschen Finanzkapital mit aktiver Unterstützung rechter sozialdemokratischer Führer und durch eine umfassende demagogische Reformpropaganda« zeitweilig gelungen ist, die Entfaltung der sozialen Widersprüche einzudämmen (Kolbe-Röder, 1969, S. 193). Gleichzeitig ist man jedoch weniger optimistisch als in der Bundesrepublik, daß sich die »staatsmonopolistische Regulierung der Klassenbeziehungen« (ebd. S. 102) auf die Dauer bewähren wird: einmal, weil man an der Lehre von den objektiv sich immer mehr zuspitzenden Klassenkonflikten im Kapitalismus festhält, zum anderen, weil man unterstellt, daß die »Wirksamkeit der gesellschaftlichen Alternative des Sozialismus in der DDR« bereits so stark ist, daß der Ausbruch dieser Konflikte auch durch ein gutes Krisenmanagement auf die Dauer nicht zu verhindern ist. Die DDR-Literatur ist bei dieser Analyse geneigt, die Wirkungen der Protestbewegung auf das Vorbild der DDR zurückzuführen, ohne zu sehen, daß das eigene System von den tragenden Kräften der Bewegung als pervertierter Sozialismus abgelehnt wird. Typisch für die Verschwörungsmythen ist die Behauptung, daß der westdeutsche Reformismus mit dem tschechoslowakischen Revisionismus zusammenarbeite (ebd., S. 64 f.). Man konstruierte sogar Parallelen zwischen der bundesrepublikanischen Pluralismustheorie und dem Pluralismus der tschechoslowakischen Reformbewegung, die in einem Dreistufenplan – an dessen Ende angeblich die Restauration des Kapitalismus stehen sollte – zunächst nur die führende Rolle der Kommunistischen Partei anzweifelte und ein Gleichgewicht der Gruppen und sozialen Kräfte postulierte. Solche gewagten Parallelen werden gelegentlich auch in der Bundesrepublik gezogen, etwa wenn Strauß der SPD-Regierung vorwirft, sie fördere die »Jugoslawisierung« der Bundesrepublik (›Der Spiegel‹, 1970, Nr. 20, S. 34). Mit dieser Kritik an einigen Thesen der Wissenschaftler aus der DDR soll nicht die Existenz eines gewissen Konkurrenzdruckes der DDR auf die Bundesrepublik geleugnet werden. Neuere Umfragen (›Der Spiegel‹, 1970, Nr. 47, S. 102) zeigen, daß etwa das Bildungssystem der DDR von über einem Drittel der westdeutschen Bevölkerung als dem der Bundesrepublik überlegen angesehen wird. Dieser Konkurrenzdruck muß jedoch das System nicht notwendigerweise schwächen, sondern kann auch als Herausforderung zu beschleunigten Innovationen wirken und so – nach Jürgen Habermas (Bedingungen für eine Revolutionierung spätkapitalistischer Gesellschaftssysteme. In: Ernst Bloch u. a.: Marx und die Revolution. Frankfurt 1970, S. 38) – »zur Selbstdisziplinierung des Kapitalismus« beitragen.

Die Publizisten, die sich der kritischen Theorie verschrieben haben, machen es sich im allgemeinen nicht ganz so leicht, die relative Stabilität des Systems zu erklären. Die Unterscheidung der Produktions- und Distributionssphäre, welche von der Linken bis zur Wohlfahrtsökonomik zugrundegelegt wird, wurde von der amerikanischen Gruppen- und Einflußforschung noch spezifiziert durch Unterscheidung verschiedener Arenen politischer Macht- und Einflußstrukturen. Bauer und seine Mitarbeiter (1963) unterschieden die verschiedenen Machtstrukturen je nach der »policy«, die untersucht wurde, und stellten ganz unterschiedliche Elitenkartelle bei regulatorischen, bei distributiven und bei redistributiven politischen Maßnahmen fest (Lowi, 1963/64, S. 690 ff.). Vor allem auf regulatorischer Ebene streiten eine Fülle von Aggregaten, die sich um tangentiale Interessen gruppieren. Auf dieser Ebene sind besonders viele Koalitionen möglich, zum Teil auf Grund von »uncommon interests«, wobei im Do-ut-des-Verfahren durch »logrolling« ein Junktim zwischen »issues«, die nichts miteinander zu tun haben, hergestellt wird. Diese Art der Interessenkoalition ist jedoch vor allem auf der redistributiven Ebene, wo es um Konflikte zwischen Habenichtsen und Besitzenden, zwischen Produktionsmittelbesitzern und Arbeitern, zwischen Rassen und Nationalitäten geht, kaum noch zu finden und entzieht sich daher dem üblichen Pluralismusmodell, denn Koalitionen setzen gemeinsame »attitudes« voraus, auf denen die Annahme eines Systemgleichgewichts von Interessen basiert. Aber die Power-Elite-Hypothese macht es sich andererseits zu einfach, wenn sie selbst in der Distributionsebene die Konflikte zwischen den sozial Starken und Schwachen als Null-Summen-Spiele begreift, die sie zu Beginn des Kapitalismus vorübergehend einmal gewesen zu sein scheinen.

Wenn man darüber hinaus nicht nur die »issues«, sondern auch die Phasen eines jeden politischen Prozesses unterscheidet und sich etwa Herbert Spiro (An Evaluation of Systems Theory. In: James C. Charlesworth [Hrsg.]: Contemporary Political Analysis. New York/London 1967, S. 172) anschließt, der (a) Formulierung, (b) Beratung, (c) Entscheidung und (d) Problemlösung unterscheidet, so ist im pluralistischen System westlicher Demokratien in der Phase der Formulierung und der Beratung ein großes Maß an Pluralismus festzustellen, das sich nicht in gleichem Umfang auf der Entscheidungs- und Problemlösungsebene wiederfindet. Die besten Einflußstudien seit E. E. Schattschneiders ›Politics, Pressures and the Tariff‹ (New York 1935) zeigen, daß weder das pluralistische Modell noch das Power-Elite-Modell die Einflußstrukturen hinreichend erklärt. Das pluralistische Modell kann weiterhin nicht einfach von einem substantiellen Machtbegriff ausgehen, sondern muß einerseits die Nuancen des Einflusses von Gewalt bis zu Manipulation und Autoritätsbeziehungen als »input«-Funktionen von Eliten in dem Entscheidungsprozeß untersuchen, andererseits die »output«-Funktionen der Macht unterscheiden, die Etzioni (1968, S. 357 ff.) als »coercive« (militärische Macht), utilitarisch (ökonomische Macht) und persuasiv (Propaganda) klassifizierte. Der Einsatz dieser drei Machtmittel wird jeweils unterschiedlichen Konsens bei verschiedenen Interessenkoalitionen hervorrufen.

(3) *Innovationen und soziale Entwicklung* werden – vor allem in der Entwicklungsländerliteratur (vgl. Seligman, 1964, S. 612 ff.) – häufig von der

Aktivität der Eliten abgeleitet. Innovationen, die bisher unterprivilegierten Gruppen zugute kommen, sind in der Regel nicht durch ein pluralistisches System zu erreichen. Innovationen sind meistens nur bei andauerndem Innovationsdruck durchsetzbar. Gerade beim Versuch der Innovation durch die Eliten wird jedoch die Mehrzahl der sonst passiven Bürger hellhörig. Sie reagieren erst, wenn ihre Repräsentanten »nicht mehr spuren« (»step out of line«; Etzioni, 1968, S. 164). Etzioni impliziert in seinem Modell einer aktiven Gesellschaft daher mit Recht, daß Eliten keine fundamentalen Neuerungen einführen können, wenn sie sich nicht zuvor des Konsenses der Nichteliten versichert haben. Strukturverändernde Innovationen lassen sich jedoch nicht mit den Alternativstrategien »Revolution« und »Reform« (Gorz, 1968, S. 120 ff.) herbeiführen, sondern versuchen, kontrollierte Entwicklung und Konsensbildung miteinander zu verbinden, während Reformen meist nur das erste, Revolutionen nicht einmal dieses im Auge haben, solange der Konsens nur von einer selbsteingesetzten stellvertretenden Minderheit postuliert wird. Es hat sich Ende der sechziger Jahre gezeigt, daß die bundesrepublikanische Elitenrekrutierung geeignet war, die nötigen Kader zum Wiederaufbau in einem »Schönwettersystem« bereitzustellen – zum Teil unter Verzicht einer Auswechslung der Eliten, die bereits vor 1945 eine Rolle spielten, vor allem außerhalb des politischen Sektors. Aber auch scharfe Kritiker der Power-Elite-Hypothese, wie Erwin Scheuch (1967), haben Zweifel angemeldet, ob das Führungssystem in der Bundesrepublik ebensogut geeignet ist, sich unter den Herausforderungen eines raschen sozialen Wandels zu bewähren.

(4) Die *demokratischen Auslesemechanismen sind nicht mehr durchlässig genug*, um die Etablierung von Eliten zu verhindern. Im Idealfall ist eine Elite nichts als das »reine Artefakt demokratischer Spielregeln« (Dahl, 1958, S. 464). Der bloße Begriff der Elite widerspricht eigentlich dem demokratischen Mehrheitsprinzip. Die Repräsentation wurde häufig als ein Mittel angesehen, eine politische Elite in der Demokratie zu rekrutieren. Die Elitentheorien Moscas und Paretos waren jedoch gerade aus dem Zweifel an der Güte der Ausleseprinzipen des repräsentativen Parlamentarismus entstanden. Pareto hat die Repräsentation als reine Fiktion abgetan, die ohne Bedeutung für die Auslese der herrschenden Elite sei (Pareto: Trattato di Sociologia Generale. Florenz 1916, § 2244). Die demokratische Elitetheorie hält jedoch bis in unsere Zeit daran fest, daß es legitim sei, daß »die politischen Entscheidungen ... im Gefüge der Eliten« fallen, »unter der Voraussetzung einer konstitutionellen Zuordnung von Staatsorganen, in welchen die Eliten wirksam werden« (Stammer, 1961, S. 525). Der legale institutionelle

Rahmen droht jedoch in Zeiten einer zu starken Manipulation der Nichteliten an Legitimität zu verlieren. In Italien hat Giacomo Perticone in Anlehnung an ein Wort von Guizot davon gesprochen, daß die Elite der »paese reale« im Gegensatz zur »Italia legale« sei (Perticone, 1954, S. 253). Demokratische Elitenrekrutierung muß auf Wahl und Delegation und nicht auf Kooptation und anderen undemokratischen Prinzipien beruhen.

Die Analyse der Karrierestationen zeigte jedoch, daß die Delegationsmechanismen in den Parteien von der untersten Stufe an nicht wettbewerbsmäßig funktionieren und daher eine Kooptation zur jeweils höheren Stufe über das Wahlprinzip trotz formeller Abstimmung triumphiert. Auch für die USA haben empirische Studien immer wieder die Gefahr aufgezeigt, daß demokratische Delegationsmechanismen zu bloßen Ritualen für die Legitimierung von Eliten werden. Obwohl die politischen Eliten sich bei Befragungen in der Regel subjektiv ehrlich zu demokratischen Prinzipien bekennen, ist ihr Einsatz bei der Verwirklichung in der konkreten Politik und die Ausdehnung der demokratischen Spielregeln auf Bereiche, die bisher nicht nach diesen ihre Konflikte schlichteten, oder auf Gruppen, die bisher an ihnen kaum Anteil hatten, erschreckend gering (Dahl, 1961, S. 112 ff., 318 f.).

Die Elitenkontrolle, die sich in der repräsentativen Demokratie vornehmlich auf die Sanktion einer Verweigerung der Wiederwahl und auf Kritik während einer festen Mandatsperiode beschränkt, wird im Zeitalter einer tiefgreifenden Protestbewegung als unzureichend empfunden. Die Kontrolle politischer Eliten von seiten des Wahlkreises gilt in Deutschland – im Vergleich zu den USA – als gering. Die fortschreitende Kompartimentalisierung der Gesellschaft in funktional spezifische Organisationen begünstigt die Undurchsichtigkeit der Entscheidungen, weil »logrolling arrangements« formeller und informeller Art selbst die Motivation einzelner Elitenmitglieder für Entscheidungen verschleiern (Deutsch-Edinger, 1959, S. 124).

(5) Der Pluralismus des demokratischen Systems droht in einen bloßen *Binnenpluralismus* zu entarten. Er wird personalisiert und respektiert undiskutierte Prioritäten, Vorentscheidungen und Spielregeln (Narr, 1969, S. 62). Bloß personaler Elitenpluralismus des Kandidatenwettbewerbs reicht nicht aus, wenn sachliche Alternativen nicht genügend ausgetragen werden können.

(6) *Mangelnde Chancengleichheit* vor allem *im Bildungssystem* macht die Elitenzirkulation bis heute zu einem zähflüssigen und sozial meist kurzgeschlossenen Prozeß, der sich überwiegend in den oberen Schichten vollzieht. Selbst wenn durch eine Demokratisierung des Bildungswesens die Chancen

effektiv angeglichen würden, schlösse – wie Bottomore (1966, S. 153) treffend festgestellt hat – selbst die Chancengleichheit den Gedanken der Ungleichheit in sich ein, da sie die Möglichkeit voraussetzt, in einer geschichteten Gesellschaft aufzusteigen. Sie zwingt zu einer stillschweigenden Übernahme der Theorie, daß Schichtung funktional und systemnotwendig sei, und bleibt, an radikal-egalitärem Denken gemessen, ein Widerspruch in sich, der davon ausgeht, daß Herrschaft und Schichtung letztlich nie zu beseitigen sein werden.

Diese Mängel der Führungsauslese lassen sich nicht durch ein paar institutionelle Reformen beheben. Die Zweifel, ob sie sich überhaupt beheben lassen, haben in der Zeit der Protestbewegungen um sich gegriffen, und viele Neomarxisten erhoffen sich den Abbau von Herrschaft und die Reduzierung des Führungsproblems auf rotierende Funktionseliten daher allein von der Verwirklichung einer sozialistischen Gesellschaft. Da politische Macht in dieser Theorie nur als Epiphänomen wirtschaftlicher Macht über Produktionsmittel angesehen wird, hofft man die Verselbständigungstendenzen politischer Eliten simultan mit der Sozialisierung des Eigentums an Produktionsmitteln lösen zu können.

Prinzipiell besteht jedoch das Elitenproblem auch in sozialistischen Systemen weiter:

(1) Sozialistische Eliten zeigen *Anpassungsschwierigkeiten an eine sich wandelnde Industriegesellschaft* und streifen nur langsam ihre alte Geheimbundmentalität als Relikt ihrer früheren sozialmarginalen Position ab, um sich den Notwendigkeiten rationaler und leistungsbetonter Organisation und Führungsauslese anzupassen. Erst nach Jahrzehnten etablierter Herrschaft ließen sich Anzeichen für eine »institutionalisierte Gegenelite« nachweisen (Ludz, 1968).

Die sozialistische Elitentheorie neigt ähnlich wie ältere konservativ-normative Ansätze dazu, wieder nach Werteliten zu suchen, die aus einem geheimnisvollen Geschichtsprozeß angeblich von selbst hervorgehen, wie ihn Leo Kofler (1960, S. 347) formulierte: »Die Geschichte, die zu immer höheren Stufen der Freiheit emporführt, läßt sich nicht betrügen. Sie ist in ihrer Gesamtheit klüger als ihr individueller Exponent, denn wo sie von den zur Beschleunigung des Prozesses berufenen Individuen betrogen wird, wo die revolutionären Kräfte versagen, schafft sie sich einen Ersatz, dem die Aufgabe zufällt, den Übergang zu sichern.« Nach seiner Ansicht ist die neue humanistische Elite zur Zeit der Ersatz für diese historische Aufgabe, obwohl Kofler zugab, daß diese progressive, humanistische Elite als »scharf abgegrenzte Gruppe« nirgends nachweisbar war. In der Außerparlamentarischen Opposition schien sich eine solche progressive sozialistische Elite herauszubilden. Dank maßloser Selbstüberschätzung und der Wiederholung sämtlicher Fehler des Intelligenzleraristokratismus, die ältere sozialrevolutionäre Bewegungen, die zum Gang ins Volk angetreten waren, schon begangen hatten, blieb sie jedoch klein und ohne Massenbasis und zersplitterte sich in Grüppchen und Sekten. Immerhin ist bemerkenswert, daß trotz des vordergründigen Scheiterns der APO erstmals in der Stille Kaderpolitik für eine systemfeindliche Gegenelite in der Bundesrepublik getrieben werden kann. Diese Elite wird jedoch vermutlich noch lange darauf angewiesen sein, ihre Geheimbundmentalitität beizubehalten, und wird einen ähnlich langwierigen Anpassungsprozeß an soziale Realitäten machen müssen, wie frühere sozialistische Eliten, falls sie je die Gelegenheit bekommt, die Geschicke des Landes mitzugestalten. Die »offene Soziologie«, die auch von einigen nichtmarxistischen Elitenforschern gefordert wurde (Thoenes, 1966, S. 222), muß nach dieser Ansicht von einer neuen Elite entwickelt und angewandt werden, deren Bedeutung unabhängig von ihrer Zahl ist. Aber auch Thoenes betont, daß nur »critical talk« nicht ausreichend sei zur Durchsetzung einer solchen offenen Soziologie, sondern daß empirische Arbeit eine ihrer ersten Aufgaben sei. Daß diese Hinwendung zur empirischen Arbeit jedoch auch die Qualität dieser sich als neue Substanzelite verstehenden Gegenelite verändern wird, wurde bisher meist übersehen.

(2) Trotz der Vergesellschaftung aller Produktionsmittel und ihrer faktischen Leitung nach den Weisungen der Partei sind *Meinungsverschiedenheiten zwischen wirtschaftlicher und politischer Elite im sozialistischen System häufig,* auch wenn sie von einigen Autoren (Meissner, 1966, S. 115) ein wenig übertrieben worden sind. Nur in Zeiten der politischen Krise zeigten die Wirtschaftsmanager eine starke Dozilität gegenüber der politischen Machtelite (Azrael, 1966, S. 173). Elitenstudien über sozialistische Länder wiesen nach, daß Managergruppen und Leiter gesellschaftlicher Organisationen ähnliche Einflußattitüden aufweisen, wie Eliten kapitalistischer Staaten (Sidney Ploss, 1965; Gordon Skilling, 1971).

(3) In der sozialistischen Literatur wurde immer wieder ein »Verschwinden des Citoyentums« festgestellt (G. Lukács: Aristokratische und demokratische Weltanschauung. In: Schriften zur Ideologie und Politik. Neuwied/Berlin 1967 [S. 404–433], S. 410). Das gilt auch für die Zeit nach der Festigung sozialistischer Systeme. Vor allem die polnischen Sozialwissenschaftler decken heute die Mängel der sozialistischen Führungsauslese auf und kämp-

fen um Verbesserung der politischen Partizipation der Massen und um eine Deprofessionalisierung der Politik. Die Heranziehung nicht bezahlter »Aktivisten« und Bürger wird immer häufiger gefordert (Wiatr-Ostrowski, 1967, S. 146). Die Maßnahmen des Parteiprogramms der KPdSU zur Verbesserung und Demokratisierung der Führungsauslese zeigen, daß das Problem auch in der Parteispitze erkannt worden ist.

(4) Mit Hilfe des *Disziplinierungs- und Siebungsinstruments* der *Nomenklatur* und fester parteilicher Grundsätze der Kaderpolitik haben sozialistische Systeme bisher jedes eigenständige Denken von Führungskräften verhindert und eine zentralgesteuerte Rekrutierungsplanung erreicht, die den Grundsätzen eines freiheitlich humanen Sozialismus zuwiderläuft.

Neben diesen Mängeln der Führungsauslese haben sozialistische Systeme ein paar Vorteile, um die Demokratisierung und Egalisierung der Rekrutierung aus den Bahnen versteinerter Funktionärskaderherrschaft herauszuführen. *Es fehlt sozialistischen Eliten die Möglichkeit zu persönlicher Aneignung von Produktionsmitteln* und somit ein materielles Faustpfand für politische Macht. Das Einkommen der Eliten ist durchweg fremdbestimmt, und ihre Position ist instabil. Kontrollen und Säuberungen verhindern die Herausbildung sozialer Sicherheit und Etablierung der Eliten, und es gibt kein Bildungsmonopol der Besitzenden, das ihnen den Aufstieg erleichtert (Werner Hofmann: Die Arbeitsverfassung der Sowjetunion. Berlin 1956, S. 504 ff.). Alle diese Vorteile vor kapitalistischen Systemen sind bisher jedoch von der sozialistischen Politik nicht genutzt worden oder mit unnötigen hohen humanen Kosten – in Säuberungen, Verunsicherungen und erniedrigenden Ritualen von Kritik und Selbstkritik – erkauft worden.

Eine ganze Reihe von Problemen sind prinzipiell in sozialistischen wie kapitalistischen Systemen nicht verschieden. Die Mitverfügungsmacht des Arbeiters über die wirtschaftlichen Produktionsmittel wird nicht durch einen Vergesellschaftungsakt hergestellt, der zwar den Betrieb VEB statt AG nennt, aber die autoritären Herrschaftsstrukturen und die politischen Einflußmöglichkeiten des Spitzenmanagements staatlicher Trusts nicht abbaut. Mit dieser These sollen nicht alle Prämissen der Konvergenztheorien übernommen werden, die von einer Annäherung der gesellschaftlichen Systeme auf dem Boden der modernen »Industriegesellschaft« ausgehen. Es handelt sich eher um eine Hypothese im Rahmen einer »negativen Konvergenztheorie«, wie sie einige Anhänger der kritischen Theorie formulierten, die mit der Konstatierung ähnlicher Mängel in Kapitalismus und Sozialismus in ihren derzeitigen Formen keineswegs ihre tendenzielle Verschmelzung prognostizieren.

Rückblick

Die Untersuchung hat folgende Ergebnisse erbracht:

– Von den sozialen Background-Daten haben Konfession und regionale Herkunft abnehmende Prognosefähigkeit für politisches Verhalten, soziale Herkunft spielt noch immer eine wichtige Rolle, während die Gruppenzugehörigkeit wachsende Bedeutung hat. Neuere Untersuchungen anderer Elitensektoren (technische und Kommunikationseliten) haben die Eliteforscher noch skeptischer als bisher gemacht, Korrelationen zwischen einzelnen sozialen Hintergrundsdaten und dem Verhalten (vor allem in bezug auf Kritikfähigkeit und Innovation) zu suchen. In der Regel erweisen sich die Positionen in der Machthierarchie und die sektorale Tätigkeit eines Positionsinhabers auch in der politischen Elite als entscheidender als die empirischen Artefakte von Daten wie Alter, regionale und soziale Herkunft u. a. (Sahner, 1973, S. 277; Müller, 1973, S. 200 ff.).

– Die Aufstiegschancen der Frauen haben sich verbessert, und die Rollenauffassung weiblicher Politiker ist immer weniger am kämpferischen Suffragettentyp orientiert, obwohl der Ausbruch aus dem Getto »typisch weiblicher« Ressorts und Ämter im Umkreis von Familie, Gesundheit und Sozialfürsorge bisher nicht völlig gelang.

– Der Religionsproporz, der in den ersten Regierungen der Unionsparteien eine Rolle spielte, war immer auf die ministerielle Ebene beschränkt. Im Vergleich zur Mitgliederstruktur der CDU war der protestantische Bevölkerungsanteil in CDU-Regierungen eher überrepräsentiert. Unter den Staatssekretären und Spitzenbeamten dominierte eindeutig das protestantische Element. Auch die Bevorzugung von Katholiken bei der Kandidatenauslese und zeitweilige Patronagepolitik zugunsten der Katholiken konnte die traditionelle Benachteiligung der Katholiken nur auf wenigen Ebenen ausgleichen.

– Die regionale Herkunft der Spitzenpolitiker weist eine starke Repräsentation von Nordrhein-Westfalen auf. Der Regionalproporz spielt eine abnehmende Rolle, selbst in der Frage der Repräsentation der Vertriebenen, die vergleichsweise immer angemessen vertreten waren, auch wenn man von den vorwiegend mit Ostdeutschen besetzten Ressorts wie Gesamtdeutsches und Vertriebenenministerium einmal absieht. Nur wenige Ressorts waren überwiegend eine Domäne einer Region, wie das Postministerium (CSU), das Bundesratsministerium (DP), das Landwirtschaftsministerium, das zwischen CSU und norddeutscher CDU hin- und herpendelte.

– Der größte Teil der Politiker der Bundesrepublik stammt aus der oberen Mittelschicht, aus Beamtenfamilien oder von Vätern aus freien Berufen ab. Die Herkunft aus den Oberschichten schafft noch immer einen gewissen Vorsprung bei der politischen Karriere.

– Die Zugehörigkeit zu mächtigen Interessengruppen und den Jugendorganisationen der Parteien ist ein wichtiges Terrain des politischen Karrierestarts. Dies gilt vor allem für die ›Junge Union‹. In der SPD ist ein größerer Prozentsatz künftiger Spitzenpolitiker in der Jugend bereits politisch stark engagiert gewesen. Die Verbindung mit einer Interessengruppe ist nicht in jedem Fall maßgebend für das Ausmaß des Engagements eines Politikers für das betreffende Interesse. Die Unzufriedenheit der »Muttergruppen« von Politikern mit »ihren Männern in Bonn« ist ein daher weitverbreitetes Phänomen.

– Unter den Lernberufen deutscher Politiker haben die Kommunikationsberufe, vor allem auch die Lehrberufe, ferner die kaufmännischen Berufe, die Angestellten und die Ingenieure zunehmende Bedeutung. Über zwei Drittel aller Spitzenpolitiker und über 92 % aller Staatssekretäre bis 1969 haben studiert. Das Juristenmonopol ist im Abbau begriffen. Die Fächer der Philosophischen und Naturwissenschaftlichen Fakultäten und die Sozialwissenschaften zeigen aufsteigende Tendenz. Nach der Regierungsbildung 1972 war dieser Fortschritt von 1969 vor allem auf der Ebene der Staatssekretäre partiell rückläufig. Darüber kann auch der Befund einer neueren Studie (Sahner 1973, S. 280) nicht hinwegtrösten, daß Juristen nicht generell eine bewahrende Haltung nachgesagt werden könne, sondern das die sektorale Tätigkeit ausschlaggebender sei mit dem Ergebnis, daß Juristen der adaptiven und zielbestimmenden Sektoren innovationsfreudiger sind als beispielsweise Naturwissenschaftler und daß Wissenschaftler sich als noch konservativer erwiesen als Juristen.

– Die deutsche Berufsideologie und die Abneigung gegen Männer mit nicht abgeschlossener Ausbildung und ohne Beruf leben in der Politikerrekrutierung fort. Trotz fortschreitendem Zwang zu relativ früher Professionalisierung in der Politik ist der berufslose »Nurpolitiker« noch immer eine seltene Ausnahme in der Bundesrepublik.

– Die Spitzenpolitiker bis 1969 haben im Durchschnitt vier Jahre Militärzeit hinter sich und haben es etwa bis zum Leutnant gebracht. Die Variable Militärdienst ist für die Erklärung politischen Verhaltens in der Gegenwart weniger aufschlußreich als für die Erforschung der Haltung und der Frage »Karrierestop oder Karrierekontinuität« in der nationalsozialistischen Zeit.

– Die Karrieremuster der Politiker in der NS-Zeit sind nach dem simplen Schema »Mitglied und Mitläufer« oder »Systemgegner« nicht hinreichend erfaßt. Mitglieder von NS-Organisationen waren bis 1969 nur etwa 10 %, dagegen etwa 20 % im Widerstand im weiteren Sinne. Entscheidend ist das Kriterium »Karrierekontinuität«, das bei den Staatssekretären etwa bei der knappen Hälfte und bei den Politikern bei über 10 % festgestellt werden konnte, während ein Karrierestop bei durchschnittlich 17 % eintrat. 19 % der Politiker konnten in der Privatwirtschaft ohne nachweisbare größere Belastungen »überwintern«.

– Erfahrungen in der Gemeinde- und Landespolitik sind bei über 90 % aller Politiker Sprungbrett für politische Karrieren.

– Der politische Karrierestart ist durch zwei Filter des Parteiapparats, bei der Kandidatenaufstellung und der Verteilung der Listenplätze, erschwert. Die Auslese auf dieser Ebene ist nur in geringem Umfang auf die kommenden politischen Aufgaben und damit auf eine sachliche Leistungsqualifikation ausgerichtet. Der Bewährungsaufstieg schafft für jeden Parlamentarier mit Ambitionen starke Rollenkonflikte zwischen Rollenerwartungen in der Fraktion und im Wahlkreis.

– 96 % aller Exekutivpositionen und 18 % aller Staatssekretäre bis 1969 hatten parlamentarische Erfahrungen. Nur ausnahmsweise gab es Fachminister, die Nichtparlamentarier waren, meistens in der frühen Adenauer-Zeit. Kaum einer der Fälle entsprach jedoch dem parteipolitisch nichtgebundenen »Nahesteher«, der unter 22 % der Weimarer Minister bis 1928 eine große Rolle spielte. Auch die Staatssekretäre weisen zunehmend politische Karrieremuster auf. Lange parlamentarische Erfahrung ist jedoch keine Garantie dafür, daß ein Politiker zur Führungsspitze aufsteigt. Ein Teil der »Neunundvierziger«, die vom ersten Bundestag an Abgeordnete waren, hat es nicht zu einem Exekutivamt gebracht. In der Regel scheidet ein Abgeordneter, der nicht weiter aufsteigt, nach rd. 8 Jahren aus.

– Mit dem parlamentarischen Aufstieg ist – in Ämterkumulation – der Aufstieg in der Parteihierarchie verbunden. Die meisten Spitzenpolitiker hatten höhere Parteiämter inne.

– Die Professionalisierung des Politikers nimmt mit wachsender Sicherung der Altersversorgung und Spezialisierung politischer Rollen zu – vor allem unter den Politikern, die Ambitionen für ein höheres Exekutivamt haben.

– Das Durchschnittsalter beim Eintritt in das höchste erreichte Amt lag in der Bundesrepublik bis 1969 bei 53 Jahren – auch bei den Staatssekretären. Soweit letztere parteipolitisch aktiv waren, traten sie früher in das höchste Amt ein. In der Regierung von 1969 spiegelt sich ein Trend zur Verjüngung wider. Wie in anderen Ländern, in denen sozialdemokratische Regierungen erst nach langen Wartezeiten an die Macht kamen, war jedoch eine Reihe älterer Anwärter zu versorgen. Trotz einer weitverbreiteten Annahme ist das Eintrittsalter in der Bundesrepublik nicht wesentlich höher als in anderen westlichen Demokratien.

– Anlaß für den Abgang aus der Politik ist nur zum geringeren Teil ein freiwilliger Entschluß, obwohl die Kanzler von ihrem Recht, Minister zur Entlassung vorzuschlagen, bisher kaum Gebrauch gemacht haben. Ein von der Partei nahegelegter Rücktritt oder eine Übergehung bei der Kabinettsneubildung war ein häufiger Abgangsgrund. Bei den Staatssekretären trat die größte Zahl (34 %) wegen Dissens mit dem Minister zurück, ohne daß solche Rücktritte in der Mehrzahl der Fälle freiwillig genannt werden könnten. Aktive Parteipolitiker unter den Staatssekretären konnten sich im Durchschnitt länger im Amt halten.

– Das personalpolitische Revirement von 1969 hat kein mit angelsächsischen Ländern vergleichbares Ausmaß an Entlassungen und Versetzungen mit sich gebracht. Die wenigen persönlichen Härten, die der Regierungswechsel zur Folge hatte, sollten jedoch zu einer neuen Grenzziehung zwischen politischen und anderen Beamten Anlaß geben, ohne daß das politische Beamtentum deshalb pauschal diskriminiert werden dürfte, da es funktional unerläßlich im parteienstaatlichen System ist.

– Nach dem Abgang aus der Politik nimmt die Verflechtung der Elitensektoren zu. Eine wachsende Zahl von Exministern und politischen Beamten geht in die Wirtschaft, nur ein Teil wird durch politische Posten in der Fraktion, in den auswärtigen Beziehungen und anderwärts entschädigt.

– Die Ämterrotation war unter deutschen Ministern relativ gering. Die politisch stärksten Persönlichkeiten waren gemeinhin auch am wendigsten in der aufeinanderfolgenden Übernahme verschiedener Ressorts. Die personelle Stabilität ist – neben der Kabinettsstabilität im allgemeinen – in der Bundesrepublik eine der höchsten in Europa und die größte unter den großen Demokratien des Kontinents.

– Der Positionsaustausch ist in der Bundesrepublik noch immer geringer als etwa in den USA, aber er zeigt zunehmende Tendenz – vor allem von den Sektoren Wirtschaft und Wissenschaften in die Politik.

– Das Selbstverständnis deutscher Politiker der Nachkriegszeit ist durch einen konfliktlosen Politikbegriff gekennzeichnet, der sich vornehmlich an einem älteren Stand der politischen Theorie als »praktischer Philosophie« orientiert. Die Elitenkonzeption zeigt wertende Begriffe von Substanzeliten. Larmoyante Klagen über das Führungsdefizit überwiegen die Rezeption exakter Analysen für die Ursachen, daß weite Teile der Eliten aller Sektoren der Politik noch immer fremd gegenüberstehen.

– Das Ansehen der Politiker ist in der Bundesrepublik bisher relativ gering. Bildungs- und ökonomische Sanktionen waren in einem politischen System, das sich überwiegend durch wirtschaftliche Wiederaufbauerfolge legitimierte, mehr gefragt. Das individuelle Politikerprestige erwies sich als weniger manipulierbar, als häufig unterstellt wird, und war starken Schwankungen je nach Koalitionssituation, Gelegenheit zur Profilierung in Krisensituationen und persönlicher Ausstrahlung unterworfen. Es fehlt in der Bundesrepublik eine Subkultur der politischen Eliten. Mit zunehmender Komplexität der Gesellschaft beruht sie immer weniger in ihrer Erwartungssicherheit auf personalen Rollenkombinationen. Persönliches, familiäres, geschäftliches Verhalten werden als Rollen von der politischen Rolle immer stärker abtrennbar.

Die Ergebnisse der Elitenforschung werden heute überwiegend als Beitrag zur Demokratisierung und Egalisierung der politischen Rekrutierung verstanden. Gleichwohl wird dieser junge Zweig sozialwissenschaftlicher Forschung noch immer beargwöhnt, vor allem, da die ersten Elitentheorien von einem antidemokratischen Pathos getragen waren und eine Auslese fähiger Politiker in Systemen mit parlamentarischer Demokratie auf der Grundlage von Mehrheitsentscheidungen skeptisch beurteilten. Die Kritik eines Teils der Linken (anders vgl. S. 205) ist darüber hinaus geneigt, die Elitenforschung für überflüssig zu halten und sich auf Klassenanalysen zu beschränken, in deren Rahmen politische Eliten nur Epiphänomene wirtschaftlicher Machtkonzentrationen sind. Diese Reduzierung der Komplexität des politischen Entscheidungsprozesses erweist sich jedoch in der empirischen Detailforschung als wenig zutreffendes Bild der Politik. Die Analyse sozialer Background-Daten auf der Basis des positionellen Ansatzes und die Untersuchung der institutionellen Kanalisierung von Rekrutierung im politischen System ist nicht der einzige – und oft nicht einmal der beste – Weg, um dem Gravitationszentrum der Macht außerhalb des institutionellen Sitzes formaler staatlicher Souveränität auf die Spur zu kommen, aber er ist einer der Wege, die zur Demokratisierung der Rekrutierung beschritten werden müssen. Die Einflußforschung, welche die Transformation wirtschaftlicher in politische Macht untersucht, neigt dazu, die Rekrutierung der Positionseliten für weniger interessant zu halten und die extra-legalen Einflüsse wirtschaftlicher Macht für »naturwüchsig« und unabänderlich aus dem Charakter des Spätkapitalismus zu deduzieren. Solche Einflüsse können vom positionellen Ansatz nicht geleugnet oder verharmlost werden, aber die Schwächen der heutigen Führungsauslese und die Mängel der Demokratisierung dieses Bereichs müssen von der Elitenforschung gerade als einer der Gründe für die Stärke des extra-legalen Einflusses gesehen werden.

Der Einfluß der wirtschaftlich Mächtigen kann nicht an der Zahl der Abgeordneten und Politiker gemessen werden, die solche Interessen direkt im staatlichen Machtapparat zu artikulieren suchen. Die Pressure-group-Forschung zeigt, daß es eine Fülle von Einflußmöglichkeiten von außerhalb des politischen Machtapparats in jedem Staat gibt. Undemokratische und einseitige Rekrutierungsmuster und die Überrepräsentierung von bestimmten sozial mächtigeren Schichten und Gruppen verstärkten jedoch die Chance des Einflusses von außerhalb des Machtapparats, da die überrepräsentierten Gruppen als »facilitators« für Einflüsse wirken (v. Beyme, 1971, S. 96). Das methodische Problem liegt darin festzustellen, welchen Grad von Überrepräsentation die Oberklassen und die wirtschaftlich Mächtigen brauchen, um die Hypothese zu stützen, daß die herrschende Klasse einem bestimmten sozial homogenen Aggregat der Gesellschaft entspricht (vgl. Domhoff, 1967, S. 143). Gegen die Vernachlässigung der Rekrutierungsfunktion durch die Klassenforschung muß eingewandt werden, daß eine Demokratisierung und Egalisierung der Auswahl von funktionalen Delegationseliten eine der wirksamsten Methoden zur Bekämpfung des Einflusses unlegitimierter und unkontrollierter Macht der Oligopole darstellt.

Der erste Regierungswechsel in der Bundesrepublik hat ein paar neue Trends in den Karrieremustern sichtbar werden lassen, aber das Grunddilemma der Ungleichheit der Chancen politischer Mobilität nicht beseitigt. Die kleinen Fortschritte in bezug auf die stärkere politische Karrieremobilität traditionell unterprivilegierter Gruppen (Unterschichten, Frauen) haben sich bei der 2. Regierungsbildung nicht in gleichem Maße fortgesetzt. Der Trend ist eher rückläufig, obwohl die Zahl der Positionswechsel nicht groß genug ist, um signifikante quantitative Ergebnisse zu ermöglichen. Politisch relevant sind nicht schon die kleinen Änderungen eines objektiv feststellbaren Wandels, der sich in der Führungsauslese abzeichnet und der auf stärkere Beteiligung der bisher unterprivilegierten Gruppen, eine stärkere Pluralisierung der politischen Elite und eine horizontale Mobilität zwischen den Sektoren der Gesellschaft (vor allem Politik und Bildung, Politik und Wirtschaft) hindeutet. Relevant ist auch die subjektive Perzeption dieser Vorgänge in der Bevölkerung, und hier ist es der SPD kaum gelungen, den Unterprivilegierten bereits das Gefühl zu vermitteln, daß sie stärker als bisher an den politischen Entscheidungen partizipieren können. Von den Belohnungen und Gratifikationen, die höheren Schichten und politischen Positionsträgern offenstehen – wie Geld, Macht, Wissen, Prestige –, haben die sozial Unterprivilegierten bisher in der Bundesrepublik überwiegend nach »Geld« gestrebt. Die Interdependenz der Chance zur Erreichung dieser »rewards« zeigte sich jedoch gerade am Phänomen der Macht am deutlichsten. Der Mangel an Information und Wissen über Politik – trotz oder wegen zwanzig Jahren verkrampfter politischer Bildung im Sinne von »reeducation«, das heißt vorgegebener, aus angelsächsischen Demokratien unbefragt übernommener Werte – hat bei vielen der sozial Schwachen nicht nur kein Wissen über die Möglichkeiten der Partizipation am politischen Prozeß, sondern zum Teil auch keine Kenntnis über die Möglichkeiten, die den meisten fehlen, wachgerufen (vgl. Neidhardt, 1968, S. 202 ff.). Mit zunehmender Politisierung ist daher keineswegs mit wachsender Zufriedenheit der Machtlosen zu rechnen. Im Gegenteil, die wachsende Verbreitung politischen Bewußtseins wird vermutlich die Unzufriedenheit vorübergehend noch steigern. Ob diese für eine Demokratisierung der Herrschaft fruchtbare Unruhe sich in pauschaler Ablehnung der parlamentarischen Demokratie erschöpft oder ob sie mit wachsender Kritikfähigkeit bei den Bürgern und der Verbesserung der Partizipation in allen Subsystemen des Staates, zum Abbau überflüssiger Herrschaft und zur Demokratisierung des Zugangs zu politischer Macht führen wird, bleibt abzuwarten. Eine ebenso wichtige Unbekannte ist jedoch die Reaktion der politischen Elite auf künftige außerparlamentarische Herausforderungen. Auch in dieser Frage besteht kein Anlaß zu unreflektiertem Optimismus. Die Modernisierungsforschung zeigt (S. P. Huntington: Political Order in Changing Societies. New Haven/London 1968, S. 361), daß gerade Eliten, die entschlossen den Weg der Reform beschreiten, oft nervös reagieren, wenn die durchgesetzten Innovationen den Protest anomischer Gruppen und den Einsatz von Gewalt und Quasigewalt im politischen System nicht gänzlich zum Verschwinden bringen.

Die Erforschung der politischen Elite kann die Demokratisierungsaufgaben nicht allein lösen, sondern muß von der Parteien- und Verbandsforschung, der Erziehungswissenschaft, der Ökonomie, der Verwaltungswissenschaft und anderen Forschungszweigen unterstützt werden. Die Bemühungen um den Abbau politischer Herrschaft und zur Entflechtung wirtschaftlicher und politischer Macht müssen an vielen Stellen der kapitalistischen wie der sozialistischen Gesellschaft zugleich ansetzen:

(1) *Demokratisierung des Bildungssystems* und *Egalisierung der Aufstiegschancen* durch Schaffung eines durchlässigen Gesamtschul- und Gesamthochschulsystems, mit ständigen Fortbildungsmöglichkeiten für alle Bevölkerungsschichten (Bildungsurlaub usw.);

(2) *Demokratisierung, Binnenkonstitutionalisierung und Parlamentarisierung* der Subsysteme, von Gewerkschaften bis hin zu Universitäten, Schulen und Kirchen;

(3) *Verbesserung der innerparteilichen Demokratie* durch Flügelbildung, stärkere Kontrolle der unteren Parteieinheiten über Repräsentanten und Funktionäre, Schaffung einer *breiteren Mitwirkung des Parteivolkes* (evtl. in Vorwahlen auch der Bürger) bei der Kandidatenaufstellung;

(4) *Maßnahmen gegen Konzentrationsbewegungen in Wirtschaft und Massenmedien;*

(5) *Reformen im Parlament* zur Verbesserung der Arbeit der Abgeordneten. *Soziale Sicherung von Ex-Politikern* in einem Umfang, die rasche Rotation und Entplutokratisierung der Politik fördert, ohne jedoch allzu starken Anreiz zum Erwerb von kurzfristig erreichbaren Staatsrenten zu geben;

(6) *Kontrolle und Offenlegung der Interessenteneinflüsse* in Regierung, Verwaltung und Parlament;

(7) *Enthierarchisierung des Verwaltungsapparats* und seine Reorganisation nach parlamentarischen Prinzipien der Entscheidungsfindung, wie sie von der modernen Verwaltungslehre vorgeschlagen worden ist;

(8) *Stärkung der Konflikt- und Diskussionsbereitschaft* der Bürger in allen Bereichen der Gesellschaft.

Die Aussichten für Innovationen im politischen System sind bei der bloßen Befragung von Eliten häufig partiell falsch eingeschätzt worden, wie in der Studie von Deutsch (1967) über die deutschen und französischen Eliten. Im Augenblick des Erscheinens seines Buches kamen durch die soziale Unruhe von 1967/68 Innovationen zustande, die nach den Ergebnissen der Befragung von Eliten kaum denkbar gewesen wären. Methodisch gesicherte Voraussagen über die Zukunft eines politischen Systems werden sich daher nicht nur auf die Ergebnisse der Elitenforschung, sondern zunehmend auch auf die Analyse des Verhaltens und der Einstellung der Nichteliten stützen müssen.

Bibliographie

ACKERMANN, PAUL: Die Jugendorganisationen der politischen Parteien. In: Gerhard Lehmbruch – Klaus von Beyme – Iring Fetscher (Hrsg.), Demokratisches System und politische Praxis der Bundesrepublik. München 1970, S. 298–315

ADENAUER, KONRAD: Erinnerungen. 4 Bde., Stuttgart 1965–68

ADORNO, THEODOR W. (Hrsg.): Spätkapitalismus oder Industriegesellschaft. Verhandlungen des 16. Deutschen Soziologentages. Tübingen 1969

AGNOLI, JOHANNES: Transformation der Demokratie. Frankfurt/M. 1967

ALBERONI, P. (Hrsg.): L'attivista di partito. Bologna 1968

ALDERMAN, R. K. – CROSS, J. A.: The Tactics of Resignation. London 1967

ALMOND, GABRIEL – VERBA, SIDNEY: The Civic Culture. Political Attitudes and Democracy in Five Nations. Princeton 1963

AMMON, ALF: Eliten und Entscheidungen in Stadtgemeinden. Berlin 1967

ARMSTRONG, J. A.: The European Administrative Elite. Princeton 1973

ARNOLD, KARL: Grundlegungen christlich-demokratischer Politik in Deutschland. Bonn 1960

ARON, RAYMOND: Catégories dirigeantes ou classe dirigeante? Revue française de science politique, 1965, S. 7–27

ASCHAUER, ERIKA: Führung. Eine soziologische Analyse anhand kleiner Gruppen. Stuttgart 1970

AŠIN, G. K.: Mif ob élite i »massovom obščestve« (Mythos über Elite und Massengesellschaft). Moskau 1966

AZRAEL, JEREMY R.: Managerial Power and Soviet Politics. Cambridge/Mass. 1966

BACHRACH, P.: The Theory of Democratic Elitism. Boston 1967

BACHRACH, P. – BARATZ, M. S.: Decisions and Nondecisions. An Analytical Framework. APSR, 1963, S. 632–642

BALKE, SIEGFRIED: Vernunft in dieser Zeit. Düsseldorf/Wien 1962

BANFIELD, EDWARD: Political Influence. New York 1961

BARBER, JAMES DAVID: The Lawmakers. Recruitment and Adaptation to Legislative Life. New Haven/London ²1967

BARKER, ANTHONY – RUSH, MICHAEL: The Member of Parliament and his Information. London 1970

BARZEL, RAINER: Die geistigen Grundlagen der politischen Parteien. Bonn 1947

–: Gesichtspunkte eines Deutschen. Düsseldorf 1968

BAUER, RAYMOND – POOL, ITHIEL DE SOLA – DEXTER, Lewis A.: American Business and Public Policy. New York 1963

BELL, R. – EDWARDS, D. V. – WAGNER, R. H. (Hrsg.): Political Power. A Reader in Theory and Research. New York/London 1969

BENDA, ERNST u. a.: Zukunftsbezogene Politik. Bad Godesberg 1969

BENDIX, REINHARD – LIPSET, SEYMOUR MARTIN (Hrsg.): Class, Status and Power. A Reader in Social Stratification. Glencoe/Ill. 1963

v. BETHUSY-HUC, VIOLA GRÄFIN: Die soziologische Struktur deutscher Parlamente. Ein Beitrag zur Theorie der politischen Elitebildung. Diss. Bonn 1958

v. BEYME, KLAUS: Elite. Sowjetsystem und Demokratische Gesellschaft. Bd. 2, Freiburg 1968, S. 103–128

–: Interessengruppen in der Demokratie. München ³1971

–: Politische Eliten. In: Das politische System Italiens. Stuttgart 1970, S. 118–123

–: Die parlamentarischen Regierungssysteme in Europa. München ³1973

BIERMANN, BENNO: Die soziale Struktur der Unternehmerschaft. Stuttgart 1971

BÖHRET, CARL: Entscheidungshilfen für die Regierung. Modelle, Instrumente, Probleme. Opladen 1970

BOLTE, K. M.: Sozialer Aufstieg und Abstieg. Stuttgart 1959

BOLTE, K. M. – KAPPE, D. – NEIDHARDT, F.: Soziale Schichtung. Opladen 1966

BÖRNSEN, G.: Innerparteiliche Opposition. Hamburg 1969

BOTTOMORE, T. B.: Elite und Gesellschaft. München 1966

BRAMS, Steven J.: Measuring the Concentration of Power in Political Systems. APSR, 1968, S. 461–475

BRANDT, WILLY: Plädoyer für die Zukunft. Zwölf Beiträge zu deutschen Fragen. Frankfurt/M. 1961

v. BRENTANO, HEINRICH: Deutschland, Europa und die Welt. Bonn/Wien/Zürich 1962

BROWNING, RUFUS P. – JACOB, HERBERT: Power Motivation and the Political Personality. The Public Opinion Quarterly, 1964, S. 75–90

BRÜGGE, PETER: Mit Quark und Brot, aber gemütlich. Wie Bonns Minister wohnen. ›Der Spiegel‹, 1968, Nr. 37, S. 66–70

BUSSHOFF, HEINRICH: Zu einer Theorie der politischen Identität. Opladen 1970

CARLSSON, GÖSTA: Social Mobility and Class Structure. Lund 1958

CARO, MICHAEL: Der Volkskanzler. Ludwig Erhard. Köln 1965

CHAPMAN, BRIAN: The Profession of Government. London ³1966

CHRISTLICHE DEMOKRATEN der ersten Stunde. Hrsg. von der Konrad-Adenauer-Stiftung. Bonn 1966

CLAESSENS, DIETER: Rolle und Macht. München 1968

CONNOLLY, WILLIAM E. (Hrsg.): The Bias of Pluralism. New York 1969

CONZE, WERNER: Jakob Kaiser. Politiker zwischen Ost und West. 1945–1949. Stuttgart 1969

CZICHON, EBERHARD: Der Bankier und die Macht. Hermann Josef Abs in der deutschen Politik. Köln 1970

CZUDNOWSKI, MOSHE M.: Toward a new research strategy for comparative study of political recruitment. Paper zum 8. Weltkongreß der IPSA 1970 in München (Section B IX)

DAALDER, HANS: Cabinet Reform in Britain. 1914–1963. Stanford 1963

DAHL, ROBERT A.: A Critique of the Ruling Elite Model. APSR, 1958, S. 463–469

–: Who governs. New Haven/London 1961

DAHRENDORF, RALF: Deutsche Richter. In: Gesellschaft und Freiheit. München 1961, S. 176–196

–: Gesellschaft und Demokratie in Deutschland. München 1965

DALBERG, THOMAS: Franz Josef Strauss. Gütersloh 1968

DEUTSCH, KARL W.: Arms Control and the Atlantic Alliance. Europe faces coming Policy Decisions. New York/London 1967

DEUTSCH, KARL W. – EDINGER, LEWIS J.: Germany rejoins the Powers. Mass Opinion, Interest Groups and Elites in Contemporary German Foreign Policy. Stanford 1959

DICHGANS, HANS: Das Unbehagen in der Bundesrepublik. Düsseldorf/Wien 1968

DIRENZO, GORDON J.: Personality, Power and Politics. A Social Psychological Analysis of the Italian Deputy and his Parliamentary System. Notre Dame/London 1967

v. DOHNANYI, KLAUS: Japanische Strategien oder das deutsche Führungsdefizit. München 1969

DOMHOFF, G. WILLIAM: Who rules America? Englewood Cliffs 1967

DREITZEL, HANS P.: Elitebegriff und Sozialstruktur. Stuttgart 1962

v. ECKARDT, FELIX: Ein unordentliches Leben. Lebenserinnerungen. Düsseldorf/Wien 1967

EDINGER, LEWIS J.: Post-Totalitarian Leadership. Elite in the German Federal Republic. APSR, 1960, S. 58–82

–: Kurt Schumacher. A Study in Personality and Political Behavior. Stanford/London 1965 (dt. 1967)

–: Political Leadership in Industrialized Societies. New York/London 1967

EDINGER, LEWIS J. – SEARING, DONALD D.: Social Background in Elite Analysis. A Methodological Inquiry. APSR, 1967, S. 428–445

EHMKE, HORST (Hrsg.): Perspektiven. Sozialdemokratische Politik im Übergang zu den Siebziger Jahren. Hamburg 1969

EHRLICH, STANISŁAW: Die Macht der Minderheit. Die Einflußgruppen in der politischen Struktur des Kapitalismus. Wien/Frankfurt 1966

EICHE, HANS: Heinrich Lübke. Der zweite Bundespräsident Deutschlands. Bonn 1959

EICK, JÜRGEN: Wer wird Politiker? FAZ, 16. Nov. 1970

ELDERSVELD, SAMUEL J.: Political Parties. A Behavioral Analysis. Chicago ²1966

ELLWEIN, THOMAS: Regierung und Verwaltung. Teil 1: Regierung als politische Führung. Stuttgart 1970

END, HEINRICH: Erneuerung der Diplomatie. Neuwied/Berlin 1969

ERHARD, LUDWIG: Deutsche Wirtschaftspolitik. Düsseldorf/Wien 1962

ERLER, FRITZ: Politik für Deutschland. Stuttgart 1968

ESCHENBURG, THEODOR: Der Sold des Politikers. Stuttgart-Degerloch 1959

–: Ämterpatronage. Stuttgart 1961

ETZEL, FRANZ: Gutes Geld durch gute Politik. Stuttgart 1959

ETZIONI, AMITAI: The Active Society. New York 1968

EULAU, HEINZ – PREWITT, KENNETH: Social Bias in Leadership Selection. Political

Recruitment and Electoral Context. Paper zum 8. Weltkongreß der IPSA 1970 in München (Section B X)

Farneti, Paolo: Imprenditore e società. Turin 1970

Field, G. Lowell – Higley, John: Elites in Developed Societies: Theoretical Reflections on an Initial Stage in Norway. Beverly Hills, London 1972

Fritz, Rudolf: Der Einfluß der Parteien und Geschädigtenverbände auf die Schadenfeststellung im Lastenausgleich. Diss. Berlin 1964

Fromme, Friedrich Karl: Kein Bedarf an Sonderzügen. FAZ, 5. Nov. 1969, S. 1

–: Die personalpolitische Beute der Sieger. FAZ, 11. April 1970, S. 2

–: Die Parlamentarischen Staatssekretäre. Entwicklung in der 6. Wahlperiode. Zeitschrift für Parlamentsfragen, 1970, H. 1, S. 53–82

Führung und Bildung in der heutigen Welt. Hrsg. zum 60. Geburtstag von Kurt Georg Kiesinger. Stuttgart 1964

Fülles, Mechthild: Frauen in Partei und Parlament. Köln 1969

Fürstenberg, Friedrich: Das Aufstiegsproblem in der modernen Gesellschaft. Stuttgart 1962

Gaus, Günter: Zur Person. Portraits in Frage und Antwort. 2 Bde., München 1964, 1966

Gayer, Kurt: Wie man Minister macht. Politik und Werbung. Stuttgart 1963

Gelsner, Kurt: Heinrich von Brentano. München/Köln 1957

Gerlich, Peter – Kramer, Helmut: Abgeordnete in der Parteiendemokratie. München 1969

Gerstenmaier, Eugen: Reden und Aufsätze. 2 Bde., Stuttgart 1956, 1962

Glass, David – König, René (Hrsg.): Soziale Schichtung und soziale Mobilität. Köln/Opladen ²1965

Gorz, André: Zur Strategie der Arbeiterbewegung im Neokapitalismus. Frankfurt/M. ³1968

Goyke, Ernst: Die 100 von Bonn. Zwischen Barzel und Wehner. Bergisch Gladbach 1970

Grauhan, Rolf-Richard: Modelle politischer Verwaltungsführung. Konstanz 1969

Gross, Herbert: Unternehmer in der Politik. Düsseldorf 1954

Grube, F. u. a.: Das Management des VI. Deutschen Bundestages. Zeitschrift für Parlamentsfragen, 1970, H. 2, S. 153–161

Grunenberg, Nina: BMZ – Haus der steilen Karrieren. ›Die Zeit‹, 28. März 1969

Günther, Klaus: Der Kanzlerwechsel in der Bundesrepublik. Adenauer – Erhard – Kiesinger. Hannover 1970

Guttsman, W. L.: The British Political Elite. London 1965

Guttenberg, Karl Theodor Freiherr von und zu: Wenn der Westen will. Plädoyer für eine mutige Politik. Stuttgart 1964

Hacker, Andrew: Die Gewählten und Gesalbten. Zwei amerikanische Eliten. In: Ekkehart Krippendorff (Hrsg.), Political Science. Tübingen 1966, S. 132–147

Hartmann, Heinz: Authority and Organization in German Management. Princeton 1959

–: Funktionale Autorität. Stuttgart 1964

v. HASSEL, KAI-UWE: Verantwortung für die Freiheit. Auszüge aus Reden und Veröffentlichungen aus den Jahren 1963/65. Boppard 1965

HAUPTMANN, CHRISTA: Die Ministerpräsidenten der Bundesländer. Tübingen 1969 (maschinenschriftl. Zulassungsarbeit)

HEIDENHEIMER, ARNOLD: Adenauer and the CDU. Den Haag 1960

HENKELS, WALTER: Neunundneunzig Bonner Köpfe. Düsseldorf/Wien 1963

–: Hundertelf Bonner Köpfe. Düsseldorf/Wien 1968

HENNIS, WILHELM: Amtsgedanke und Demokratiebegriff. In: Politik als praktische Wissenschaft. München 1968, S. 48–64

HERZOG, DIETRICH: Politische Elitenselektion. Soziale Welt Nr. 20/21, 1970/71, S. 129–145

HEUSS, THEODOR: Die großen Reden. Der Staatsmann. Tübingen 1965

–: Aufzeichnungen 1945–1957. Aus dem Nachlaß. Tübingen 1966

–: Tagebuchbriefe. 1955–1963. Tübingen/Stuttgart 1970

HÖFER, WERNER: Gewählt, aber nicht gekrönt. Ein Gespräch mit drei Bonner Polit-Ladies. ›Die Zeit‹, 26. Dez. 1969

HOFFMANN, WOLFGANG: General im privaten Sold. ›Die Zeit‹, 5. Juni 1970, S. 23

HOEGNER, WILHELM: Der schwierige Außenseiter. München 1959

HOLZER, HORST: Massenkommunikation und Demokratie in der Bundesrepublik Deutschland. Opladen 1969

HOPF, VOLKMAR: Beamteter und parlamentarischer Staatssekretär. In: Öffentlicher Dienst und politischer Bereich. Berlin 1968, S. 129–138

HUNTER, FLOYD: Community Power Structure. A Study of Decision Makers. Garden City/N. Y. 1963 (Anchor Book)

IBLHER, PETER: Hauptstadt oder Hauptstädte? Die Machtverteilung zwischen den Großstädten der BRD. Opladen 1970

JAFFE, ABRAM J. – CARLETON, ROBERT O.: Occupational Mobility in the United States. New York 1954

JAEGGI, URS: Die gesellschaftliche Elite. Bern/Stuttgart 1960

–: Macht und Herrschaft in der Bundesrepublik. Frankfurt/M. 1969

JANOWITZ, MORRIS: The Systematic Analysis of Political Biography. World Politics, 1954, S. 405–412

–: Soziale Schichtung und Mobilität in Westdeutschland. KZfSS, 1958, S. 405–412

KAACK, HEINO: Wahlkreisgeographie und Kandidatenauslese. Köln/Opladen 1969 (a)

–: Wer kommt in den Bundestag? Abgeordnete und Kandidaten 1969. Opladen 1969 (b)

KAISER, CARL-CHRISTIAN: »Die da oben«. Politik in Bonn. Tübingen 1971

KANDIDATEN. ›Der Spiegel‹, 1969, Nr. 28

KATHER, LINUS: Die Entmachtung der Vertriebenen. 2 Bde., München/Wien 1965

KATZER, HANS: Aspekte moderner Sozialpolitik. Stuttgart 1969

KAUFMANN, KARLHEINZ – KOHL, HELMUT – MOLT, PETER: Kandidaturen zum Bundestag. Köln/Berlin 1961

KELLER, SUZANNE: Beyond the Ruling Class. Strategic Elites in Modern Society. New York 1963

KEMPF, UDO: Zur Kandidatenaufstellung in Frankreich am Beispiel der Union pour la Nouvelle République und ihrer Koalitionspartner. Berlin 1973

KLATT, HARTMUT: Die Abgeordnetenversorgung. Diss. Tübingen 1970

KNIGHT, M.: The German Executive 1890–1933. Stanford 1955

KNOLL, JOACHIM H.: Führungsauslese in Liberalismus und Demokratie. Stuttgart 1957

KOCH, CLAUS – SENGHAAS, DIETER: Texte zur Technokratiediskussion. Frankfurt/M. 1970

KOFLER, LEO: Staat, Gesellschaft und Elite zwischen Humanismus und Nihilismus. Ulm 1960

KOLBE, HELLMUTH – RÖDER, KARL-HEINZ: Staat und Klassenkampf. Berlin-O 1969

KOLKO, GABRIEL: Besitz und Macht. Sozialstruktur und Einkommensverteilung in den USA. Frankfurt/M. ²1969

KÖLSCH, EBERHARD: Primaries. Zur Kandidatenaufstellung in den USA. Diss. Tübingen 1971

KORNBERG, ALLAN – FALCONE, DAVID J.: Societal Change, Legislative Elite Composition and Political System Outputs in Canada. Paper für die Bellagio-Konferenz über Elite Recruitment and Policy Output, August 1970

KORNBERG, ALLAN – MUSOLF, LLOYD D. (Hrsg.): Legislatures in Developmental Perspective. Durham 1970

KORNHAUSER, WILLIAM: The Politics of Mass Society. London ³1968

–: ›Power Elite‹ or ›Veto Groups‹. In: R. Bell – D. V. Edwards – R. H. Wagner, Political Power. A Reader in Theory and Research. New York/London 1969, S. 42–52

KÖTTGEN, ARNOLD: Das deutsche Berufsbeamtentum und die parlamentarische Demokratie. Berlin/Leipzig 1928

KREIKEBAUM, H. – RINSCHE, G.: Das Prestigemotiv in Konsum und Investition. Berlin 1961

LA BUROCRAZIA CENTRALE IN ITALIA. Mailand 1965

LANGE, R.-P.: Auslesestrukturen bei der Besetzung von Regierungsämtern. In: J. Dittberner – R. Ebbighausen (Hrsg.): Parteiensystem in der Legitimationskrise. Opladen 1973, S. 132–171

LASSWELL, HAROLD D. – KAPLAN, ABRAHAM: Power and Society. New Haven 1950

LASSWELL, HAROLD D. – LERNER, DANIEL (Hrsg.): World Revolutionary Elites. Cambridge/Mass. 1966

LASSWELL, H. D. – LERNER, D. – ROTHWELL, C.: The Comparative Study of Elites. Stanford 1952

LAUFER, HEINZ: Der parlamentarische Staatssekretär. München 1969

LEMMER, ERNST: Manches war doch anders. Erinnerungen eines deutschen Demokraten. Frankfurt 1968

LENSKI, GERHARD: Power and Privilege. A Theory of Social Stratification. New York 1966

LINZ, GERTRAUD: Literarische Prominenz in der Bundesrepublik. Olten/Freiburg 1965

LOEWENBERG, GERHARD: Parlamentarismus im politischen System der Bundesrepublik Deutschland. Tübingen 1969

LOWI, THEODORE J.: American Business, Public Policy, Case Studies and Political Theory. World Politics, 1963/64, S. 677–713

LÜCKE, PAUL: Ist Bonn doch Weimar? Frankfurt/Berlin 1968

LUDZ, PETER CHRISTIAN: Parteielite im Wandel. Funktionsaufbau, Sozialstruktur und Ideologie der SED-Führung. Köln/Opladen 1968

LUHMANN, NIKLAS: Funktionen und Folgen formaler Organisation. Berlin 1964

LÜTKENS, CHARLOTTE: Die Familienverhältnisse der weiblichen Bundestagsabgeordneten. Zeitschrift für Politik, 1959, S. 58–61

MAAS, FRITZ: Über die Herkunftsbedingungen der geistigen Führer. Archiv für Sozialwissenschaft und Sozialpolitik, Bd. 41, S. 144–186

MAIER, HANS – RAUSCH, HEINZ – HÜBNER, EMIL – OBERREUTER, HEINRICH: Zum Parlamentsverständnis des fünften Deutschen Bundestages. Die Möglichkeit von Zielkonflikten bei einer Parlamentsreform. Bonn 1969 (hektograph.)

MAJONICA, ERNST: Möglichkeiten und Grenzen der deutschen Außenpolitik. Stuttgart 1969

MANN, DEAN – DOIG, JAMESON W.: The Assistant Secretaries. Problems and Processes of Appointment. Washington 1965

MARCUS, H.: Wer verdient schon, was er verdient. Düsseldorf 1969

MATTHEWS, D. R.: The Social Background of Political Decision Makers. New York 1954

–: U. S. Senators and their World. New York 1960 (Vintage Book)

MEISSNER, BORIS: Der soziale Strukturwandel im bolschewistischen Rußland. In: Boris Meissner (Hrsg.), Sowjetgesellschaft im Wandel. Stuttgart 1966, S. 27–152

v. MERKATZ, HANS-JOACHIM: Die konservative Funktion. München 1957

–: In der Mitte des Jahrhunderts. München/Wien 1963

MEYNAUD, JEAN: Rapporto sulla classe dirigente italiana. Mailand 1966

MILLS, C. W.: The Power Elite. New York 1959 (Galaxy Book)

MOMMSEN, ERNST WOLF (Hrsg.): Elitenbildung in der Wirtschaft. Darmstadt 1955

MONTGOMERY, JOHN D.: Forced to be free. Chicago 1957

MOORE, HARRIETT – KLEINING, GERHARD: Das soziale Selbstbild der Gesellschaftsschichten in Deutschland. Kölner Zeitschrift für Soziologie und Sozialpsychologie, 1960, S. 86–119

MOORE, W. E. – TUMIN, M. M.: Some Social Functions of Ignorance. American Sociological Review, 1947

MORKEL, ARND: Lehrjahre für Minister? Beilage zur Wochenzeitung ›Das Parlament‹, 22. März 1967

MOSEN, WIDO: Bundeswehr – Elite der Nation? Neuwied/Berlin 1970

MÜLLER, MARIA: Offenheit und Konformität. Die politische Tagespresse in der Bundesrepublik Deutschland. Diss. Tübingen 1973

NADEL, S. F.: The Concept of Social Elites. In: International Social Science Bull. 1956, S. 413–424

NARR, WOLF-DIETER: Pluralistische Gesellschaft. Hannover 1969

NEIDHARDT, FRIEDHELM: Soziale Schichtung und soziale Stabilität. Sanktionenverteilung und Unterschichtverhalten in der Bundesrepublik. München 1968 (Habil.-Schrift, masch. schriftl.)

NUSCHELER, FRANZ: Parlamentarische Staatssekretäre und Staatsminister. Das britische Vorbild. Zeitschrift für Parlamentsfragen, 1970, H. 1, S. 83–89

OFFE, CLAUS: Politische Herrschaft und Klassenstrukturen. In: Gisela Kress – Dieter Senghaas (Hrsg.), Politikwissenschaft. Frankfurt/M. 1969, S. 155–189
–: Leistungsprinzip und industrielle Arbeit. Mechanismen der Statusverteilung in Arbeitsorganisationen der industriellen ›Leistungsgesellschaft‹. Frankfurt/M. 1970
OLLÉ-LAPRUNE, JACQUES: La stabilité des ministres sous la troisième république. 1879–1940. Paris 1962

PARSONS, TALCOTT: The Distribution of Power in American Society. World Politics, 1957, S. 123–144 (Besprechung von Mills' ›Power Elite‹)
–: A revised and analytical approach to the theory of social stratification. In: Reinhard Bendix – Seymour Lipset (Hrsg.): Class, Status and Power. Glencoe/Ill. ⁶1963, S. 92–128
PERTICONE, GIACOMO: La formazione della classe politica nell' Italia contemporanea. Florenz 1954
POPITZ, HEINRICH – BAHRDT, HANS PAUL – JÜRES, ERNST AUGUST – KESTING, HANNO: Das Gesellschaftsbild des Arbeiters. Tübingen 31967
v. PRERADOVICH, NIKOLAUS: Die Führungsschichten in Österreich und Preußen. 1804–1918. Wiesbaden 1955
PRESTHUS, ROBERT: Men at the Top. New York 1964
–: Individuum und Organisation. Typologie der Anpassung. Frankfurt/M. 1966
PROJEKTGRUPPE für Regierungs- und Verwaltungsreform beim Bundesminister des Innern (Hrsg.): Erster Bericht zur Reform der Struktur von Bundesregierung und Bundesverwaltung. 2 Bde., Bonn 1969
PROSS, HELGE: Manager und Aktionäre in Deutschland. Untersuchungen zum Verhältnis von Eigentum und Verfügungsmacht. Frankfurt/M. 1965
PROSS, HELGE – BOETTICHER, KARL W. – LAUBSCH, LANDOLF: Professoren in der Provinz. Neuwied / Berlin 1970

RANGOL, ALFRED-JOHANNES: Die Abgeordneten des 6. Deutschen Bundestages nach Geschlecht und Alter, Herkunft und Beruf. Wirtschaft und Statistik 1969, H. 11, S. 609–612
RANNACHER, H.: Das konfessionelle Gleichgewicht als Strukturproblem der Christlich-Demokratischen Union. Diss. Tübingen 1970
RANNEY, AUSTIN: Pathways to Parliament. London 1965
RIESMAN, DAVID: Die einsame Masse. Hamburg 1958
ROSE, ARNOLD M.: The Power Structure. Political Process in American Society. London/New York 1967
ROSE, RICHARD: Cabinet Ministers in Britain. Their Selection and Consequences. Paper auf dem 8. Weltkongreß der IPSA in München 1970 (Section B X)
ROSS, RALPH GILBERT: Elites and the Methodology of Politics. Public Opinion Quarterly, 1952, S. 27–32

ROVERE, RICHARD: The American Establishment. New York (1946) 1962

RUSH, MICHAEL: The Selection of Parliamentary Candidates. London 1969

RUSTOW, DANKWART: The Study of Elites. Who's who, when and how. World Politics, 1966, S. 690–717

SAHNER, HEINZ: Führungsgruppen und technischer Fortschritt. Diss. Köln 1973

SALTER, ERNEST – STOLZ, OTTO: Wehner – ante portas. Würzburg o. J.

SCHATZ, HERIBERT: Der Parlamentarische Entscheidungsprozeß. Bedingungen der verteidigungspolitischen Willensbildung im Deutschen Bundestag. Meisenheim am Glan 1970

SCHEFER, GERWIN: Das Gesellschaftsbild des Gymnasiallehrers. Frankfurt/M. 1969

SCHEUCH, ERWIN: Sichtbare und unsichtbare Macht. ›Die Zeit‹, 24. Nov. 1967, S. 3; 1. Dez. 1967

–: Einkommen und Situation von Führungskräften in Deutschland. Eine Studie der Arbeitsgemeinschaft für Gehaltsforschung. 1968 (masch. schriftl.)

–: Abschied von den Eliten. In: Das 198. Jahrzehnt. Hamburg 1969, S. 305–322

SCHLESINGER, JOSEF A.: Ambition and Politics. Political Careers in the United States. Chicago 1966

SCHLETH, UWE: Once again: Does it pay to study Social Background in Elite Analysis? Sozialwiss. Jahrbuch für Politik. München, Wien 1971, S. 99–118

SCHRÖDER, GERHARD: Wir brauchen eine heile Welt. Politik in und für Deutschland. Düsseldorf 1963

SCHUMPETER, JOSEPH: Kapitalismus, Sozialismus und Demokratie. Bern 1950

SCHWARTZ, DAVID C.: Toward a Theory of Political Recruitment. Western Political Quarterly, 1969, S. 552–571

SEARING, DONALD: The Comparative Study of Elite Socialization. Comparative Political Studies 1968/69, S. 471–500

SELIGMAN, LESTER G.: Elite Recruitment and Political Development. Journal of Politics, 1964, S. 612–626

SIEBURG, FRIEDRICH: Von der Elite zur Prominenz. ›Die Zeit‹, 24. Juni 1954

SIWEK-POUYDESSEAU, JEANNE: Le personnel de direction des ministères. Paris 1969

SKIBOWSKI, KLAUS OTTO: Die Zukunft mit der CDU? Fehler und Chancen der Opposition. Düsseldorf 1970

SONNEMANN, ULRICH (Hrsg.): Wie frei sind unsere Politiker? Zehn Publizisten antworten. München 1968

SÖRGEL, WERNER: Konsensus und Interesse. Eine Studie zur Entstehung des Grundgesetzes. Stuttgart 1969

STAMMER, OTTO: Das Elitenproblem in der Demokratie. In: Schmollers Jahrbuch für Gesetzgebung und Statistik, 1961, S. 513–540

– (Hrsg.): Verbände und Gesetzgebung. Köln/Opladen 1965

STANLEY, D. T. – MANN, D. E. – DOIG, J. W.: Men who govern. A Biographical Profile of Federal Political Executives. Washington 1967

STELTZER, THEODOR: Sechzig Jahre Zeitgenosse. München 1966

STOLBERG-WERNIGERODE, OTTO GRAF ZU: Die unentschiedene Generation. Deutschlands konservative Führungsschichten am Vorabend des Ersten Weltkrieges. München/Wien 1968

STOLTENBERG, GERHARD: Staat und Wissenschaft. Stuttgart 1969

STORBECK, ANNA CHRISTINE: Die Regierungen des Bundes und der Länder seit 1945. München/Wien 1970

STRAUCH, RUDOLF: Bonn macht's möglich. Düsseldorf/Wien 1969

STRAUSS, FRANZ JOSEF: Herausforderung und Antwort. Ein Programm für Europa. Stuttgart 1968

SZCZEPAŃSKI, JAN: Die biographische Methode. Handbuch der empirischen Sozialforschung, hrsg. von R. König. Stuttgart ²1967, S. 551–569

THIEME, WERNER: Der »politische Beamte« im Sinne des § 31 Beamtenrechtsrahmengesetz. In: Öffentlicher Dienst und politischer Bereich. Berlin 1968, S. 149–166

THOMPSON, VICTOR A.: Hierarchie, Spezialisierung und organisationsinterner Konflikt. In: Renate Mayntz (Hrsg.), Bürokratische Organisation. Köln/Berlin 1968, S. 217–227

THOENES, PIET: The Elite in the Welfare State. New York/London 1966

TSATSOS, DIMITRIS TH.: Die parlamentarische Betätigung von öffentlichen Bediensteten. Bad Homburg/Berlin/Zürich 1970

TUMIN, MELVIN M.: Schichtung und Mobilität. München 1968

ULRICH, KAY L.: Die Frauen im Bundestag. FAZ, 3. Dezember 1969

VALEN, HENRY: The Recruitment of Parliamentary Nominees. Scandinavian Political Studies, Bd. 1 (1966), S. 121–166

VARAIN, HEINZ JOSEF: Parteien und Verbände. Köln/Opladen 1964

WAHL, RAINER: Die Weiterentwicklung der Institution des parlamentarischen Staatssekretärs. ›Der Staat‹, 1969, H. 3, S. 327–348

WARNER, W. L. ET AL.: The American Federal Executive. New Haven/London 1963

WASSERMANN, RUDOLF (Hrsg.): Erziehung zum Establishment? Juristenausbildung in kritischer Sicht. Karlsruhe 1969

WEBER, MAX: Politik als Beruf. In: Gesammelte politische Schriften. Tübingen ²1958, S. 493–548

WEHNER, HERBERT: Wandel und Bewährung. Ausgewählte Reden und Schriften 1930–1967. Frankfurt a. M./Berlin 1968

WIATR, JERZY J. – OSTROWSKI, KRZYSZTOF: Political Leadership: what kind of Professionalism? In: J. J. Wiatr – J. Tarkowski (Hrsg.), Studies in Polish Political System. Warschau 1967, S. 140–155

WIEHN, ERHARD: Theorien der sozialen Schichtung. Eine kritische Diskussion. München 1968

WILDENMANN, RUDOLF: Eliten in der Bundesrepublik. Eine sozialwissenschaftliche Untersuchung über Einstellungen führender Positionsträger zur Politik und Demokratie. Mannheim, August 1968 (hektogr.)

WOLL, PETER: American Bureaucracy. New York 1963

WURSTER, JÜRGEN: Herrschaft und Widerstand. Theorien zur Zirkulation regierender Eliten. Tübingen o. J. (1969)

ZAPF, WOLFGANG: Wandlungen der deutschen Elite. München ²1966
- (Hrsg.): Beiträge zur Analyse der deutschen Oberschicht. München 1965
ZEUNER, BODO: Innerparteiliche Demokratie. Berlin 1969
-: Kandidatenaufstellung zur Bundestagswahl 1965. Den Haag 1970
ZUNDEL, ROLF: Ein Parlament der Regierungsräte? Fragwürdige Privilegien der Beam-
ten-Abgeordneten. ›Die Zeit‹, 28. Nov. 1969, S. 12
-: Ehmkes Beutezug im Kanzleramt. ›Die Zeit‹, 13. März 1970, S. 7
-: Die Erzengel fielen weich. Politik und Machtstrukturen der CDU-CSU-Fraktion.
›Die Zeit‹, 29. Mai 1970, S. 6
ZUR NEUGESTALTUNG des Bundestagswahlrechts. Bericht des vom Bundesminister des
Innern eingesetzten Beirats für Fragen der Wahlrechtsreform. Bonn 1968

Abkürzungen:

APSR   American Political Science Review
ASR   American Sociological Review
KZfSS Kölner Zeitschrift für Soziologie und Sozialpsychologie
PVS   Politische Vierteljahresschrift

Register

Klaus von Beyme

Interessengruppen
in der Demokratie
4., umgearbeitete u. ergänzte Aufl., 1974.
Piper Sozialwissenschaft Bd. 24. 243 Seiten

Die parlamentarischen Regierungs-
systeme in Europa
2. Aufl., 3. Tsd. 1973. 1035 Seiten. Leinen

Die politischen Theorien
der Gegenwart
Eine Einführung. 2., korrigierte u. ergänzte Aufl., 8. Tsd. 1974.
Piper Sozialwissenschaft Bd. 12. 339 Seiten. Kartoniert

Vom Faschismus
zur Entwicklungsdiktatur –
Machtelite und Opposition
in Spanien
1971. Piper Sozialwissenschaft Bd. 7.
208 Seiten. Kartoniert

Klaus von Beyme

Interessengruppen
in der Demokratie
4., umgearbeitete u. ergänzte Aufl., 1974.
Piper Sozialwissenschaft Bd. 24. 243 Seiten

Die parlamentarischen Regierungs-
systeme in Europa
2. Aufl., 3. Tsd. 1973. 1035 Seiten. Leinen

Die politischen Theorien
der Gegenwart
Eine Einführung. 2., korrigierte u. ergänzte Aufl., 8. Tsd. 1974.
Piper Sozialwissenschaft Bd. 12. 339 Seiten. Kartoniert

Vom Faschismus
zur Entwicklungsdiktatur –
Machtelite und Opposition
in Spanien
1971. Piper Sozialwissenschaft Bd. 7.
208 Seiten. Kartoniert

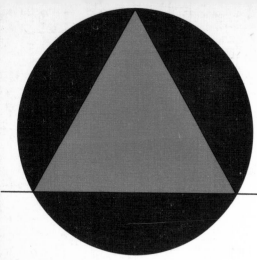

**Piper
Sozial
wissenschaft**
Texte und
Studien zur
Politologie

Über das Buch:

Das »Establishment« ist durch die Protestbewegung zu einem Schimpfwort geworden;
doch welche politischen Prozesse werden
durch solche Schlagworte nicht mehr verborgen als erhellt? Aus welchen sozialen Gruppen kommen die Politiker, welche Ausbildung
und Vorbildung bringen sie für ihre Ämter
mit? Wie werden sie rekrutiert und wie
versuchen sie sich an der Macht zu halten?
Wie hoch ist ihr Ansehen in der Bevölkerung
und wie verstehen sie selbst ihre Rolle –
diesen Fragen geht der Tübinger Politologe
Klaus von Beyme in der ersten zusammen-
fassenden Studie nach, die umfangreiche
Daten über die Politiker in der Bundesrepublik
mit den Ergebnissen der theoretischen
Diskussion für eine demokratischere Gesellschaft konfrontiert.

Klaus von Beyme, Jahrgang 1934, Studium der
Politikwissenschaft, Geschichte und Soziolo-
gie an den Universitäten Heidelberg,
München, Paris und Moskau. Seit 1967
Professor für Wissenschaftliche Politik an der
Universität Tübingen.

ISBN 3-492-01876-9